Der Anfang aller Dinge · Weisheit der Psalmen

Romano Guardini
Werke

Herausgegeben
von
Achim Budde

im Auftrag
des Sachverständigengremiums für
den literarischen Nachlass Romano Guardinis
bei der Katholischen Akademie in Bayern

Sachbereich
Schriftauslegung und Verkündigung

Romano Guardini

Der Anfang aller Dinge
Meditationen über Genesis
Kapitel 1–3

Weisheit der Psalmen
Meditationen

Matthias Grünewald Verlag
BRILL | Ferdinand Schöningh

Alle Autorenrechte liegen bei der
Katholischen Akademie in Bayern

»Der Anfang aller Dinge«:
5. Auflage 2024, unveränderter Nachdruck der 2. Auflage,
Würzburg: Werkbund-Verlag, 1965
(1. Auflage 1981)

»Weisheit der Psalmen«:
4. Auflage 2024, unveränderter Nachdruck der 1. Auflage,
Würzburg: Werkbund-Verlag, 1963

Die Verlagsgruppe Patmos ist sich ihrer Verantwortung gegenüber unserer Umwelt bewusst. Wir folgen dem Prinzip der Nachhaltigkeit und streben den Einklang von wirtschaftlicher Entwicklung, sozialer Sicherheit und Erhaltung unserer natürlichen Lebensgrundlagen an. Näheres zur Nachhaltigkeitsstrategie der Verlagsgruppe Patmos auf unserer Website www.verlagsgruppe-patmos.de/nachhaltig-gut-leben

Bibliografische Information der Deutschen Nationalbibliothek
Die Deutsche Nationalbibliothek verzeichnet diese Publikation in der Deutschen Nationalbibliografie; detaillierte bibliografische Daten sind im Internet über http://dnb.d-nb.de abrufbar.

Alle Rechte vorbehalten
© 1987 Matthias Grünewald Verlag
Verlagsgruppe Patmos in der Schwabenverlag AG, Ostfildern
www.gruenewaldverlag.de
© 1987 Verlag Ferdinand Schöningh, ein Imprint der Brill-Gruppe
(Koninklijke Brill NV, Leiden, Niederlande; Brill USA Inc., Boston MA, USA;
Brill Asia Pte Ltd, Singapore; Brill Deutschland GmbH, Paderborn, Deutschland)
www.schoeningh.de

Umschlaggestaltung: Finken & Bumiller, Stuttgart
Druck: Finidr s.r.o., Český Těšín
Hergestellt in Tschechien
ISBN 978-3-7867-3367-6 (Matthias Grünewald)
ISBN 978-3-506-79485-7 (Schöningh)

Inhalt

Der Anfang aller Dinge

Vorbemerkung 9
Die Frage nach dem Anfang 10
Das Erschaffen und Erschaffen-Sein 17
Der erste Schöpfungsbericht und der Tag des Herrn . 25
Der zweite Schöpfungsbericht und die Ordnung
   der Ehe 37
Das Paradies 44
Der Baum der Erkenntnis des Guten und des Bösen . 53
Versuchung und Sünde 61
Rechenschaft und Verlust des Paradieses 69
Der Tod 79
Die Verstörung des Menschenwerkes 91
Die Verstörung im Verhältnis der Geschlechter 99
Verlust und Verheißung 111

Weisheit der Psalmen

Vorbemerkung 119
Der Geist der Psalmen 121
Wachstum und Weg / Psalm 1 129
Der Lebendige Gott / Psalm 113 (114) 136
Jubel dem König/ Psalm 95 (96) 150
Die Erschaffung der Welt / Psalm 103 (104) 159
Das Gotteslob der Welt / Psalm 148 172

Noch einmal:
Das Gotteslob der Welt/Und der Psalm 148 181
Gottes Erkennen/ Psalm 138 (139) 189
Gottes Hirtensorge / Psalm 22 (23) 198
Die Stimme des Herrn / Psalm 28 (29) 207
Das Verlangen nach Gott / Psalm 62 (63) 215
Die Furcht des Herrn / Psalm 110 (111) 223
Vergänglichkeit/ Psalm 89 (90) 233
Das Dunkle im Menschenherzen/ Psalm 136 (137) ... 243
Geborgenheit in Gott / Psalm 90 (91) 251

Der Anfang aller Dinge
Meditationen über Genesis - Kapitel 1-3

Ida und Philipp Harth zu eigen

Vorbemerkung

Manchmal, in nachdenklicher Stunde, tritt uns eine Frage deutlich ins Bewußtsein, die aber leise, untergründig, immer in uns redet: Wie ist das mit mir? Warum bin ich so, wie ich bin, und nicht anders? Warum bin ich überhaupt? Wo ist mein »Grund«? Denn so sicher ich weiß, daß ich bin und diese und jene Eigenschaften habe, so gewiß bin ich auch, daß ich mir nicht selbst Grund des Seins und Verstehens sein kann.
Wir denken zu selten daran, daß in der Heiligen Schrift die Urkunde unseres Daseins liegt; eine Existenzlehre auf wenigen Seiten, nämlich die drei ersten Kapitel der Genesis – die nachher im Brief des Apostels Paulus an die Römer ihre Fortführung erfährt.
Von diesen drei Kapiteln soll hier die Rede sein. Nicht mit den Mitteln philologischer und historischer Exegese; für deren Problemstellungen muß auf die Fachliteratur verwiesen werden. Vielmehr sollen sie als Wort Gottes befragt werden, im Vertrauen, daß sie dem gläubig Fragenden Antwort geben – eine Antwort, durch die er sich selbst und seinen rätselhaften Weg auf dieser Erde verstehen kann.

Die Frage nach dem Anfang

»Genesis« bedeutet Entstehung. Das Buch des Alten Testaments, das so heißt, sagt in seinen ersten drei Kapiteln, wie alles begonnen hat: die Welt, der Mensch, die Geschichte, die Schuld und die Erlösung. So legt es den Grund zu allem, was dann im Lauf der Offenbarung weiterhin kundgetan werden soll.

Wir wollen dem, was es sagt, sorgsam nachgehen. Dabei wollen wir nichts abschwächen, nichts den Meinungen von Zeit und Tag anpassen, sondern uns die heilige Botschaft in ihrem genauen Wortlaut zu Bewußtsein bringen. Anderseits aber auch nicht beim bloßen Wortlaut stehen bleiben, sondern zu der Tiefe vordringen, aus welcher der Sinn erst wirklich klar wird.

Und wie wichtig, daß wir hier richtig hören und lebendig verstehen! Denn die Frage nach dem Anfang, mit dem alles Geschehen begann, ist eine der Ur-Fragen, die der Mensch stellt. Sie ist in seinem Wesen begründet. Er trifft auf die Dinge und will zuerst wissen. Was ist das? Dann aber gleich: Wo kommt das her? Was war vor ihm? Was noch einmal zuvor? Und so immer weiter zurück, bis er zur Ur-Frage gelangt: Was war zuerst? Woraus ist alles Spätere geworden?

Wenn wir an einem Fluß stehen, geraten wir ins Sinnen: Wo kommt er her? Und es wäre eine Unterweisung darin, wie überhaupt die Dinge unserer Welt werden und bestehen, wenn wir dann hinaufwandern könnten, immer weiter am Ufer des Flusses entlang; sehen, wie er schmaler und schwächer wird, bis zu seiner Quelle. Dort würden wir eine eigentümliche Ruhe empfinden: Hier beginnt er! Hier entspringt, was nachher, auf langem Weg, immerfort wachsend, zu jenem anderen Orte führt, der ihn bestimmt: zur Mündung ins Meer. Und wir würden die Quelle als ein Symbol

der »Quelle« überhaupt empfinden, der *archē,* des Urbeginns.
Die Frage nach dem Ersten, dem Anfang, kann man in verschiedener Absicht und nach verschiedener Weise ansetzen.
Man kann es naturwissenschaftlich tun. Etwa würde man von der Fülle organischer Gestalten ausgehen, denen wir in der Welt begegnen, und forschen, wie sie geworden sind. Würde die Entstehung ihrer Formen und die Stufen ihres Lebensranges zurückverfolgen, um schließlich bei einer ersten anzulangen, welche »die Quelle« aller späteren wäre. Bei ihr würde der Geist jene Ruhe empfinden, die das Erste dem Forschenden gibt, dem der Zusammenhang eines Werdens deutlich geworden ist. Bald aber würde er weiter getrieben werden und wissen wollen: Wie ist denn das erste Leben geworden? Und wie die Erde selbst? Und das Weltall? ...
Die Frage könnte auch an der Geschichte ansetzen; an den jeweils gegebenen wirtschaftlichen, politischen, kulturellen Erscheinungen und wissen wollen, wie es vorher war, und noch einmal früher, und so immer weiter zurück, bis der Fragende zu den ersterreichbaren Zeugnissen geschichtlichen Daseins käme. Gelänge es ihm, da wirklich an einen ersten Anfang zu kommen, dann würde er auch dort jene besondere Ruhe finden, von der die Rede war.
Er kann aber auch anders ansetzen, geleitet nicht so sehr vom Wissensdurst des Verstandes als vom Verlangen des individuellen Menschen, der sein eigenes Dasein verstehen will. So tut ja jeder, wenn er nach einer Zeit des Vorwärtsdrängens das Bedürfnis empfindet, zurückzublicken, die Zusammenhänge seines Lebens zu erkennen und vielleicht Anderen zu erzählen, wie es gegangen ist. Auch er sucht nach einer Quelle, der seinigen. Er fühlt das Vergehen und versichert sich seines Beginns: so sucht er über die Zeiten der Arbeiten und Kämpfe zurück zur Jugend, und weiter zur Kindheit, und würde seinen Willen ganz erreichen, wenn er verstehen könnte, wie er aus dem Leben der Eltern und aus dem Hauch Gottes

geworden ist. Darin würde er seiner selbst innig vergewissert sein.

Eine Frage von solcher Art ist es, auf die die Offenbarung antwortet. Diese Antwort hat unmittelbar nichts mit Wissenschaft zu tun. Manche, die heute leben, erinnern sich noch gut, welche Mühe bis zum Beginn dieses Jahrhunderts aufgewendet worden ist, um zu zeigen, daß der Schöpfungsbericht mit den Ergebnissen der Wissenschaft übereinstimme. Das war eine Sisyphusarbeit, denn die Lehre der Genesis vom Anfang hat weder mit Naturwissenschaft noch mit Frühgeschichte zu tun. Sie richtet sich vielmehr an den Menschen, der in Frömmigkeit fragt: Wo entspringt die Quelle meines Daseins? Was bin ich? Was ist mit mir gewollt? Von woher soll ich mein kleines Leben verstehen? Und von woher die lange Menschengeschichte? Den Weg, den sie genommen hat? Die dunkle Verworrenheit ihrer Zusammenhänge? Die Hoffnung auf ein Heil, für das es im Gang der nur irdischen Dinge keine Gewähr gibt?

Versuchen wir, zu Beginn unserer Überlegungen den Weg zur Quelle, den die Offenbarung uns zeigt, in dieser Weise zurückzugehen. In raschen Schritten natürlich, zwischen denen nur allzuviel Dunkel bleibt.
Denken wir uns, zur Zeit Christi wäre jemand nach Jerusalem gekommen und hätte wissen wollen: »Was ist das Wichtigste eurer Stadt?« Darauf hätte man ihm geantwortet: »Der Tempel...« Er hätte dann weiter gefragt: »Warum aber?« Sein Gewährsmann hätte vielleicht erwidert, was die Apostel gesagt haben, als sie mit Jesus den Tempel verließen: »Welcher Bau, welche Steine!« (Mk 13, 1); denn der Tempel, den Herodes errichtet hatte, war ein prunkvolles Werk. Das wäre aber noch nicht die eigentliche Antwort gewesen; die hätte gelautet: »Der Tempel ist Gottes Haus; Ort des heiligen Wohnens.« ... Doch der Wißbegierige hätte weiter gefragt: »War der Tempel immer da?« – »Nein«, wäre die Antwort

gewesen; »Herodes hat ihn gebaut, an Stelle des früheren, bescheidenen, den unser Volk zustande gebracht hatte, als es aus der Gefangenschaft in Babylon zurückkam. Und vor diesem hat es noch einmal einen anderen gegeben, den ersten, herrlichen, den vor fast tausend Jahren Salomon, der dritte König, errichtet hat.« ...

Der Fragende drängt voran: »War denn euer Volk immer in diesem Land?« – »Das nicht; wir sind hergekommen, aus Ägypten, vor fast anderthalb tausend Jahren. Dort haben wir lange Zeit in Knechtschaft leben müssen. Doch dann hat Gott einen Mann gesendet, der Moses hieß und gewaltig und weise war. Durch ihn hat Gott uns befreit und einen heiligen Bund mit uns geschlossen, daß Er unser Gott sein wolle, und wir sollten sein Volk sein. So hat Moses uns durch die Wüste hergeführt; Gott aber ist mit uns gewandert. Und hätten wir den Bund doch gehalten! Aber Untreue ist auf Untreue gefolgt, und Unheil auf Unheil ist daraus erwachsen.« ...

Der Fragende ist aber noch nicht zufrieden: »Waret ihr denn vorher immer in Ägypten?« – »Nein; unsere Ahnen sind dorthin gezogen, zur Zeit der großen Hungersnot, als sie noch erst wenige waren. Dann sind sie dort geblieben, zuerst im Frieden, dann in harter Knechtschaft.« ... »Und euer erster Ahn?« – »Das war Abraham. Seine Heimat war Ur in Chaldäa; doch Gott hat ihn gerufen und ihm verheißen, er werde zu einem großen Volk heranwachsen. Dieses Volk solle Gottes Volk sein, und durch es werde Er seinen heilbringenden Willen vollziehen und das sind wir.« ...

»Vor Abraham aber – was war da?« – »Das war die dunkle Zeit, in der der Strom des Heils nur wie ein feiner Faden weiterlief, erdrückt von der Gottesfremde der Schuld.« – »Schuld, sagst du: welche Schuld?« – »Der Schuld der ersten Menschen, die Gottes Vertrauen verraten und versucht haben, sich selbst zu Herren des Daseins zu machen.« ...

»Und die ersten Menschen, wie sind die geworden?« – »Gott hat sie geschaffen, in der Herrlichkeit Seines Ebenbildes, aus

der Erde des Ackers und dem Hauch Seines Mundes, als Mann und Weib. Er hat ihnen die Welt anvertraut, und alles war im Frieden der ersten Liebe. Alles war den Menschen untertan, diese selbst aber dienten Gott, und das war das Paradies. Doch die Schuld hat es zerstört.«...
»Und die Erde selbst? Der Himmel, und alle Dinge zwischen Himmel und Erde? Woher sind die gekommen?« – »Gott hat sie geschaffen. Glorreich hat Er das getan. Keiner brauchte Ihm dabei zu helfen, noch mußte Er Stoff dazu suchen, oder bedurfte Er dazu eines Vorbildes. Seine Weisheit hat alles erdacht. Er hat geboten, und es ward.« ...

So führt der Weg des Fragens zurück bis zum Anfang aller Dinge; das erste Kapitel der Heiligen Schrift aber erzählt, wie dieser sich vollzogen hat. Der Bericht ist ein Hymnus, ein Lehrgedicht, das im Bild einer Woche schildert, wie der göttliche Werkmeister mit Weisheit und Macht und liebender Sorgfalt in sechs Tagen der Arbeit die Welt ins Sein hebt, bis Er am siebenten Tage »ruht«. Zuerst erschafft Er die Urfülle, die formlos braut. Dann die großen Ordnungen und Gestalten: das Licht im Wechsel von Tag und Nacht; den Raum der Höhe mit den Geschehnissen der Witterung, und den der Erde, worin der Mensch sein Leben führen wird; die Gliederung des Erdbereichs in Land und Meer; den Pflanzenwuchs mit seiner Mannigfaltigkeit; die Gestirne und ihr Gesetz; die Welt der Tiere im Wasser, in der Luft und auf dem Lande; schließlich den Menschen, der Gottes lebendiges Bild ist und daher bestimmt, über die Welt zu herrschen. Der ganze Bericht aber wird überwölbt vom Satz: »Am Anfang schuf Gott den Himmel und die Erde« - biblischer Ausdruck für das All. Für das Werden der Gestalten und Ordnungen heißt es jeweils: »Er machte«; ein Wort, das sozusagen göttliche Handwerksarbeit meint; für den ersten Anfang aber steht: »Er schuf«. Was das Wort bedeutet, begreift kein Mensch. Es ist das Urgeheimnis. Dort geschieht der Beginn einfachhin.

Doch dem Fragenden wäre das Wort von der Schuld ins Herz gegangen, und er würde von dem anderen Anfang, dem zweiten, bösen hören wollen, den der erste, der rein und gut aus Gottes Schöpfergnade kam, nicht enthält. Er würde also weiter drängen.

»Du sagst, Gott schuf den Menschen: war der so, wie er heute ist? Voll von all der Gier, der Lüge, dem Haß, der Gewalt?« – »Gewiß nicht«, wäre die Antwort, »sondern in diesem langen Weg zum ersten Anfang ist eine Stelle, wo beinahe das Ende gekommen wäre. Der Mensch sollte ja nicht in der Art leben wie die Pflanze oder das Tier, sondern es sollte in Freiheit geschehen; die Freiheit aber bewährt sich in der Entscheidung. So hat ihm denn Gott eine Entscheidung auferlegt, von der sein Schicksal abhängen würde. In der Gestalt des Paradieses hat Er ihm die Welt übergeben. Kraft des Herrentums, das in seiner Gott-Ebenbildlichkeit lag, sollte der Mensch sie ›bebauen und bewahren‹. Und an einem Zeichen, dem Baum der Erkenntnis, sollte er kundtun, ob er bereit sei, das in Wahrheit und Gehorsam zu tun. Er aber hat der Lüge des Versuchers geglaubt und den Anspruch erhoben, selbst Gott zu sein.

Das war der zweite, der böse Anfang, und er hätte sofort zum Ende werden können. Gott hatte nämlich dem Menschen gedroht: ›Wenn ihr vom Baume esset, werdet ihr sterben‹; so hätten die Menschen eigentlich an ihrer Sünde zugrunde gehen müssen. Denn der reine Mensch, der ursprünglich-unzerstörte, lädt nicht solche Schuld auf sich und lebt weiter; das können nur wir von der Sünde Verseuchte. Er stirbt daran. Doch Gott hat ihm erlaubt, weiter zu leben; und damit hat sich ein neuer guter Anfang geöffnet; der zweite von Gott her, der Anfang der Erlösung. Daß der Mensch nicht an seiner Schuld starb, war schon Erlösung, und sie hat weitergewirkt, durch all das Furchtbare hindurch, was aus der Schuld gekommen ist...«

Da also liegt der Beginn, aus dem heraus ich mich selbst, und die Menschengeschwister, und die Welt in Sein und Sinn verstehen kann. Der Wille Gottes, daß ich sei, sein auf mich gerichtetes schöpferisches Meinen: das ist mein Anfang. In dem Maß ich verstehe – doch von einem »Verstehen« kann ja keine Rede sein; sagen wir also lieber: im Maße ich im Geheimnis dieser Kundwerdung heimisch werde, findet mein Leben seinen Sinn.

Rätsel, Probleme sind dafür da, daß sie gelöst werden; dann gibt es sie nicht mehr. Hier ist nicht Rätsel, sondern Geheimnis. Geheimnis aber ist Übermaß von Wahrheit; Wahrheit, die größer ist als unsere Kraft. Das ist nicht dafür da, daß der Mensch es auflöse und zum Verschwinden bringe, sondern daß er mit ihm ins Einvernehmen komme, in ihm atme, in ihm Wurzel fasse. Die Wurzeln meines Wesens liegen in dem seligen Geheimnis, daß Gott gewollt hat, ich solle sein. Und warum hat Er das gewollt? Was hat Er davon, Er, der unendlich Reiche, daß wir, die Endlichen, seien? Geheimnis noch einmal – die Schrift aber sagt, es sei »gut« und wird es »Liebe« nennen.

Das werden wir noch sorgfältig zu bedenken haben – ebenso wie alles, was soeben in der Form einer kurzen Vorwegnahme gesagt worden ist. Darin werden wir zur Quelle unseres Daseins gehen und an ihr eine Ruhe finden, die keine Menschenweisheit geben kann.

Das Erschaffen und Erschaffen-Sein

Damit wir besser verstehen, was die Offenbarung auf die Frage nach dem Anfang sagt, wollen wir zuerst eine andere Antwort hören, nämlich jene, die der Mythos gibt.

Da erscheint, heldisch strahlend, oder dunkel sich mühend, ein Mächtiger, der formt und ordnet. Er ist aber noch nicht das Aller-Erste. Vor ihm war schon etwas anderes, nämlich das Chaos, das Ungeformte, Unfaßbare und Unnennbare, Ur-Möglichkeit und Ur-Bereich; ein Zwielichtiges, das zu denken ins Wirre führt. Dieses Vor-Wesen, sagt der Mythos, war immer, anfanglos.

So lautet eine Verkündung. Eine andere sagt: Unsere Welt ist aus stummer Notwendigkeit geworden. Diesem Werden ist aber der Untergang einer früheren Welt vorausgegangen, die ebenfalls ihren Anfang gehabt hat, und vor diesem war abermals ein Untergang, nämlich jener Welt, die vorher war. So zeichnet sich eine ungeheure Reihe ab, ins Unabsehbare zurück, in der immer neu eine Welt zu sein beginnt, nachdem vor ihr eine frühere zu Ende gegangen ist: Kette der Wiederholungen, vor der die Fragen nach Warum und Woher trostlos verstummen. Weder in der ersten noch in der zweiten Deutung bekommt das Wort vom Anfang einen klaren Sinn – und ebensowenig in den anderen Antworten, die es auf die große Menschenfrage noch geben mag. Vom reinen »Ersten« redet nur die allein Wissende, die Offenbarung.

Sie tut es durch den Satz: »Gott schuf«. Und Er schuf »Himmel und Erde«, das heißt, Alles.

Was war vor diesem Anfang? Nichts. Das Wort meint aber nicht das verschwommene Nichts eines unklaren Denkens; den Seins-Nebel, der nicht ist und doch ist. Ebensowenig jenes, von dem heute so viel gesprochen wird, daß es das Sein bedrohe, Ausgeburt der Angst des vom Glauben verlassenen

Geistes; sondern das redliche, saubere Gar-Nichts. Und was war wirklich? Gott.

Er steht in keiner Kette des Werdens und Vergehens. Er ist, einfachhin, wie Er selbst gesagt hat, als Er sprach: »Ich bin der Ich-bin« (Ex 3,14). Durch sich selbst ist Er, und bedarf keiner Ursache. Sich selbst genügend, und bedarf keines Dinges. Wäre nichts als Gott – so zu reden, hat ja im Grunde keinen Sinn, aber es gibt Weisen des Nicht-Sinns, die wir brauchen, weil uns nichts zur Verfügung steht, das besser sagen könnte, was wir meinen – dann wäre doch »Alles« da und würde »genügen«. Wenn ich aus dem Innersten meines Daseins heraus frage: Was ist? – oder richtiger: wer ist? – dann lautet die Antwort: Er, Gott. Damit ist zunächst und eigentlich alles gesagt. Dann aber, »außerdem«, vor Gott und durch Ihn, als nicht zu verstehende Gabe seiner Großmut, bin ich, sind wir: die Dinge und die Menschen.

Das ist die Ordnung der Wahrheit. Gott ist Der, der ist, einfachhin und sich selbst begründend; wir aber dürfen sein durch Ihn und vor Ihm. Wenn diese Ordnung in unserem Geiste lebt, so klar und stark, daß sofort etwas warnt, sobald sie angetastet wird, dann »ist«, wie der erste Johannesbrief sagt, »die Wahrheit in uns« (1,8).

Gott hat geschaffen. Was hat Er geschaffen? Alles, und Alles ganz.

Hat Er dafür ein Material gehabt, wie die Demiurgen, die ersten Gestalter des Mythos? Nein, keines und von keiner Art. Auch noch das Chaos hat Er selbst ins Sein gerufen; denn jenes Anfängliche, von dem der zweite Vers der Genesis sagt, es sei »wüst und wirr« gewesen, erscheint ja erst innerhalb des All-Ganzen, von dem der erste Vers verkündet hat, daß »im Anfang Gott den Himmel und die Erde schuf«. Es ist der Baustoff, vom Meister selbst für die Gestaltung bereitgestellt.

Hat Gott für sein Weltwerk eine Vorlage gehabt? Eine Idee, in ewiger Urbildlichkeit gegeben, Maß aller Wesenhaftigkeit, daß Er nach ihr schüfe? Auch das nicht. Er hat alles nicht nur erschaffen, sondern auch es erdacht. Wie schön ist das Wort »erdacht«; herausgedacht aus ur-erster, ewiger Weisheit.

Hat jemand Gott geholfen? War ein Beistand da, dessen Wissen oder Kunst oder Kraft Ihm die Aufgabe erleichtert hätte? Abermals nicht. Er ist nicht nur »Der, der ist«, sondern auch, und allein, »Jener, der vermag«. Allein steht Er in seinem unausdenklichen Werk, und eine der Aufgaben gläubiger Existenz, in denen es um Sein und Nichtsein des Glaubens geht, besteht darin, Ihn so groß, so rein in Macht zu denken, daß Er gegen die immer gewaltiger werdende Größe des modernen Wissens und Könnens aufkommt – daß Er »größer« ist, als sie, nein, absolut groß.

Und wie das? Welcher Gedanke hilft, diese Absolutheit der Macht zu denken, wenigstens zu meinen? Der, daß Gott den schauererregenden Akt, der macht, daß Nicht-Seiendes seiend wird, in reiner Mühelosigkeit vollbracht hat. »Er hat gesprochen, und alles ward. « (Ps 32,9)

Was diesen Akt trug, war keine Naturenergie, sondern personale Geistesmacht. Er war Tat der Einsicht und Freiheit – so ganz vollkommen, daß er mißverstanden werden konnte. Je vollkommener ein Tun wird, desto mehr tritt in ihm die Leistung zurück. Immer weniger scheint, was sie hervorbringt, »Werk« zu sein, immer mehr die Unauffälligkeit von »Natur« zu gewinnen. Die Größe wird selbstverständlich; das ist ihre Demut. Das ist es, was der neuzeitliche Mensch verkennt und - verrät, wenn er von der Welt als von der Natur redet.

Doch ist das Gesagte noch nicht genug. Von noch etwas anderem muß gesprochen werden; aber es ist schwer, es in der Ehrfurcht und Einfalt zu tun, die gefordert wäre. Nun denn: Wer verantwortet die Welt? Er, Gott. Er steht dafür ein, daß sie ist, statt nicht zu sein, und daß das »gut« ist. Die Schrift sagt das ausdrücklich, ja siebenmal: Gen 1,4.9.12.17.21.25.3 1. Gott steht dafür ein, vor dem einzigen

Richter: Ihm selbst, daß sie so ist und nicht anders, und daß das »gut« ist. Daß in ihr der Mensch mit seiner endlich-gefährdeten Freiheit ist, und daß das gut ist. Und schließlich, zusammenfassend, daß alles, was ist, »sehr gut ist«, göttlich gut. Wenn uns aber die Frage berührt, wie tief der Ernst dieses Verantwortens gehe, nämlich vor Gott selbst, dann ist Christi Kreuz die Antwort. Doch auch in dieser Verantwortung ist Gott allein. Keiner mit Ihm.

Die Schöpfungstat hat unser Dasein begründet. In ihr liegen die Wurzeln unseres Wesens. Sobald wir fragen. Wohin gelangen wir zuletzt, wenn wir den Werde-Weg unseres Bestehens zurückgehen? – dann lautet die Antwort: In jenen Akt, durch den Gott geschaffen hat ... die Welt ... die Menschen ... mich.
Versuchen wir, dem ein wenig nahezukommen. Die großen Gedanken des Glaubens haben zwei Eigenschaften: sie sind einfach, wie das Licht, aber auch unergründlich – wieder wie das Licht; denn wer, dessen Augen mehr aufzufassen vermögen, als ein Apparat es auch kann, wäre je dem klaren Licht auf den Grund gedrungen? So können die Gedanken des Glaubens auch dem Schlichtesten eingehen, dessen Herz »rein« ist, siehe Mt 5,8; aber kein Geist schöpft sie aus, und sei er noch so gewaltig.
Wer der Wahrheit, Gott habe geschaffen, näher kommen will, muß es so tun, daß er denkt: »mich« hat Er geschaffen; die Welt, und mich in der Welt; mich, wie ich in der Welt bin ... Ich muß mich, denkend, dem Strahl des göttlichen Willens aussetzen; muß in ihm weiter dringen, tiefer und tiefer hinein, bis in jenes Innerlichste, das sich in den Worten andeutet: Gott »meint« mich. Ganz still muß ich das tun; immer wieder, bis Gott mir vielleicht eines Tages schenkt, der seligen Wahrheit inne zu werden- durch Seinen Willen bin ich. Vielleicht sogar schenkt, Seinen Blick zu fühlen, wie er auf mir ruht, und der Gewißheit froh zu werden, daß ich lebe aus diesem Blick.

Freilich kann es auch anders gehen, daß sich die Empörung erhebt: Ich will nicht geschaffen sein! Sie zieht sich ja durch die ganze Neuzeit und kann die verschiedensten Formen annehmen. Etwa die des Idealismus, der sagt: Dringe ahnend, erlebend, denkend durch dein kleines Selbst in die innere Tiefe, dann findest du darin das absolute Ich und darfst sagen: Das bin ich; als dieses unendliche Ich habe ich die Welt erschaffen ... Oder auch die der Skepsis, die sagt: Solche Ansichten sind Illusionen; von Weltgefühlen verdeckte Denkfehler. Die Wahrheit ist, daß ich aus der Natur komme, wie Pflanze und Tier; mich eine Welle denkend, erobernd, gestaltend über sie erhebe, und schließlich wieder in sie hinein vergehe. Denn sie ist das Ganze, und sonst ist nichts...
Ist es nicht seltsam, daß der Mensch der Neuzeit immer wieder diese beiden Gedanken denkt – zu denken sucht, denn sie sind ja unsinnig, und das Unsinnige kann man nicht denken, nur in Auflehnung wollen? Auf der einen Seite: Ich bin Gott und Herr des Seins – auf der anderen: Ich bin Natur, ein Teilchen von ihr? Sieht man an dem Widerspruch nicht mit Augen, wie die Grundwahrheit der Existenz verloren ist, und ihr Gedanke von sich selbst immerfort aus dem einen Irrtum in dessen Gegenspiel taumelt? Die Gefahr aber, daß das geschehe, in irgendeiner Form, offen oder verdeckt, droht jedem von uns. Bis in die Tiefe unseres Selbst hinab müssen wir damit einverstanden werden, daß wir geschaffen sind. Uns selbst immer aufs neue aus der Hand Gottes entgegennehmen, um uns so in dieses grund-wahre und doch so fremd gewordene Wesensverhältnis hineinzugewöhnen.

Vielleicht erwacht aber auch eine andere Art von Widerstand, nämlich Angst. Die könnte denken: Wenn es wahr ist, daß Gott mich geschaffen hat – was geschieht dann mit mir? Kann ich wirklich sein, wenn Er ist? Wird der Unendlich-Seiende mich nicht aus meiner Wenigkeit hinausdrängen? Kann ich ich-selbst sein, wenn Er Der ist, als den Ihn die Offenbarung kundtut, der »Ich-bin«, Herr und keiner neben Ihm? Kann ich Würde haben, frei sein, walten und werken, wenn der Schatten seiner Allmacht über mir hängt? Man hat es ja doch in allen Weisen ausgesprochen, philosophisch, künstlerisch, politisch, die Entscheidung, auf welche jeder Schritt menschlicher Selbstverwirklichung zugehe, laute- Gott oder der Mensch; Er oder ich!

Wer so denkt, in dem hat ein Irrgedanke Macht gewonnen: Gott sei »ein Anderer« als er selbst, der große »Andere«, der den Menschen erdrückt ... Aber das ist Er ja nicht, wesenhaft nicht! Sondern Jener, der gemacht hat, daß ich überhaupt sei; ich selbst sei; wirklich, redlich und unbeneidet. Die Götter der Helden benehmen sich dem Menschen gegenüber als »Andere«; als Nachbarn im Weltganzen. Sie mißgönnen dem Menschen sein Dasein, beneiden ihn, fürchten ihn sogar, weil sie Zwie-Wesen sind, die nicht richtig im Sein stehen; mächtig sind und doch in der Gewalt des Schicksals, das ihnen zuweist, wie lange ihre Stunde währen solle. Gott aber, der Ewig-Lebendige, der nicht fürchtet noch neidet, wie sollte Er uns gefährlich werden? Wenn Er – ein Gedanke, ebenso sinnlos wie schrecklich – aufhörte zu sein, dann würde ich doch ebendamit zu Nichts! Er ist es ja, der mich in mein Sein gestellt hat, so daß ich lebe und im eigenen Schritt gehe; daß ich Freiheit habe, sogar die furchtbare Freiheit, mich gegen Ihn wenden zu können - wie sollte ich da Anlaß zur Angst vor Ihm haben?

Nein, die Angst vor Gott ist der Widerhall der Auflehnung gegen Ihn. Ausdruck dessen, was auf dem Grund jedes schuldigen Gewissens liegt: das dunkle Bewußtsein, es mit Gott nicht recht zu meinen; sich selbst an seine Stelle setzen zu wollen und damit Ihn herauszufordern. Das allerdings ist Anlaß zur Angst! Die Wahrheit aber ist: Je reicher Gott in mir lebt, je mächtiger sein Wille im meinen wirkt, desto lebendiger, desto freier im eigenen Wesen werde ich. Alle andere Meinung trügt und zerstört.

Die Antwort des Herzens aber, die auf das Geschaffensein

kommt, ist die Anbetung. Doch man hat sie weithin verlernt, ja vergessen. Der Gottesgedanke ist armselig geworden, deshalb ruft er nicht mehr die Anbetung hervor. Denn die ist etwas Großes und macht den groß – groß nicht in meßbaren Kräften, sondern im Sinn der Person –, der sie vollzieht. Anbetung ist jenes tiefe Neigen des Innern, das aus der Erfahrung hervorgeht: Gott ist »Der, der ist«; ich bin durch Ihn und vor Ihm. Dieser Akt ist Wahrheit und vollbringt Wahrheit; die Grundwahrheit, mit der alle weitere anfängt. Wahrheit aber zu vollbringen macht frei und schafft Frieden. Wir können den Tag nicht richtiger beginnen, als wenn wir uns am Morgen sammeln und, so still und tief drinnen, als wir vermögen, den Gedanken denken: Du, Gott, bist wirklich ... bist hier ... nein, bist überhaupt – ich aber bin vor Dir ... bin durch Dich ... Da wird sich ganz von selbst unser Inneres neigen, in einer Weise, die Wahrheit ist und Freiheit und Adel.

Das Zweite, das aus dem Glauben an die Schöpfung hervorgeht, ist Vertrauen. Wieder können wir nichts Besseres tun, als uns in die Weisheit Gottes hineinzugeben, die uns erdacht, und in seine Güte, die alles, was wir sind, alles, was wir haben, jede Kraft, mit der wir tätig werden, uns gegeben hat. Wer soll es von Grund auf gut mit uns meinen, wenn nicht Er? Aber da ist noch mehr als Güte, nämlich Großmut. Haben wir einmal bedacht – und nicht bloß obenhin, wie so Gedanken durch den Sinn laufen, sondern im Ernst –, welche Gesinnung dazu gehört, daß Er, der Herr, die Welt liebt und will, sie solle sein Reich sein? Jedoch Reich der Freiheit; so erschafft Er Wesen, die mit, aber auch gegen seinen Willen wollen können ... gibt ihnen seine Welt in die Hand, daß sie Sein Reich bauen, und vertraut, sie werden es auch tun ... Das ist Großmut, so hoch, daß man versucht ist, sie Torheit zu nennen, heilige Torheit des Ganz-Vornehmen, der die Möglichkeit, Er könne verraten werden, gar nicht in Rechnung zieht. Falls wir nicht sagen müssen, Er habe von vornherein auch die Verantwortung für das, was geschehen werde, auf sich genommen; göttlich entschlossen, selbst dafür einzustehen, daß Er ein endlich-freies Wesen geschaffen und ihm das Schicksal der Welt in die Hand gegeben habe. Das aber bedeutet, daß die Großmut Liebe ist; Seine Liebe, die wir von uns aus nicht erdenken können, weil das Anmaßung wäre. Er selbst muß sie uns kundtun.

Wenn das alles aber so ist – und es ist so, die Offenbarung sagt es uns - von wem könnten wir dann mehr erwarten, als von Ihm? Ob die Kümmerlichkeit unseres Daseins nicht daher kommt, daß wir uns mit ihrer bequemen Enge zufrieden geben und Seine Großmut nicht in Anspruch nehmen? Die wäre freilich fordernd, und wir müßten uns anstrengen. Sie würde uns aber ins Größere und Freiere führen – wer kann sagen, wie weit?

Ein Drittes endlich geht aus dem tiefer begriffenen Glauben an die Schöpfung hervor: der Dank. Haben wir schon versucht, Gott dafür zu danken, daß wir sind? Wenn ja, dann haben wir auch erfahren, daß es wohltut und heilt. Es macht uns einig mit uns selbst, vom Innersten her zu sprechen: Herr, ich danke Dir, daß ich sein darf! Denn das ist nicht selbstverständlich, »wesentlich« nicht. Durchaus wäre es möglich, Er hätte nicht gewollt, ich solle sein. So ist es etwas Unsägliches, daß sein Ratschluß dahin gefallen ist, es solle mich geben ... Und mich geben für immer – bedenken wir doch, für immer! Nie werde ich ausgelöscht sein. Wohl muß ich irdisch sterben, gewiß, aber ich soll auferstehen und ewig leben in ihm, wie Er verheißen, und dann erst wirklich leben! Damit ist nichts von alledem übersehen, was Schweres auf mir liegt. An der Wurzel alles Wissens und Sagens aber sollte das Wort liegen: Herr, ich danke Dir, daß ich sein darf!

Das alles sind Grundakte der Frömmigkeit. Sie werden leicht von äußerlicheren zurückgedrängt und sind doch so wichtig. Versuchen wir, durch sie zu Gott zu gehen; wir werden fühlen, wie sie uns innerlich gesund machen: die Annahme des Geschaffen-Seins ... die Anbetung Dessen, der wahrhaftig ist ... das Vertrauen in Seine Großmut und Liebe ...

Der erste Schöpfungsbericht und der Tag des Herrn

Als mächtige Überschrift steht über dem Buch der Genesis – aber nicht nur über ihm, sondern über der ganzen Heiligen Schrift und damit über dem gläubigen Dasein einfachhin – der Satz: »Im Anfang schuf Gott den Himmel und die Erde!« Was ist, ist geschaffen von Gott. Alles kommt von Ihm und zu Ihm geht alles zurück. In seinem schöpferischen Willen liegen die Wurzeln unseres Daseins. Er ist der Herr. Was ist, gehört Ihm. Wir sind sein; nicht als Sache, wie ein Gefäß dem gehört, der es gemacht hat, sondern so, und unendlich reiner, ganz und eigentlich so, wie ein liebender Mensch dem eigen ist, der ihn liebt; als Person, die in sich steht und überhaupt nicht besessen, sondern immer nur aus freier Selbstschenkung empfangen werden kann. Wohl hat Gott auch dieses unser Person-Sein geschaffen, aber nicht durch Griff und Befehl, sondern durch seinen Ruf und im Anhauch seines Geistes. Dadurch hat Er das Geheimnis unserer Freiheit überhaupt erst begründet; unserer Freiheit, die von Ihm geschaffen, ebendadurch aber unsere Eigen-Freiheit ist – doch nun versinkt der Gedanke ins Geheimnis.

Die beiden ersten Kapitel der Genesis erzählen dann, wie innerhalb des Schöpfungs-Gesamts Gottes Wille weiter wirkt. Wie Er die unzähligen Dinge und lebenden Wesen werden läßt und sie in ihre Ordnungen faßt; wie Er den Menschen ins Dasein ruft und ihm seinen besonderen Ort in der Welt zuweist. Diese Erzählung entfaltet sich in zwei Berichten, über deren literarische Entstehung und Bedeutung im Einzelnen die Bibelwissenschaft Antwort zu geben hat.
Den ersten kennen wir unter dem Namen des Sechs-Tage-Werkes. Er umfaßt das erste und dreieinhalb Verse des

zweiten Kapitels und läßt, Stufe um Stufe, das große Geschehen sich vor den Augen des Lesers ereignen. Der andere beginnt mit der zweiten Hälfte des genannten vierten Verses, reicht bis zum Ende des Kapitels und spricht vor allem von der Erschaffung des Menschen.
Die beiden Berichte sind also in verschiedener Weise angelegt; in Einem aber sind sie gleich, und das wollen wir sofort ins Bewußtsein nehmen, damit wir ihren Sinn richtig verstehen; sie haben nichts mit Naturwissenschaft zu tun. An keiner Stelle überkreuzen sie sich mit dem, was diese, so lange sie in ihren Grenzen bleibt, über das Entstehen des Weltsystems und die Gestaltung der Erde, über das Werden des Lebens und dessen Fortgang, über den Ursprung des Menschen und seine erste Geschichte sagen kann, sondern ihr Sinn ist ganz religiös. Wohl sprechen sie von der gleichen Wirklichkeit, von der auch die Wissenschaft spricht, von der Welt, den Dingen und uns selbst; die Absicht aber, unter der das geschieht, ist eine andere als die der Forschung. Man war lange der Ansicht, was Astronomie, Paläontologie, Anthropologie sagen, müsse in der Genesis wiedergefunden werden, und hat in harter Mühe die verschiedenen Aussagen einander anzugleichen versucht. Das war ernst gemeint, denn es ging aus der Ehrfurcht vor der Wahrheit der Heiligen Schrift hervor. Aber es beachtete nicht, daß die Wahrheit reich ist, und vom gleichen Gegenstand in wahrer Weise unter ganz verschiedenen Gesichtspunkten gesprochen werden kann.

Wir wenden uns nun dem ersten der beiden Schöpfungsberichte zu. Er beginnt mit dem Satz: »Die Erde war wüst und wirr, und Finsternis lag über der Urflut, und der Geist Gottes schwebte über den Wassern.« (1,2)
Die Worte drücken den biblischen Begriff des Chaos aus. Er meint etwas anderes als der Mythos. Für diesen ist das Chaos das Ur-Gegebene; unerdacht und ungeschaffen; ohne Eigenschaft und doch da; zwiehaft in Sinn und Sein, aber die Urgöttlichkeit selbst – eine Vorstellung, welche dann leicht in

die des Unheimlichen, Dämonischen, ja Bösen übergeht. Jenes Chaos hingegen, von dem die Offenbarung spricht, ist gut und eindeutig. Es ist die Schöpfung in ihrem ersten Zustand, noch ungeformt, aber aller Möglichkeiten voll; Gemenge der Stoffe, aus denen jegliche Gestalt herausgebildet werden kann; Energiefülle, die noch gegenstandslos, aber bereits auf göttlich geplante Zukunft ausgerichtet ist.
Hier bedarf es keines Demiurgs, der Ordnung stiftete. In Gottes Werk ist nie Unordnung; noch das »Chaos« war »Ordnung« darin, daß es genau das war, von dem Gott wollte, daß es nun sein solle. Nie war ein Zustand so, daß er durch die Bilder einer widerstrebenden Urmacht, oder eines gebärenden und verschlingenden Urschoßes ausgedrückt werden müßte. In solchen Bildern sucht die Auflehnung des abgefallenen Menschen sich selbst zu rechtfertigen, indem sie die eigene Gesinnung in den Grund der Dinge zurückverlegt und das Recht des selbstherrlichen Griffs ins Herrenlose beansprucht. Sondern über dem Chaos der Genesis waltet Gottes Geist. Der aber meint nicht nur die Macht der Form im Unterschied zum Ungestalteten, sondern den Heiligen Geist des Lebendigen Gottes. Das Chaos der Genesis war nie allein, nie eigenen Rechts, nie Ur-Anfang; immer war der Geist Gottes »über ihm«, sein Herr und die Stunde seiner Gestaltung bestimmend.
Diesen Heiligen Geist müssen wir uns zu allem hinzudenken, wovon nachher im Bericht die Rede ist. Alles, was sich da in gewaltig ansteigendem Zuge an Scheidungen, Ordnungen und Formungen vollzieht, geschieht durch Ihn. Es ist weder Frucht mythischen Waltens noch Ergebnis naturgesetzlicher Entwicklung, sondern Werk heiliger Macht, das auf die Geschichte des Gottesreiches zugeht.

Und nun beginnt das Werk; Gott spricht: »Es werde!«
Wie geht im Mythos das Schaffen vor sich? Ein gewaltiges Wesen kommt, packt das widerstrebende Chaos, kämpft mit ihm, bezwingt es, formt es – so, daß man mit Augen sieht: das

ist nicht Gott, sondern der mühselige Mensch, nur ins Riesig-Geheimnishafte hinaufgestiegen. Wie anders die Offenbarung! Da spricht Gott: »es werde!«, und das schöpferisch Genannte wird.

Sein Schaffen geschieht nicht durch die Faust, sondern durch das Wort, das heißt, durch den Geist und die Wahrheit. Dieses Wort ist aber kein Zauber, keine Beschwörung, keine Magie, sondern des Sinnes mächtiger und des Gehorsams gewisser Befehl. Und es ist mühelos. Die Allmacht strengt sich nicht an. Sie tut ihr Werk in der Freiheit Dessen, der Herr ist. Wirklich Herr; nicht nur Sieger über Feinde und Hindernisse. Feind und Hindernis gibt es für Ihn nicht.

Ebensowenig aber ist das Geschehen das, was die Naturwissenschaft meint, wenn sie – als Astronomie, Erdgeschichte, Paläontologie und so fort – vom Werden unserer Welt spricht; durch Prozesse, in denen auch der kleinste Vorgang den gesetzhaft bestimmten Charakter der Naturnotwendigkeit hat. Die Offenbarung leugnet gewiß nicht diese Seite des Weltwerdens, sie spricht aber nicht von ihr. Wovon sie spricht, ist die Welt, in welcher Gottes Reich erwachsen soll – durch den Menschen, von dessen Auftrag und Tat, Verrat und Rettung in den folgenden Büchern der Schrift die Rede sein wird. Die beiden Zusammenhänge widersprechen einander nicht. Scheinen sie es zu tun, so ist es Sache besonnener Theologie, den Konflikt zu schlichten, oder aber ihn, vertrauend auf die Einheit der Wahrheit, künftigen Einsichten anheim zu geben. Was zuerst werden soll, ist das Licht. An diesem Licht hat man viel herumgerätselt; die Antwort wird aber nur richtig, wenn man Sinn und Absicht des ganzen Schöpfungsberichtes im Auge behält. Denn was kann das für ein Licht sein, wenn, wie der vierzehnte Vers sagt, Sonne und Mond erst nach ihm geschaffen werden? Offenbar nicht das, was der Physiker meint, wenn er vom Licht redet, so daß hier Entdeckungen und Theorien ferner Zukunft vorausgenommen wären. Sondern es wird »Tag« genannt, sein Gegenspiel

aber, das Dunkel, »Nacht«, und die beiden werden von einander »geschieden«.
Das Werk der Scheidung, will sagen, der Ordnung beginnt. Diese bezieht sich aber nicht auf die Welt als Natur, sondern als Lebensraum des Menschen, auf den ihr Werden ausgerichtet wird, auf die Daseinswelt. So entsteht der Tag als jener Zeitbereich, in welchem der Mensch wacht, seine Wege geht und sein Werk vollbringt; die Nacht aber als der andere Bereich, in dem der Mensch vom Werke ruht, sich zurückzieht und schläft.
Dann heißt es: »Es ward Abend und ward Morgen: der erste Tag.« Später: »der zweite Tag«, und »der dritte«, und so fort. Der Schöpfungsbericht hat, wie schon gesagt, die Form eines Lehrgedichts und stellt das Schöpfungsgeschehen im Bild einer Arbeitsfolge dar, die durch eine Woche hingeht, so daß jenes Geschehen sich nach den Tagen dieser Woche gliedert. Nicht daß Gott wirklich »arbeitete«, wir sagten das bereits; darin würde ja wieder der Demiurg des Mythos erscheinen. Und ebensowenig, daß ein allgemeines Zeitschema, »Woche« genannt, vorbestünde, nach dem der Schaffende sich zu richten hätte, ist doch »Zeit« selbst geschaffen, als die Weise, wie das Endliche ist. Vielmehr bezieht sich auch dieses Bild auf die Daseinswelt des Menschen und begründet deren Ordnung. Darüber gleich mehr.

Die Scheidungen gehen weiter. Ein Gewölbe entsteht: das Firmament. Das alte Weltbild wird deutlich, das des Augenscheins. In ihm gibt es eine Himmelsglocke, die sich über der Erde wölbt und die Wasser scheidet. Dieses »Wasser« hat zuerst noch den Charakter des Chaos, als des Ungefaßten, Überall-hin-Fließenden. Das wird nun »geschieden« und verschiedenen Bereichen zugewiesen: dem der Wolken – genauer gesagt, dem noch Höheren darüber, wo nicht einmal Wolken sind, sondern Wartend-Flüssiges, den »Kammern«, aus denen der Regen kommt – und dem der Erdoberfläche unten mit ihren Gewässern. Alle diese Dinge haben mit wissenschaftlicher Kosmologie ebensowenig zu tun wie das Licht, von dem soeben die Rede war. Auch bei ihnen handelt es sich um Ordnungen von Lebensbereichen: dem der Höhe, der Gott dienenden Wettergewalten, und jenem der Erde, wo die Menschen ihr Leben führen und ihre Arbeit tun.

Ihr Werden ist das Werk des zweiten Tages. Nachdem aber die machtvolle Einfachheit des Schöpfungsliedes in das gläubige Bewußtsein hineingeschrieben hat: »das Licht ward«, heißt es sofort darauf: »und Gott sah, daß das Licht gut war«. Der Satz wendet sich gegen den babylonischen Dualismus, dessen Weltbild böse Urmächte enthielt, und sagt: Vom »Anfang« her gibt es in der Welt kein Böses. Alles, was Gott geschaffen und geordnet hat, ist gut. Erst der Mensch hat das Böse auf die Erde gebracht, und nicht aus dem Zwang mythischer Notwendigkeiten heraus, sondern weil er so wollte. Das Böse bildet kein Prinzip dieser Welt. Es ist nicht notwendig, damit Spannung entstehe, Leben werde, Geschichte sich entfalte. Solcherlei Gedanken sind der schlimme Vers, den der Mensch sich auf die eigene Tat und ihre Folgen gemacht hat. Gegen sie richten sich die Worte des Schöpfungsberichtes, gesprochen von Jenem, welchen die gleiche Genesis durch den Mund der erschütterten Hagar »Den« nennen wird, »der sieht«, ja »der mich sieht« (16,13). Der Allsehende betrachtet und wägt sein Werk und erklärt: »Es ist gut!« Sechs Male spricht Er so; zum siebenten Mal aber, am Ende des ganzen Werkes, nachdem der Mensch geschaffen ist, heißt es - und es bildet die endgültige Besiegelung –: »Gott sah alles, was Er gemacht hatte, und siehe, es war sehr gut!« (1,31)

Das hat der Mensch ins Herz zu nehmen: Alles, was Gott geschaffen hat, ist gut. Es gibt kein Ur-Böses. Erst der Mensch hat das Böse in Gottes gute Welt gebracht. Auch die Schlange, von der später die Rede sein wird, Bild für Satan, den Versucher, ist es nicht. Auch dieser war gut geschaffen, hat in freiem Entschluß sich empört, und ist dadurch böse, ja Ahne alles Bösen geworden.

Am dritten Tag wirkt Gott Scheidung auf der Erde selbst. Sie beginnt mit der zwischen dem Feuchten und dem Trockenen, und es entstehen Meer und festes Land.
Wiederum: worum es da geht, ist keine Geologie. »Erde« ist vielmehr der Raum, wo der Mensch sein Haus hat und seinen Acker baut – »Meer«, das für ihn zunächst Unbetretbare, auf dem er sich aber dann, wie der große Schöpfungspsalm, der hundertunddritte, sagt, mit seinen Schiffen Wege neuer Art bahnen wird.
Darauf entsteht die Welt der Pflanzen. An ihnen wird besonders die wunderbare Eigenschaft genannt, »Samen zu tragen in ihnen selbst« (1, 11), das heißt, fruchtbar zu sein, so daß ihr Leben durch die Zeitenfolge hin weitergeht.
Im 29. Vers aber heißt es, sie sollen dem Menschen zur Nahrung dienen; wohl als Hinweis darauf zu verstehen, daß der Mensch in seinem Urstand, dem Paradies, nicht getötet habe, um leben zu können.

Wie wenig das Ganze unter naturwissenschaftlichen Gesichtspunkten steht, zeigt wieder die vierte Strophe. Sie spricht von der Entstehung der Himmelskörper und erzählt, diese sei nach dem Werden der Pflanzenwelt erfolgt. Auch die Gestirne erscheinen also nicht als bloße Naturgebilde, sondern als Elemente des menschlichen Daseins. Der frühe Mensch steht ja tief unter ihrem Einfluß. Sonne und Mond bestimmen sein Leben; nicht nur als Zeitmesser, sondern auch als Mächte. Sie durchwirken mit ihren Rhythmen seine Vitalität; ordnen ihm Arbeit und Ruhe, Fest und Unternehmung. Die Gestirne in dieser Machtfülle und Bedeutung sind es, von denen der Schöpfungsbericht redet.
Nachdem die Pflanzenwelt da ist, treten die Tiere ins Dasein; die fünfte Strophe spricht davon und noch die sechste. Sie leben von den Pflanzen, und es erscheinen die drei Bereiche, die sie bewohnen: das Meer, das Land und die Luft.
In den Tieren, wie sie da schwimmen, fliegen, laufen, zeigt sich recht eigentlich Leben und Fruchtbarkeit. So spricht die

Offenbarung in diesem Augenblick von einer Steigerung der schaffenden Macht, nämlich dem Segen: »Und Gott segnete sie und sprach: Seid fruchtbar und mehret euch und füllet die Wasser des Meeres, und die Vögel sollen sich mehren auf der Erde.« (1,22) Der Segen gehört zum Leben. Er macht, daß dieses, das so vielfach gefährdete, in dem aber doch die Tiefe ist, aus welcher Wachstum aufsteigt, Zeugung und Geburt geschieht – daß dieses Leben heil bleibe, gedeihe und sich mehre. Für den Menschen des Alten Testaments gibt es weder Naturenergien noch Naturgesetze, sondern alles vollzieht sich unmittelbar durch Gottes Wirken - auch und gerade die Vorgänge des Lebens. Der Segen aber ist jene Gotteswirkung, durch welche dieses besteht; die Psalmen sprechen immer wieder davon, denken wir an den schönen vierundsechzigsten.

Nun spricht Gott: »Lasset Uns Menschen machen nach unserem Bilde, Uns ähnlich, daß sie herrschen über die Fische im Meer und die Vögel des Himmels, über das Vieh und über alles Wild des Feldes und alles Kriechende, das auf Erden sich regt. Und Gott schuf den Menschen nach seinem Bilde, nach dem Bilde Gottes schuf Er ihn, als Mann und Weib schuf Er sie.« (26-27) Das Wort, das hier als Gottesname erscheint, »Elohim«, ist im Hebräischen ein Plural; man kann also auch übersetzen: »Nun will Ich Menschen machen nach meinem Bilde.«

Über das Werden des Menschen wird der zweite Bericht genauer sprechen. Der erste sagt, daß er erscheint, sobald das Ganze der Welt in der Fülle seiner Gestalten wie in der Weisheit seiner Ordnungen da ist. Weiter sagt er, daß der Mensch Gottes Ebenbild ist, und es ist als Mann und als Weib. Ebenbild Gottes aber ist er dadurch, daß er über die Welt zu herrschen vermag.

Gott ist der Herr von Wesen und Ewigkeit; Urbild alles Herrentums. Den Menschen aber hat Er zum Herrn gemacht von Gnaden und in der Zeit; darin besteht seine Gottähnlichkeit. Und zwar sollte dieses Herrentum auch darin dem

göttlichen ähnlich sein, daß es sich nicht nur aus der Macht, sondern aus dem Sinn; nicht nur in Gewalt, sondern in Maß und Güte verwirklichen sollte; der zweite Bericht sagt es, indem er erzählt, daß der Mensch im Paradies die Namen der Tiere fand, und daß von einem Töten dort noch keine Rede war. Das ist die Entscheidung, unter der immer das Dasein des Menschen stehen wird: Ob er Herr sein will in der Wahrheit, das heißt, im Abbild, bereit, gehorchend zu herrschen - oder aber sich im Geiste verwirren läßt und ein Herrentum beansprucht, das Gott vom Thron drängt. Das ist die Scheidung, die dem Menschen auferlegt und anvertraut ist: zwischen Gut und Böse, Wahr und Irrig.
Auch über den Menschen aber spricht Gott seinen Segen: über sein Leben, daß es fruchtbar werde; über sein Werk, daß es gelinge und die Erde mit allem, was auf ihr ist, in seine Herrschaft einbeziehe.

»So wurden vollendet«, heißt es dann, »der Himmel und die Erde und all ihr Heer.« (2, 1) Das »Heer« ist die Vielzahl der Gestalten: im Himmel der Gestirne, auf Erden ihrer Bereiche und der darin lebenden Wesen. Damit hat Gott sein Werk getan: Und Er »vollendete am siebenten Tag sein Werk, das Er geschaffen, und ruhte am siebenten Tag von all seinem Werk, das Er geschaffen«.
Geheimnisvolles Wort: Gott »ruhte«! Seine Allmacht hat doch beim Schaffen keine Anstrengung erfahren – wie soll Er da der Ruhe bedürfen? Und auch noch »nachher«, Er, für den keine Zeit gilt? Aber von Ihm ist, wie wir gesehen haben, im Bild eines Werkmeisters gesprochen worden, der an sechs Tagen arbeitet und am siebenten sich erholt; dem Urbild also, dem das Leben des Menschen Ebenbild sein soll. So wird der siebente Tag zum Ruhetag auch für die Menschen – Ruhe von der Ausübung ihrer Herrschaft – und der Sabbat ist begründet.
Lassen wir die Frage unerörtert, ob das Wort von der Ruhe nicht doch auch für Gott selbst etwas bedeuten, und wo etwa

der Sinn davon gesucht werden könne. Jedenfalls wird hier eine menschliche Grundordnung, nämlich die des Arbeitens und des Ruhens, in die Schöpfung selbst verankert. Sehen wir nämlich genauer zu, dann wird uns deutlich, wie der Aufbau des Ganzen auf die Verkündung des Sabbats zugeht.
Warum wird aber auf diesen Tag ein solches Gewicht gelegt?

Die Ebenbildlichkeit des Menschen liegt darin, daß er herrschen kann, es aber als Ebenbild Gottes tun soll. Nicht aus eigenem Recht, sondern gewiesen durch sein Urbild, das heißt, im Gehorsam gegen den eigentlichen Herrn soll er sein Herrentum ausüben. Wiederum aber: nicht im Zwang und als Knecht, sei es irdischer Machthaber, sei es der Arbeit selbst, sondern auch hier gewiesen durch sein Urbild, das heißt in Freiheit. Es ist sehr aufschlußreich, zu sehen, wie die nämliche Zeit, die Gott nicht mehr als den Herrn des Daseins anerkennt, sondern autonom sein will, den Menschen in einer Weise an die Arbeit verknechtet, wie keine zuvor. Der siebente Tag soll dem Menschen die Freiheit des werklosen Daseins geben, damit er darin zum vollen Bewußtsein seines Adels komme.
Er bedeutet aber noch etwas anderes. In der Stille des siebenten Tages soll der Mensch seine Krone niederlegen, damit das Bild des eigentlichen Herrn sich vor ihm erheben könne. Im Geheimnis seiner Ruhe soll Gott sichtbar werden; daher die große Bedeutung dieses Tages. Immer wieder soll er die Grundordnung der Dinge klarbringen: daß Gott Herrscher ist von Wesen und aus sich; der Mensch aber von Gnaden und unter Ihm. Er hat im Urbeginn das große Weltwerk geschaffen; wir sollen es in der Ehrfurcht vor Ihm durch die Zeit hin fortsetzen. Alle Angriffe gegen den Herrentag sind Angriffe gegen Gott.
Durch Christus aber ist aus dem Sabbat der Sonntag geworden, der Tag seiner Auferstehung. Die ersten Christen haben beide Tage gehalten; dann hat sich der Sabbat in den Sonntag aufgelöst. Nun ist er der Tag, an dem wir uns des Weltenwer-

kes bewußt werden sollen, das der Schöpfer rein und groß vollendet; aber auch des Werkes der Erlösung, das der Sohn des ewigen Vaters so unbegreiflich vollbracht hat.

Der erste Schöpfungsbericht sagt also einmal: Alles ist von Gott geschaffen. Drücken wir es anders aus: Es gibt keine »Natur« im modernen Sinn. Diese hat der neuzeitliche Mensch erdacht, um Gott überflüssig zu machen. In sie hat er alles hineingelegt, was in Wahrheit dem Herrn des Daseins zukommt: sie sei das, was immer war; das Urgeheimnis, aus dem alles kommt; der All-Raum, in dem alles verläuft; das letzte Meer, in das alles mündet ... Diese Natur gibt es nicht. Die Welt ist nicht »Natur«, sondern »Werk«; freilich Werk Gottes. Nicht das Ur-Erste, sondern das Zweite, wesenhaft Zweite, durch den Willen des Schöpfers Gewordene.
Es braucht lange, bis man versteht, worin der Unterschied liegt, und was er bedeutet. Wem er nicht klar ist, wirklich klar, nach Wesen und Folgerung, muß sich darum bemühen. Alle Dinge werden von hierher einen anderen Charakter bekommen. Der neuzeitliche Naturgedanke verfälscht alle Bestimmungen des Daseins; die Erkenntnis, daß die Welt Werk ist und hinter diesem der Wille Dessen steht, der es gewollt hat, bringt sie in Ordnung.
Ein Zweites sagt der Bericht: Die Welt gehört Gott; Er ist ihr Herr. Mit dem Begriff der Natur will die Neuzeit sagen, die Welt stehe von sich aus im Unpersönlichen; sie sei herrenlos, Niemandsland; erst der Mensch setze Recht über sie, begründe Eigentum an ihr - wozu wieder das Gegenspiel im Irrtum tritt, indem behauptet wird, der Mensch komme aus der Natur und kehre in sie zurück; sein angebliches Herrentum sei Illusion und ein Tun-als-ob. Wirklich sei nur die unentrinnbare Notwendigkeit des stummen Ungeheuren.
In Wahrheit war die Welt nie herrenlos. Sie ist Eigentum von Wesen her, Dessen, der sie geschaffen hat und im Sein hält. Noch der Wille, der sie Gott abspricht, ist dieses gleichen Allherrn Eigentum, so daß es ein Schauspiel grausiger

Lächerlichkeit in den Augen der Engel sein muß, wenn der von Gott geschaffene Mensch die Werkzeuge, die dem ewigen Herrn gehören, gegen Diesen wendet, um Ihm das Seinige zu nehmen. In Wahrheit ist alles menschliche Herrentum nur zu Lehen, darin aber echt und legitim. Ja, nur deshalb kann der Mensch über die Welt herrschen, weil er es im Kraftfeld der göttlichen Herrschaft tut. Eine wirklich herrenlose Natur würde dem Menschen ungreifbar, sie würde ihm grauenhaft sein.

Ein Drittes sagt der Bericht: Daß alles Seiende als solches voll Weisheit ist. Es muß nicht erst der Mensch kommen, um es zu ordnen, weil es an sich chaotisch wäre, wie die gleiche Neuzeit behauptet hat: sie zu ordnen durch die Kategorien des menschlichen Geistes und die sinnverleihende Macht seines Willens. Auch das ist gesagt worden, um Gott überflüssig zu machen; aber dieses Seins-Chaos gibt es ebensowenig wie das des Mythos.

Und ein Viertes: Das Dasein ist gut. All die tragischen oder ästhetischen Weltanschauungen, die behaupten, das Böse gehöre zur Welt; es bilde die Bitterkeit, die das Dasein groß mache; es sei der Gegenpol des Guten, durch den geistige Spannung entstehe und Geschichte in Gang komme, und wie die verschiedenen Formen alter und neuer Gnosis lauten mögen - das alles sind Theorien, durch den Menschen erdacht, um das Unheil zu rechtfertigen, das er angerichtet hat. Vom Ursprung her ist das Dasein gut. Das Böse, das es jetzt verwirrt, ist erst nachher hineingekommen.

Der Sabbat-Sonntag aber soll der Tag sein, an dem wir immer wieder lernen, zu unterscheiden, indem wir Gott geben, was Ihm gebührt, und von Ihm die Freiheit empfangen, die Er uns zubestimmt hat.

Der zweite Schöpfungsbericht
und die Ordnung der Ehe

Wir haben nun vom zweiten Schöpfungsbericht zu sprechen, der unmittelbar auf den ersten folgt.
Er wird durch einige Sätze eingeleitet, die in neuer Weise sagen, am Anfang habe Chaos, ungeformte Wirrnis geherrscht: »Als Gott die Erde machte und den Himmel; als es noch kein Gesträuch auf Erden gab und kein Kraut auf dem Felde wuchs, weil Gott der Herr noch nicht hatte regnen lassen auf der Erde, und kein Mensch da war, den Boden zu bebauen, sondern nur [chaotisches] Wasser aus der Erde aufstieg und alles Land befeuchtete ... « (2,4b-6) Sofort aber wird die Erschaffung des Menschen berichtet: »Da bildete Gott der Herr den Menschen aus der Erde vom Ackerboden und hauchte ihm Odem des Lebens in die Nase; so ward der Mensch zum lebendigen Wesen.« (7) Im Mittelpunkt des ganzen Berichtes steht der Mensch; alles andere ordnet sich um ihn her.
Die Weise, wie sein Werden geschildert wird, hat wieder nichts mit Wissenschaft zu tun. Sie geht in Bildern; Bilder aber müssen anders gelesen werden als begriffliche Aussagen. Man muß sie innerlich aufrufen, anschauen, empfinden und so ihren Sinn verstehen.

Zuerst heißt es, Gott, der Herr, habe den Menschenleib »aus Erde vom Ackerboden« gebildet; der gleichen Erde, aus der das Korn wächst, das ihm Brot gibt.
Wenn die Erzählung vom »Menschenleib« spricht und dann vom »Odem«, den Gott ihm einhaucht, dann ist damit nicht der Unterschied gemeint, an den wir denken, wenn wir von »Leib und Seele« reden. »Leib« ist hier tote Figur. Sie liegt da, wie das Gebilde, das entsteht, wenn ein Künstler in den Lehm

greift und ihn formt. Michelangelo hat auf seinem vielgerühmten Deckenbild in der »Sixtina« den Menschen dargestellt, wie er schon lebt und Gott die Hand entgegenstreckt, um vom Finger des Schöpfers den Funken des Geistes zu empfangen. Das ergibt eine wunderbare Komposition, verfehlt aber den Sinn des Berichts, denn was nach diesem da liegt, ist noch erst lebloses Gebilde. Dann beugt sich Gott über es und haucht ihm »Odem des Lebens« ein. In dem Wort geht vieles ineinander: der Atem, der geheimnisvoll den Körper durchdringt; das Leben, das wächst, empfindet und sich regt; der Geist, der denkt und plant; ja sogar das Pneuma, der Gotteshauch, der den Propheten erfüllt. Alles das klingt an und läßt das Unerhörte der menschlichen Existenz empfinden.

Wenn also der Mensch sinnend in seine innere Tiefe hineinfühlt; zu ertasten sucht, wohin die Wurzeln seines Seins führen, dann kommt er zuerst zur Erde des Ackers; dann aber zu Gottes Odem. Wir wollen an den Bildern nicht viel herumdeuten, sondern sie lassen, wie sie sind, leibhaftig und lebendig, und vernehmen, was sie uns sagen: daß unser Menschenwesen aus der Tiefe der Erde kommt, aber auch aus Gottes Brust. Deshalb ist der Mensch in der Welt, und auch wieder außerhalb ihrer. Sein »Ort« ist der Rand der Welt; jener Rand, der an jedem Stück und jedem Element der Welt hinläuft. So kann er sie verstehen und lieben, aber auch Herr sein über sie. Es ist furchtbar, wenn er mit der Welt zu tun haben Will, aber Gott nicht dabei sein soll – dann verfällt er ihr.

Dem Menschen bereitet nun Gott den Raum seines Lebens, das heißt, Er schafft das Paradies (2,8ff). Dieses erscheint unter dem Bild eines Gartens oder Parks, den »Gott, der Herr, pflanzt« – etwa, wie ein Herrscher der Zeit einen Garten anlegen ließ, um sich darin zu ergehen. Einen umhegten Bereich; durchflossen von reinen Gewässern – »lebendigern Wasser«, wie die Schrift zu sagen pflegt, um es vom

abgestandenen der Zisternen zu unterscheiden – und bewachsen mit schönen, Frucht tragenden Bäumen; für den Bewohner jener sonnendurchglühten Länder ein Inbegriff köstlicher Lebensfülle. Diesen Garten gibt Gott dem Menschen, daß er ihn »behüte und bestelle«.
Wieder ein Bild. Es bedeutet die Welt, sofern sie dem Menschen in die Hand gegeben ist, damit er sie in seiner Sorge halte und in ihr sein Werk tue; das aber so, daß Gott in allem dabei ist. In das Bild des Gartens spielt nämlich etwas anderes hinein: daß in ihm Gott selbst wohnt. Das zeigt sich im Bericht von der Versuchung, dort, wo erzählt wird, wie Gott sich im kühlenden Wind des Abends darin ergeht (3,8). Ein liebliches Gleichnis dafür, wie Gott am Tun seiner Menschen teilnehmen wollte, mit ihnen zusammen wohnend in der geheiligten Welt. Alles, was Menschenleben und Werk heißt, Geschichte und Kultur sollte sich da entfalten – aber in Gottes Nähe und Gemeinschaft, so daß der Mensch nie hätte zu tun brauchen, was nachher, wieder mit einem Bild, gesagt wird: sich vor Ihm zu verstecken.

Dann heißt es: »Der Herr sprach: ›Es ist nicht gut, daß der Mensch allein sei. Ich will ihm eine Hilfe machen, die sich zu ihm fügt.‹« In der Erzählung ist der Mensch bis dahin nur als Mann da; das aber, sagt die Weisheit der Offenbarung, »ist nicht gut«. Das Menschen-Wesen ist darin noch nicht erfüllt; ja es ist gefährdet. So wird berichtet, wie Gott dem Manne »Hilfe« zu Leben und Werk, will sagen, Gemeinschaft gibt. Wirkliche Gemeinschaft kann der Mensch aber nur mit dem Menschen haben: »So bildete Gott der Herr aus Erde alles Getier des Feldes und alle Vögel des Himmels und brachte sie dem Menschen, um zu sehen, wie er sie benennen würde; und ganz, wie der Mensch sie benennen würde, so sollte ihr Name sein. Und der Mensch gab allem Vieh und allen Vögeln des Himmels und allen Tieren des Feldes Namen; aber für den Menschen fand sich keine Hilfe, die zu ihm paßte.« (2,18-20)

Was hier geschieht, ist »Begegnung« im eigentlichen Sinn des Wortes. Der Mensch gelangt vor das Tier, betrachtet es, empfindet sein Wesen, versteht und benennt es. Für die frühe Anschauung bedeutet der Name das Genannte selbst in der Offenheit des Wortes; wenn also der Mensch etwas benennt, faßt er dessen Wesen ins Wort, und nimmt dadurch das Ding in das Gefüge seiner Sprache, in die Ordnung des Daseins auf. So tut er mit den Tieren, und es zeigt sich, daß sie keine »Hilfe« sein können, die den Einsamen lebensfähig machen würde: die Fremdheit zwischen Mensch und Tier wird deutlich.

Es ist wichtig, die Lehre zu verstehen, die dem Menschen da »am Anfang« seiner Existenz gegeben wird: daß er anders ist als das Tier. Daß er bei diesem jene Gemeinschaft, welche das »Du« und »Wir« schenken, nie finden wird. Er kann zum Tier ein sehr lebendiges Verhältnis gewinnen, in dem mannigfache Beziehungen spielen. Im Tier kann ihm die Natur so nahe kommen, als Natur kommen kann - ähnlich, wie es im Garten durch die Welt der Pflanzen geschieht. Aber die Wesensgrenze bleibt bestehen; und etwas hat sich verkehrt, wenn der Mensch das Tier in eine Beziehung nimmt, in der – als Kind, oder als Freund, oder wie immer – nur der andere Mensch stehen dürfte. Von jener Verstörung der Wahrheit nicht zu reden, die sich einstellt, wenn er das Göttliche im Bild des Tieres verehrt. Denken wir an den Abfall, der sich im heiligen Bereich des Sinai vollzieht, während auf dessen Gipfel Moses für das Volk die Offenbarung des Lebendigen Gottes empfängt: wie sie von Aaron verlangen, er solle ihnen »Götter machen, daß die vor ihnen herziehen«; er aus dem Schmuck der Frauen den goldenen Stier gießt, und das Volk in heidnischem Taumel dem Idol huldigt (Ex 32,1 ff).

So erzählen die nächsten Verse, wie Gott dem Mann die wesensgerechte Gefährtin schafft - was auch heißt, daß diese den ihr gemäßen Gefährten empfängt: »Da ließ Gott der Herr einen Tiefschlaf auf den Menschen [Adam] fallen, so daß er

einschlief. Und er nahm eine von seinen Rippen heraus und verschloß die Stelle mit Fleisch. Und Gott der Herr baute aus der Rippe, die er dem Menschen genommen hatte, ein Weib und führte es dem Menschen zu.« (21–22)
Auch das ist keine begriffliche Aussage, sondern ein Bild. Lassen wir uns die Wiederholung nicht verdrießen; wir müssen uns bewußt bleiben, wie der heilige Text redet: religiös und in Bildern. Und zwar ereignet sich, was nun geschieht, »im Tiefschlaf«, das heißt, in einer Ekstase, durch welche der Mensch aus dem natürlichen Bewußtseinszusammenhang herausgehoben wird. In diesem Zustand nimmt Gott einen Teil seines Leibes und baut daraus das Weib: lebendigster Ausdruck für die Wesensgleichheit, die zwischen Mann und Weib besteht. Wie wenig das mit Biologie oder Anatomie zu tun hat, wird unterstrichen, wenn man sieht, daß der ganze Vorgang vielleicht sogar als Vision des Schlafenden verstanden werden muß.
Gott führt das Weib dem Manne zu, und wieder geschieht Begegnung, Erkenntnis aus Wesen in Wesen. Das zeigt sich in den folgenden Sätzen, die ein Ausdruck des Jubels sind: »Diese ist nun endlich Bein von meinem Bein und Fleisch von meinem Fleisch! Diese soll Männin heißen, denn vom Manne ist sie genommen!« (23)
Nun ist menschliche Gemeinschaft möglich. Und es sagt etwas entscheidend Wichtiges, daß diese Gemeinschaft zuerst als »Hilfe« bezeichnet wird: als ein Zusammenstehen im Dasein; ein Sich-Ergänzen in Leben und Werk. Was also das Wesen dieser Verbundenheit zutiefst bestimmt, ist nicht das Physiologische, sondern das Personale. Sie enthält alles, was in der Beziehung zwischen Mann und Weib erwacht: Anrührung der Liebe, Lösung des Triebes und menschliche Fruchtbarkeit; Begegnung mit der Welt aus der Liebe, und Inspiration des Werkes durch sie. Alles das ist mit »Hilfe« gemeint.
Der zweite Bericht von der Erschaffung des Menschen sagt also mit seinen Bildern das Gleiche, wie der erste durch den Satz: »So schuf Gott den Menschen nach seinem Bilde ... als

Mann und Weib schuf Er sie«. (1,27) »Der Mensch« ist Mann und Weib. Das wird im ersten Bericht durch zusammenfassende Sätze, im zweiten durch eine Erzählung gesagt; beidemale die *magna charta* der Beziehung zwischen den Geschlechtern.

»Und darum«, heißt es weiter, »wird der Mann Vater und Mutter verlassen und seinem Weibe anhangen, und sie werden ein Leib sein.« (2,24) Der erste Bericht hat in der Grundlegung des Herrentages, der Ordnung geheiligter Lebenszeit gegipfelt; der zweite in der Begründung der Ehe, der Ordnung geheiligter Menschengemeinschaft. Auf diese läuft alles zu, was er sagt.
Er findet ein Echo im Matthäusevangelium. Da kommen Gesetzeslehrer zu Jesus und fragen: »Ist es erlaubt, sein Weib aus jedem Grunde zu entlassen?« (19,3) In der Ordnung des Alten Testaments hatte der Mann das Scheiderecht; er konnte sich aus Gründen, die im Gesetz festgelegt waren, von seiner Gattin trennen. Und nun fragen die Gegner: Aus irgendwelchen Gründen? Vielleicht aus jedem? Aus jeder Laune? Also eine der Fangfragen, wie sie sie an den Herrn richteten, um Ihn bloßzustellen. Da antwortet Er: »›Habt ihr nicht gelesen, daß der Schöpfer sie im Anbeginn als Mann und Frau erschuf?‹ Und sagte: ›Darum wird der Mensch Vater und Mutter verlassen und seinem Weibe anhangen, und die zwei werden ein Leib sein.‹« Das aber heißt: er darf sie überhaupt nicht entlassen. Und wie die Frager recht behalten wollen und einwenden: »Warum hat denn dann Moses angeordnet, einen Scheidebrief zu geben und so Entlassung zu vollziehen?«, erwidert Er: »Eurer Herzenshärtigkeit wegen hat Moses euch gestattet, eure Frauen zu entlassen. Im Anbeginn war es nicht so.« (Mt 19,4ff) In den Worten Jesu vernehmen wir den Widerhall von dem, was »am Anfang« war. Da ist die Ehe begründet worden, als von Wesen unauflöslich. Was nachher kam, waren Zugeständnisse an die Schwäche der Menschen; gewährt in einer Zeit, in welcher die Entscheidungen der

Offenbarungsgeschichte anderswo fallen mußten. Damals waren die »harten Herzen« noch nicht fähig, zu begreifen, was Liebe heißt, die immer auch Opfer ist.

So ist jeder der beiden Schöpfungsberichte auf die Begründung einer Lebensordnung ausgerichtet: der erste auf die von Arbeit und Ruhe, sich ausdrückend in der Folge von sechs Tagen, die dem Menschenwerk gehören, und dem siebenten, der dem Dienste Gottes vorbehalten ist; der zweite Bericht auf die Ordnung der Ehe als der Gemeinschaft des Lebens und der Fruchtbarkeit. Wie eng aber diese Gemeinschaft ist, sagt der bereits angeführte Vers 24: so eng, daß der Mann um seines Weibes willen »Vater und Mutter verlassen«, sich aus dem ursprünglichsten Zusammenhang, den die alte Kultur kennt, den der Sippe, lösen wird.
Diese beiden Ordnungen schützen die Würde des Menschen und rufen seine Verantwortung an: die gegenüber dem Werk und die gegenüber dem Menschen des anderen Geschlechts. Ebendamit bilden sie aber auch eine Schranke. Der siebente Tag fordert, der Mensch solle während seiner Dauer die Herrschaft niederlegen, auf daß im Raum seiner Stille die Hoheit Gottes sich erhebe. Die Unauflöslichkeit der Ehe fordert, der Vitalwille des Menschen solle sich am Bund der Treue bescheiden.
Wir sehen, welch tiefe Dinge sich ergeben, wenn man diese Texte in Ehrfurcht und Sorgfalt durchdenkt. Die ganze Weisheit der Welt enthält nichts, das den Kern der Menschendinge so deutlich machte, wie diese einfachen Aussagen. Sie sind tiefer als alle Mythen und wesenhafter als alle Philosophien – Urworte, die von Gott kommen.
Wenn wir sie nicht nur äußerlich lesen, sondern ihnen unser Herz öffnen, dann erfahren wir, wie Wahrheit wird. Die Dinge werden richtig gestellt. Der Sinn öffnet sich. Das Leben wird fordernd und groß.

Das Paradies

Aus den Berichten zu Beginn der Genesis erhebt sich das Bild einer in heiliger Neuheit strahlenden Welt, vom Schöpfer als »gut« bezeugt und von seiner Liebe umhütet. Vor dem Menschen aber hat sich ein Dasein geöffnet, dessen Möglichkeiten des Lebens und des Werkes unsere Vorstellung übersteigen. Wie zeichnet die Offenbarung dieses ursprungsschöne, helle und reiche Leben?
Versuchen wir wieder, dem Wort der Offenbarung einen Hintergrund zu schaffen; und zwar durch die Frage, wie der erste Mensch sonst, in Wissenschaft, Literatur, Kunst, täglichem Denken sich darstelle. Das Bild ist sehr vielfältig; drei Aussagen aber treten besonders deutlich hervor.

Die erste sagt so: Im Leben, als Ganzes genommen, wirkt ein Grundtrieb: der Drang, sich zu immer reicheren Formen zu entwickeln. Was dieser Trieb näherhin ist, warum und wie er wirkt, weiß man nicht; jedenfalls ist er Naturkraft und Naturgesetz zugleich. Im Lauf sehr langer Zeiten ist die Organisation bestimmter Tiere immer menschenähnlicher geworden, bis schließlich das Wesen entstanden ist, das Mensch heißt. Es hat angefangen, aufrecht zu gehen; Zwecke zu setzen und Hilfsmittel zu ihrer Verwirklichung zu schaffen; Wahrheit zu verstehen und sie in Worten kund zu geben. Das ist unter Umständen vor sich gegangen, die man sich nicht schwer und gefährlich genug vorstellen kann. Im Grunde ist nicht zu begreifen, wie das Werden des Menschen glücken konnte. Doch hat das weiter keine geheimnisvollen Gründe; es ist eins der Rätsel, wie sie dem Denkenden eben in der Natur begegnen. Er wird unablässig an seiner Aufhellung arbeiten; im übrigen es hinnehmen müssen, wie viele andere. Nachdem es sich aber vollzogen, gehen Leben und Werk des

Menschen unter dem Antrieb des gleichen Entwicklungsdranges weiter. In unablässiger Bemühung muß er das Erbe der tierischen Stufe überwinden und sich kraft der erworbenen Geistigkeit sittlich wie kulturell klären und bilden. Trotz aller Schädigungen und Rückschläge im Einzelnen ist aber der Grundcharakter seiner Geschichte der eines stetigen Fortschritts zum Immer-Höheren.
Das Bild wird von der Strenge kritischer Wissenschaft, aber auch von einer bestimmten geistigen Tendenz geformt. Diese sucht überall das Verwickelte aus dem Einfachen, das Höhere aus dem Niederen abzuleiten - doch schließt sie dabei jedes Wirksamwerden anderer Kräfte als jener, die in den Energien der Welt selbst liegen, von vornherein aus. Das ist die Voraussetzung alles Weiteren: die Welt ist All-Natur, in sich stehend und sich selbst genügend. Der Mensch entsteht aus ihr und ist im Wesentlichen nichts anderes als Tier, Pflanze und Kristall.

Noch ein zweites Motiv ist wirksam, das aus dem romantischen Denken stammt und vor allem den Beginn der Geschichte zu erklären sucht. Die Frage, wie der Mensch entstanden sei, wird von ihm nicht im wissenschaftlichen, sondern im philosophischen, eigentlich mythologischen Sinne gestellt, und die Antwort lautet: Er kommt - wie, weiß niemand - aus der Tiefe der Natur. Als Gabe des Unbegreiflichen ist er eines Tages da. Er ist schön und unschuldig. Er lebt in tiefem Einklang mit der Natur, einer Ordnung gehorsam, die sein Leben in frommen Grenzen hält, es aber eben dadurch schützt und lenkt.
Maßbild dafür ist das Kind; freilich ein selbst wieder ins Liebliche, Reine und Unwissend-Weise idealisiertes Kind, aus dessen Dasein all das Unbegriffen-Ängstende und Böse weggetan ist, von dem es in Wahrheit bedroht wird. Doch dauert das Idyll nicht: das Menschheitskind erwacht, lehnt sich gegen die Ordnungen auf und nimmt sich eigenes Recht. Daran zerbricht der erste Zustand. Damit beginnt aber die

Geschichte, die immer von zwei Gewalten getrieben wird: einem vorwärtsdrängenden Willen zu Macht und Werk und einer nie erlöschenden Sehnsucht zu dem zurück, was gewesen und verloren ist. So ist die Grundbestimmung dieser Geschichte tragisch. Trotz alles Schaffens und Sich-Erfüllens bleibt das Ringen vergeblich, und alles treibt auf den Untergang zu.

Am verbreitetsten ist aber wohl eine dritte Auffassung, in welcher die Frage nach Ursprung und Anfang in einer irgendwie ernsten, Folgerungen ziehenden Weise überhaupt nicht gestellt wird. Der Mensch ist eben da.
Woher er kommt, beunruhigt den so Denkenden ebensowenig, wie wohin er geht; Fragen dieser Art läßt er sich allenfalls von Tagesphilosophien oder -religionen zutragen und hört sich ihre Antworten an, ohne daß sie irgendeine ernsthafte Wirkung tun. Woran ihm wirklich liegt, ist, aus einer Gegenwart ohne Tiefe soviel an Vorteil und Genuß herauszuholen, als möglich ist.

Wie spricht die Offenbarung?
Sie sagt: Die ersten Menschen waren weder dumpfe, gerade aus dem Tierischen sich herausringende Wesen, noch auch unmündige Kinder. Sie erstanden vielmehr, frei und werkmächtig, aus einem Vorstoß göttlichen Schöpferwillens. Wie das näherhin zugegangen sei; wie das Bild der »Erde«, aus der ihre Gestalt geformt worden, und des »Gotteshauches«, durch den sie den lebenwirkenden Geist empfangen haben, von der Wissenschaft her zu verstehen sei, ist eine Frage für sich.
Worum es uns geht, ist die Gestalt, in welcher die Offenbarung das Dasein des Anfangs darstellt. Die aber steht in reiner Größe vor uns. Es gibt – wir sprachen schon davon – eine Gesinnung, die das Höhere vom Niedrigeren herleitet; die Offenbarung denkt nicht so. Nach ihr ist der Anfang Werk Gottes, und das ist vollkommen. Damit ist nicht Vollendung

gemeint, die erscheint erst am Ende des Werdens; vielmehr Fülle des Anfangs, der nicht aus Vorausgehendem abgeleitet, sondern aus ihm selbst, richtiger gesagt, aus der ihn hervorbringenden Schöpfermacht heraus verstanden werden muß. Was dann kommt, ist »Geschichte« – das, was die Freiheit mit den Möglichkeiten des Anfangs macht.
Die wirklichen ersten Menschen waren Anfang, Jugend, aber voll Herrlichkeit. Wenn sie in den Raum träten, in dem wir uns befänden, würden wir sie nicht ertragen können. Uns würde vernichtend klar werden, wie verworren und verdorben, wie dürftig im Sein bei aller Leistung wir sind. Wir würden ihnen zurufen: Geht weg, damit unsere Scham nicht zu bitter werde! Sie waren ungebrochen im Wesen; mächtig im Geist; klar im Herzen, frei und schön. In ihnen war das Ebenbild Gottes - das heißt aber auch, daß Er sich in ihnen offenbarte. Auf die Frage: Wie ist Gott? könnte geantwortet werden: So, wie Er, der Unendliche, in diesen endlichen Wesen erscheint. Wie muß Seine Herrlichkeit in ihnen geleuchtet haben! Vergessen wir nicht, daß auf ihre Schultern die Entscheidung gelegt war, die der menschlichen Geschichte ihre Richtung geben sollte – wie hätte das Kindern, oder dumpf sich herausringenden Wesen zugemutet werden können?
Und auch das dürfen wir nicht vergessen: daß diese Ersten unsere Ahnen waren. Ober sie spricht man in Ehrfurcht – eine Tugend, die verschwunden ist, denn der moderne Mensch weiß von Ahnen nichts mehr. Bei ihm, der sich darauf etwas zu Gute tut, aus »beständiger Revolution« zu leben, fängt das Leben ja immer erst heute an. So wollen wir auch in geziemender Weise von ihnen denken.

Von den ersten Menschen sagt die Schrift, ihr Lebensbereich sei das Paradies gewesen. Was heißt das?
Auch vom Paradies gehen sonderbare Begriffe um. Mythische Vorstellungen, von der Insel der Seligen, oder vom Land Hesperien, wo ewiger Frühling ist. Märchenvorstellungen

vom Schlaraffenland, in dem nichts ist als Genuß. Psychologistische Vorstellungen von einem Kinderland, in dem es nur Unmündigen wohl sein kann. Die Vorstellung kann auch einen höhnischen Beiklang bekommen; dann wird das Paradies zu einem Ort der Beschränktheit und Langeweile, in welchem der Mensch herumgeht und nicht weiß, was er mit sich anfangen soll, bis endlich die Sünde kommt, und das Leben lohnend macht ... Armselige Gedanken, mit denen der abgesunkene Mensch etwas erniedrigt, dessen Größe ihn beschämt.

In der Genesis heißt es: »Darauf pflanzte Gott der Herr einen Garten in Eden gen Osten und setzte den Menschen hinein, den er gebildet hatte. Und Gott der Herr ließ aus dem Erdboden allerlei Bäume aufsprießen, lieblich anzuschauen und gut, davon zu essen; den Baum des Lebens aber mitten im Garten, und auch den Baum der Erkenntnis des Guten und des Bösen ... Also nahm Gott der Herr den Menschen und setzte ihn in den Garten Eden, daß er ihn bebaue und bewahre.« (2,8-9.15) Ein Garten, in dessen Frieden nichts Störendes dringt. In ihm kühle Gewässer, die unerschöpflich strömen; Bäume, die Schatten geben, Blüten und Früchte bringen; vielgestaltige Tiere, durch keine Gewalttätigkeit scheu gemacht, vielmehr zutraulich in der Selbstverständlichkeit des Ursprungs. Das alles ist Bild, und es meint die Welt – diese aber, sofern sie von einem Menschen erlebt wird, der selbst in reiner Gemeinschaft mit Gott steht.

Blicken wir in unseren Alltag, damit wir die Tragweite des Gedankens sehen. Wenn wir die verschiedenen Menschenleben überschauen: geschieht in jedem von ihnen das Gleiche? Da ist Einer, der seinen Mitmenschen wohl will und ihnen Raum gibt, ein Anderer aber ist engherzig und gewalttätig und will alles nach seinem Kopf haben: ereignen sich in beider Lebenswelt die nämlichen Dinge? Hat in ihnen das Dasein den gleichen Charakter? Benehmen sich die Menschen, die Tiere, ja selbst die Pflanzen in derselben Weise? Doch gewiß nicht! In der einen atmen sie frei, haben Vertrauen, fühlen sich wohl; in der anderen sind sie ängstlich, wehren sich, werden hinterhältig. An sich ist es jedesmal die nämliche Welt, Menschen und Tiere hier keine anderen als dort – und doch wie verschieden im Tun und Verhalten, im ganzen Charakter. Den Unterschied aber bewirkt der Geist der beiden; die Strahlung, die von ihrem Wesen ausgeht. Denn jeder Mensch formt dadurch, daß er ist, wie er ist, und lebt, wie seine Gesinnung ihn führt, aus der allgemeinen Welt seine eigene heraus.

Ein anderes Beispiel: Sagt man nicht: Heute bin ich mit dem verkehrten Fuß aus dem Bett gestiegen, und alles geht schief? Man kommt mit den Menschen nicht zurecht; die sonderbarsten Hindernisse tauchen auf; die Werkzeuge sperren sich; Dinge fallen aus der Hand oder zerbrechen; die Leute scheinen unfreundlich zu blicken und zweifelhafte Absichten zu haben ... An einem anderen Tag aber ist alles anders. Die Menschen scheinen wohlwollend; die Dinge fügen sich günstig; Federhalter und Hammer arbeiten wie von selbst, und die Verhandlungen glücken ... Was bedeutet das? Gestern war doch die Wirklichkeit dieselbe wie heute: die gleichen Menschen, die nämlichen Werkzeuge, unveränderte Verhältnisse! Das wohl, aber wir selbst sind verschieden; unsere Gedanken, unsere Stimmung, unsere Nerven. Gestern ausgeglichen und in ihnen selbst sicher; heute unruhig, mißlaunig, von widersprechenden Impulsen verwirrt. Da müssen sich die Dinge ja doch verschieden geben; denn das, was im vollsten Sinn »Welt« heißt, ist etwas, das sich beständig aus der Begegnung des Menschen mit dem Gegebenen formt. Stellen wir uns nun vor, der Mensch, um den es sich handelt, sei, wie er aus der Hand Gottes geworden ist: lebensvoll, frei, freudig und hell. In seinem Herzen wirkt keine Lüge, keine Gier, nicht Auflehnung noch Gewalttätigkeit. Alles in ihm ist offen zu Gott hin, in reinem Einklang mit Dem, der die Welt geschaffen hat. Er ist durchwaltet von Seinem Licht, sicher Seiner Liebe, gehorsam Seiner Weisung. Wenn es dieser

Mensch ist, der den Dingen begegnet – welche Welt ersteht dann aus seinem Sehen, Fühlen, Handeln? Das Paradies!
»Paradies« ist die Welt, wie sie beständig um jenen Menschen her wird, atmet, sich entfaltet, der Ebenbild Gottes ist und immer vollkommener dieses Ebenbild verwirklichen will. Der Gott liebt, Ihm gehorcht und die Welt beständig in die heilige Einheit hereinholt. Wie anders also ist das von der Offenbarung Gemeinte als die naturalistischen, oder romantischen, oder ironischen Vorstellungen, von denen die Rede war. Es war die Welt, wie Gott sie gewollt hat; die zweite, die immerfort aus der Begegnung des Menschen mit der ersten erstehen sollte. In ihr sollte alles geschehen und geschaffen werden, was Menschenleben und Menschenwerk heißt: Persönlichkeit und Gemeinschaft, Erkenntnis, Gestaltung und Kunst – aber in Wahrheit, Reinheit und Gehorsam.

Wenn wir das bedenken, wird uns bald etwas anderes klar: dieser Zustand konnte nicht naturhaft gesichert sein. Er war Gnade und in die Probe gestellt. Daß die Sonne aufgeht, wenn die Zeit kommt; ein Ding fällt, wenn man es losläßt; ein Samenkorn keimt, wenn Erde, Wärme und Feuchtigkeit entsprechen – das alles ist sicher, denn Naturgesetze gewährleisten es. Das Tun des Menschen aber ist frei, und Freiheit bedeutet, daß das Tun in der Form des Ur-Sprungs, des Heraussprungs aus dem inneren Anfang, hervorgeht, der sich selbst bestimmt. Hier gibt es keine Sicherheit, denn sie würde sofort die Freiheit zerstören. Hier ist alles dahingestellt.
Wie muß da erst ein Zustand dahingestellt und gewagt sein, der so ganz aus der Großmut Gottes hervorgeht, gleich jenem, den die Offenbarung dem ersten Menschen zuweist! Worin der Herr aller Dinge Seine Welt dem Menschen in die Hand gibt, daß er in ihr sein Reich baue, welches ebendamit das Reich Gottes werden sollte? Wie sehr mußte das durch die Probe der Treue gehen!

So hören wir denn, daß sich »mitten im Garten«, in der Mitte des ganzen Zusammenhangs, der »Paradies« heißt, ein Zeichen erhebt, durch das der Mensch in diese Probe gestellt wird: »Und Gott der Herr ließ vom Erdboden allerlei Bäume aufsprießen, lieblich anzuschauen und gut davon zu essen, aber mitten im Garten den Baum der Erkenntnis des Guten und des Bösen ... Und Gott der Herr gebot ihm: ›Von allen Bäumen des Gartens darfst du essen, nur vom Baum der Erkenntnis des Guten und des Bösen darfst du nicht essen; denn am Tage, da du von ihm ißt, mußt du sterben.‹« (2,9.16-17) An diesem Baum soll der Mensch sich entscheiden, ob er gewillt ist, in der Wahrheit des Ebenbildes zu leben, oder den Anspruch erhebt, sich selbst Urbild zu sein; ob er bereit ist, Gottes Geschaffener zu sein, oder sich anmaßt, aus Eigenem zu bestehen; ob er seinen Sinn darauf richtet, Gott zu gehorchen und dadurch zu immer höherer Freiheit aufzusteigen, oder sich selbst und die Welt in eigene Herrschaft zu nehmen sucht.

Noch von einem anderen Baum ist die Rede, denn es heißt: »Und Gott der Herr ließ aus dem Erdboden allerlei Bäume aufsprießen, lieblich anzuschauen und gut davon zu essen, den Baum des Lebens aber mitten im Garten, und den Baum der Erkenntnis des Guten und des Bösen.« (2,9) Was dieser bedeutet, ist nicht ohne weiteres deutlich – ebensowenig übrigens wie es vom Baum der Erkenntnis deutlich ist. Von beiden wird noch genauer die Rede sein, denn sie stehen in Beziehung zueinander. Doch soll schon hier gesagt sein, daß man sich den Weg zum Verständnis verschließt, wenn man vom Bild und Begriff des mythischen Lebensbaumes ausgeht. Wo immer in der Schrift Vorstellungen auftauchen, die solchen des Mythos zu entsprechen scheinen, zeigt eine genauere Prüfung, daß sie in einen neuen Zusammenhang aufgenommen sind, ihr Sinn verwandelt ist.

Jedenfalls hat sich am Baum der Prüfung das Schicksal der Menschen entschieden – das unserer Ahnen und in ihren unser eigenes. Es hat sich aber auch – wir sagen es in großer Ehrfurcht – etwas entschieden für Gott selbst. Denn die

Welt, die Er liebte, hatte Er in heiliger Vornehmheit dem Menschen in die Hand gegeben, diesem zutrauend, er werde sie in Ehren halten und in ihr ein Werk tun, das Gottes Werk fortführen würde. Der Mensch aber hat dieses Vertrauen verraten und den Versuch gemacht, Gott Seine Welt aus der Hand zu nehmen.

Der Baum der Erkenntnis des Guten und des Bösen

Wir haben vom Paradies gesprochen, dem Garten voll blühender und fruchtender Bäume, durchflossen von kühlen Gewässern, erfüllt von Frieden und Schönheit. Es ist ein Bild für den Zustand, in welchem am Anfang das Menschenherz war, rein, für Gott offen und von Seiner Gnade durchwaltet – wie auch für das Einvernehmen, das zwischen diesem Menschen und der Schöpfung bestand. Die verblassende Erinnerung daran durchzieht Mythen und Märchen, und trotz aller Aufklärung enthalten die Bilder des Unbewußten auch des heutigen Menschen noch eine Erinnerung daran, wie das Dasein einst war und immer hätte bleiben sollen.
Es war kein Naturzustand, den Gesetze und Notwendigkeiten gesichert hätten, sondern die Weise des Daseins ging aus der reinen Zuwendung Gottes zum Menschen hervor. Darum war alles der freien Treue des begnadeten Menschen anheimgegeben; er mußte sie aufrecht halten. Damit ist auch gesagt, daß alles unter einer Erprobung stand; die Probe aber, in der diese Treue sich zu bewähren hatte, drückt die Schrift wieder durch ein Bild aus. Sie sagt: »Gott der Herr nahm den Menschen und setzte ihn in den Garten Eden, daß er ihn bebaue und bewahre. Und Gott der Herr gebot dem Menschen: ›Von allen Bäumen des Gartens darfst du essen, nur vom Baum der Erkenntnis des Guten und des Bösen darfst du nicht essen; denn am Tage, da du von ihm ißt, mußt du sterben.‹« (2,15–17)

Was meint das Bild? Was bedeutet der Baum?
Wer fähig ist, Gestalten zu fühlen, wird vor ihm vom Geheimnis berührt – vor dem Mächtigen da, das mit der Säule seines Stammes emporsteigt, mit seinen Wurzeln in die Tiefe dringt, mit seinen Ästen in den Raum greift; dessen Stille so

voll von Leben ist, einem Leben, das immer neu durch die Gezeiten des Jahres hin ausgrünt, blüht, fruchtet, zu sterben scheint und wieder erwacht. Und wenn er etwas von religiöser Geschichte weiß, dann weiß er auch, welche Bedeutung das mythische Symbol des Lebensbaumes gewonnen hat.
So hat man denn auch gemeint, was im Bericht vom Anfang aller Dinge als Schicksal entscheidende Prüfung erscheint, sei die Begegnung mit diesem Lebensbaum. Dann hat es nur eines tieferen Eindringens in das Symbol bedurft, um das Berichtete, Verbot wie Übertretung, in ein düsteres Licht zu tauchen, worin die Schuld als etwas Unabwendbares erschien.
Und wie ist das geschehen?

Beim Namen anknüpfend, den die Schrift selbst dem Baume gibt, sagt man, mit ihm sei die tragische Wirkung gemeint, die vom kritischen Fragen und Erkennen ausgehe. Danach wäre der Mensch »im Paradies«, so lange er als Kind, oder als Volk, oder als Menschheit auf einer urtümlichen Kulturstufe in Einfalt dahinlebt und der Ordnung vertraut, wie sie sich in Natur und Herkommen kundtut. Alles ist dann klar und gut, und er ist unschuldig und glücklich. Auf Grundformen des Lebens ist aber nur Verlaß, solange sie selbstverständlich sind; sobald der Mensch anfängt, kritisch nach Wozu und Warum zu fragen, beginnt die Unruhe und das Mißtrauen. Konflikte entstehen, die Unrecht und Leid zugleich sind. Er wird zwar wissend, doch »das Paradies« ist zerstört.
Diese Theorie wird durch den Mythos religiös vertieft. Nach ihm gibt die Erkenntnis dem, der sie gewinnt, magische Macht - jene besonders, die »Gut und Böse«, das heißt, den Schlüssel zur Ordnung des Lebens erkennt und fähig wird, das herrscherliche Tun des Richtens auszuüben. Das wollen aber die Götter für sich behalten; die Menschen sollen unwissend sein, damit sie leicht regiert werden können. So wird das Wissen-Wollen zum Unrecht erklärt, die Unwissenheit zur Tugend erhoben, und »Paradies« ist das Scheinglück,

das die Götter den Menschen vorspiegeln, damit sie unterwürfig bleiben. Folgerichtig wird dann der Durchbruch des Geistes in Erkenntnis und Kritik zur Schuld und zur Befreiung zugleich. Das Paradies zerbricht, aber das wahre Menschendasein nimmt seinen Anfang.

Man braucht nur den Text sorgfältig zu lesen, um zu sehen, wie tief die Deutung seinen Sinn entstellt. Kein Satz gibt Anlaß, in der Gesinnung Gottes, des Heilig-Großmütigen, den Neid mythischer Numina zu vermuten. Auch mit der tragischen Wirkung der Erkenntnis hat das Symbol des verbotenen Baumes nichts zu tun, denn diese Wirkung gehört ja zum Dasein des gefallenen Menschen und zur Verwirrung, welche die Schuld darin angerichtet hat. Der im Gehorsam der Wahrheit stehende Mensch hätte von solcher Wirkung nichts erfahren. Für ihn wäre Erkenntnis lauterer Lebensgewinn gewesen.

Abgesehen davon aber: der Mensch sollte doch erkennen! Mit seiner Gottebenbildlichkeit war ihm die Herrschaft über die Welt übertragen, und die beginnt ja doch mit der Erkenntnis. So bestand denn auch die erste Herrschaftshandlung des Menschen darin, daß er, wie die Schrift erzählt, den Tieren »Namen« gab (2,19), das heißt, ihr Wesen verstand und es im Wort ausdrückte. Verwehrt war ihm etwas Anderes, nämlich eine bestimmte Weise des Erkennens. In allem Fragen und Forschen, Auflösen und Dahinterschauen liegt eine Entscheidung: ob es in Ehrfurcht gegen den Urheber des Daseins, oder in Auflehnung und Stolz geschieht. Dieser Stolz ist es, den das Verbot meinte. Was sich am Baum vollziehen sollte, war nicht der Verzicht auf Einsicht, sondern, im Gegenteil, aller Einsicht Grundlegung: nämlich die von personalem Ernst getragene Anerkenntnis, daß Gott allein Gott ist, der Mensch aber nur Mensch. Diese Grundwahrheit zu bejahen oder zu verneinen, war jenes »Gute und Böse«, vor dem sich alles entscheiden sollte. Der Mensch sollte sie erkennen, aber dadurch, daß er sich für den Gehorsam entschied, und so

»Wahrheit tat«. im Raum dieser ersten Wahrheit sollte sich jede weitere Erkenntnis vollziehen; und sie wäre von der herrlichen Geisteskraft des reinen Menschen mit einer ganz anderen Fruchtbarkeit vollzogen worden als von uns, denen die Sünde die Verwirrung in Blick und Urteil gebracht hat.

Eine andere Interpretation geht nicht vom Namen des Baumes, sondern von der Bedeutung aus, welche dessen Bild im Mythos wie im Unbewußten hat: das Still-Lebendige, das aus der Tiefe der Erde seine Säfte holt; jedes Jahr seine Frucht hervorbringt und durch diese sich in neue Wesen seiner Art fortsetzt - wir sprachen bereits davon.
So sagt die Theorie: Der Baum im Paradies ist der mythische Lebensbaum, und seine Frucht die reifende Geschlechtlichkeit. Das Essen aber, das vom Gebot verwehrt wird, ist die Vereinigung der Geschlechter. So lange der Mensch Kind ist, und der Trieb noch schläft, lebt er unschuldig und glücklich. Die Elemente seiner Welt stehen in Eintracht miteinander, und es ist Friede. Das ist »das Paradies«. Sobald sich der Trieb regt, beginnt die Unruhe. Das Kind kommt in Widerspruch mit sich selbst; versteht sich nicht mehr. Es kommt auch in Konflikt mit den Erwachsenen; denn die Ordnung, die von diesen vertreten wird, verwehrt ihm die Erfüllung des Triebes; so wird es heimlich und widerspenstig. Nun will es aber das volle Leben, muß es wollen; also folgt es dem Trieb, und das »Paradies« der kindlich-glücklichen Unschuld zerbricht. Das muß geschehen, denn das heranwachsende Menschenwesen kommt nur so in die Reife des Lebens mit ihrer Fruchtbarkeit, ihrem Ernst und ihrem Glück. Was die Genesis berichtet, wäre also die Urdarstellung des Dramas, das sich im Leben jedes Menschen zuträgt.
Zu dieser psychologischen Deutung tritt wieder die mythische. Für das frühe Bewußtsein haben alle kosmischen und menschlichen Energien religiösen Charakter, so auch, und besonders, die geschlechtliche. Triebauswirkung und Fruchtbarkeit werden als numinose Mächte erfahren, die den

Menschen über sich hinaus ins Ganze der Natur steigern. Was die »Frucht« verbiete, ist, so sagt die Theorie wieder, der Neid der Götter, die dem Menschen diese größte Macht mißgönnen - ja ihre Furcht, die sich durch solche Steigerung gefährdet fühle. So geben sie ihm das zahme Glück eines Daseins, in welchem der Trieb schläft, und das ist »Paradies«.

Auch diese Deutung ist offenkundig falsch, durch eine Absicht in den Text hineingelesen. Denn wie der Mensch geschaffen wird, heißt es: »So schuf Gott den Menschen nach seinem Bilde, nach Gottes Bilde schuf Er ihn, als Mann und Weib schuf Er sie.« (1,27) Ihre geschlechtliche Bestimmung gehört also in die Gottebenbildlichkeit hinein. Und es heißt weiter: »Gott segnete sie und sprach: ›Pflanzet euch fort und mehret euch und füllet die Erde.‹« (1,28) Das ist schon bei der Grundlegung des Menschenwesens, also vor der Prüfung gesagt – was kann das anderes bedeuten, als daß die Menschen sich zur Fülle des Lebens und der Fruchtbarkeit entfalten sollten?
Wie kommt es aber zu einer so gewaltig falschen Deutung? Weil sie den jetzigen Zustand des Menschen; die jetzige an Erfüllungen, aber auch an Zerstörungen so reiche Geschichte des geschlechtlichen Werdegangs in den Plan Gottes zurückverlegt und vergißt, daß zwischen dem Menschen, wie er heute ist, und jenem, von dem die Genesis redet, die Katastrophe steht, welche »Sünde« heißt.
Der Baum bedeutet also gar nicht die Trieberfüllung, und das Gebot sagt nicht, sie sei verwehrt. Es geht vielmehr, wie bei der Erkenntnis, um die Weise, wie sie geschieht. Auch der Trieb bringt den Menschen vor eine Entscheidung. Er kann ihn so erfüllen, daß er Gott vergißt, kann aber auch in einer Ordnung bleiben, die Ihn ehrt. Er kann zum Stolz werden, der sich wider Gott erhebt, aber auch Gehorsam sein, der Gottes Wahrheit bejaht. Am Schluß des zweiten Berichtes heißt es: »Beide aber, der Mann und sein Weib, waren nackt, doch sie schämten sich nicht.« (2,25) Die ersten Menschen

existierten in der Offenheit ihres Wesens, klar und mit sich selbst einig, und nichts gab ihnen das Gefühl, in ihnen sei etwas nicht in Ordnung. Das aber nicht deshalb, weil sie Kinder gewesen wären, sondern weil sie mit ihrem ganzen Sein im Willen Gottes standen. Darum schämten sie sich nicht, und hätten sich auch nicht geschämt, wenn sie zur gegebenen Zeit in der gleichen Gesinnung sich als Mann und Weib verbunden und das Gebot erfüllt hätten: »Pflanzet euch fort und mehret euch und füllet die Erde.« (1,28) Es wäre ohne all die Verwirrung, all die Not und all die Entwürdigung geschehen, welche der Trieb jetzt in das Leben des Menschen bringt.

Die Mißdeutung kann noch einmal und tiefer ansetzen; aber nach dem gleichen Schema, wie bei den beiden vorausgehenden Versuchen. Diese haben die Erprobung in einem Gebot gesehen, das den Erstzustand des menschlichen Lebens – Kindheit und Frühstufe der Kultur – zum »Guten«, hingegen das, was ihn erschüttert, zum »Bösen« erklärt. Nun müsse aber das Leben des Einzelnen wie der Geschichte weitergehen, das Kind müsse erwachsen, die gebundene Kultur frei werden; so werde der Bruch des Verbotes, die Zerstörung der ersten Ordnung zur tragischen Notwendigkeit, und der Baum sei das Symbol dieses Zusammenhangs.
Worum es in den beiden ersten Deutungen ging, war die kritische Erkenntnis und die geschlechtliche Erfüllung. Die dritte knüpft an die personale Mündigkeit an und sagt: Das Tier geht im Naturzusammenhang auf. Es hat kein Selbst, sondern lebt anonym. Im Kind ist wohl das Selbst; es schläft aber. Was sein Leben regiert, sind der Instinkt und der Zusammenhang der Familie. So ist das Kind frei von den Bedrängnissen und Konflikten, die mit der Behauptung und Auswirkung des Eigenseins gegeben sind. Es ist schuldlos und hat Frieden. Beim Volk auf der Frühstufe seiner Geschichte liegen die Dinge entsprechend: es lebt aus Natur und Herkommen, problemlos und glücklich, das heißt, »im

Paradies«. »Selbst« sein zu wollen, zerstört diesen Zustand; so ist es verboten, böse. Das Leben drängt aber weiter; das Kind will mündig, frei werden. Die schlafende Person will zu sich selbst kommen, Herrschaft über sich und das Dasein gewinnen. Das Volk will in die Geschichte eintreten, Macht üben, Kultur bauen. So durchbricht das Menschenwesen die Verbote, spricht und tut und wird »Ich«. Das Zuerst-Böse wird zur tragischen Notwendigkeit, an welcher das Paradies zerfällt, und der Baum ist deren Symbol.

Wieder erfährt der Zusammenhang seine religiöse Vertiefung aus dem Mythos, denn der mythische Urzustand ist die Einheit des Seins, verkörpert in Göttern des All-Eins, deren Herrschaft nur bestehen kann, solange sich kein Selbst erhebt. Der Wille zu einem solchen ist der Urfrevel, aber er muß geschehen, denn nur durch ihn verwirklicht sich Geschichte.

Auch diese Deutung verfehlt den Sinn der Offenbarung, ja widerspricht ihm geradenwegs. Der Mensch ist als Ebenbild Gottes geschaffen; die Ebenbildlichkeit ist die »Kategorie«, in der er besteht. Sie aber wird als Fähigkeit und Vollmacht zur Herrschaft bestimmt; und Herrschaft bedeutet grundlegenderweise nicht, Gewalt auszuüben, sondern der Welt gegenüber Stand und Abstand zu haben, über sie urteilen, sie fassen und gestalten zu können. Das heißt aber, dem »Anderen« gegenüber »Selbst«, dem »Du« gegenüber »Ich« sein; so soll der Mensch zur Person erwachen und immer voller in seine Personalität hineinwachsen.

Alles Deuten muß genau vom Text ausgehen, dem es gilt. Es hat keine andere Aufgabe, als diesen zum reinen Sprechen zu bringen. Tut es das nicht, so irrt es - oder es lügt. Wenn das aber so oft geschieht, wie die Erfahrung zeigt, dann besteht Anlaß, nach dem Motiv zu fragen. Warum wird das Wort der Genesis mit so hartnäckiger Beharrlichkeit in einen Sinn gezwungen, der dem offenkundigen Wortlaut widerspricht? Weil dadurch die Tat des ersten Menschen sich selbst rechtfertigen will. In der Deutung des Baumes setzt sie sich fort.

Was bedeutet also der Baum? Weder die Erkenntnis, noch das Geschlecht, noch das Verlangen nach personaler Mündigkeit. Er ist überhaupt kein Symbol eines Lebenswertes und Wertverlangens bzw. der Versagung eines solchen, sondern Malzeichen von Gottes Hoheit, sonst nichts. Er sagt dem Menschen: In deinem Bewußtsein, in deiner Gesinnung, in deinem ganzen Dasein soll allbestimmend die Tatsache stehen, daß nur Gott »Gott« ist, du hingegen Geschöpf. Die Tatsache, daß du wohl Sein Ebenbild bist, aber nur Ebenbild; Urbild Er allein. Du darfst und sollst Herr über die Welt sein; aber von Seinen Gnaden, denn Herr von Wesen ist nur Er. Das ist die Ordnung. Aus ihr heraus sollst du dich verstehen und in ihr leben. In ihr zur freien Persönlichkeit wachsen, Wahrheit erkennen, dich in Fruchtbarkeit erfüllen und die Welt in Besitz nehmen. Von der Frucht des Baumes nicht zu essen, bedeutet keinen Verzicht auf Wesentlichkeiten deines menschlichen Seins, sondern den Gehorsam, in welchem du deine Endlichkeit anerkennst; und damit die Entscheidung für die Wahrheit.

Man muß der Heiligen Schrift in der Bereitschaft gegenübertreten, zu hören, was sie sagt: nicht ihr befehlen wollen, was sie zu sagen habe. Im Bewußtsein, daß hier Gott redet, nicht im Überlegenheitsgefühl des modernen Kulturmenschen, der einen alten Text kritisch in seine Grenzen weist. Wer mit dieser Bereitschaft in die ersten Kapitel der Schrift hineinhorcht, gewinnt Einsichten ins menschliche Dasein, wie nicht Wissenschaft noch Philosophie sie geben können.

Versuchung und Sünde

Wir haben in den voraufgehenden Überlegungen gesehen, daß der Zustand gnadengeschenkter Harmonie, in welchem der erste Mensch mit Gott, und von Ihm her mit sich selbst und allen Dingen lebte, erprobt werden mußte. Es mußte deutlich werden, ob der Mensch mit dem Ernst wirklicher Entscheidung das wollte, was den ganzen Zustand trug: den Gehorsam des Geschöpfes gegen den Schöpfer und damit die Wahrheit des Seins. Diese Entscheidung drückt die Schrift in einem Bild aus: der Mensch soll inmitten fruchtreicher Bäume, wie sie ihn im Paradies umgeben, einen als verwehrt anerkennen. Von allen darf er essen; von diesem nicht. Das aber nicht, weil sich im Verwehrtsein der Frucht eine Wesenskrise des Lebensganzen symbolisch ausdrückte, sondern weil sich darin die Hoheit Gottes erhebt und Gehorsam fordert. Und nun heißt es im dritten Kapitel: »Die Schlange aber war listiger als alle Tiere des Feldes, die Gott, der Herr, gemacht hatte, und sie sprach zum Weibe: ›Ob Gott wirklich gesagt hat: Ihr dürft von keinem Baum des Gartens essen?‹ Da sprach das Weib zur Schlange: ›Von den Früchten der Bäume im Garten dürfen wir essen, nur von den Früchten des Baumes in der Mitte des Gartens hat Gott gesagt: Esset nicht davon, rühret sie auch nicht an, damit ihr nicht sterbet.‹ Die Schlange sprach zum Weibe: ›Mitnichten werdet ihr sterben, sondern Gott weiß: sobald ihr davon esset, werden euch die Augen aufgehen, und ihr werdet sein wie Gott, wissend das Gute und das Böse.‹ Da sah das Weib, daß der Baum gut sei, von ihm zu essen und lieblich anzuschauen und begehrenswert, weil er klug machte. Und sie nahm von seiner Frucht und aß und gab auch ihrem Manne neben ihr, und er aß. Da gingen ihnen beiden die Augen auf, und sie erkannten, daß sie nackt waren.« (1–7)

Ein abgründiger Text. Man mag ihn noch so oft durchdenken, er erschöpft sich nicht. Was wird in ihm gesagt?

Zunächst und vor allem: daß das Böse nicht in der ersten Natur des Menschen gelegen hat. Der Mensch ist nicht von Wesen so, wie er jetzt ist, ein Gewebe von guten und bösen Antrieben, immer wieder im Zwiespalt mit sich selbst und mit der ihn umgebenden Welt. Das Böse gehört nicht zu den ursprünglichen Elementen unseres Daseins. Der Mensch ist kein Tier, in welchem mitten unter den Instinkten der Wildnis auf unverstehbare Weise der Geist erwacht wäre – welcher Geist fortan aus jenen Instinkten das Böse machte, ihrer aber doch zu seinem Werk bedürfte. Sondern der Mensch war ursprünglich gut. Und nicht nur, weil das Böse in ihm geschlafen hätte, wie im Kind, sondern weil er von Grund auf rein geschaffen war und im Einvernehmen mit Gott stand. Und er hätte weiterhin Mensch sein, und alles, was Geschichte heißt, hätte sich entfalten können ohne das Böse, und er wäre zu einer Größe aufgestiegen, von welcher unser verstörtes Dasein nichts weiß.

Er hat das Böse auch nicht aus der Anfangskraft seiner eigenen Freiheit in das Dasein gebracht, ohne Grund, denn welchen Grund hätte er dafür haben können? Es war nicht so, daß er, in einer schauerlichen Schöpferkraft, das Böse urgehoben hätte, ohne Sinn, um der Sinnlosigkeit willen, denn alles war ja von Sinn erfüllt. Noch weniger steht es so, wie die zynische, im Grunde so dumme Deutung meint, die Menschen hätten sich im Paradies gelangweilt, und das hätte sie darauf gebracht, daß nur das Böse interessant sei.
Sondern das Böse ist an den Menschen herangetreten. Sein Ursprung in unserer Welt hat die Form einer Versuchung durch fremden Willen, und die Sünde bestand darin, daß der Mensch diesem Willen nachgab. Ebendamit ist weiter gesagt, daß Jemand da war, der den Menschen zerstören, ein Wesen, das Gott und seine Ordnung haßte und den Menschen in

diesen Haß hineinziehen wollte. Die Geschichte des Guten und des Bösen weist in das Reich des reinen Geistes zurück; dort ist die erste Entscheidung gefallen.

Was das bedeutet, wird erst im Lauf der Offenbarung sichtbar; seine volle Klarheit gewinnt es in der Versuchung, die an Christus herantritt (Mt 4,1 ff). Sie sagt uns, daß es Wesen gibt, die den Menschen und durch ihn die Welt von Gott wegreißen wollen: Satan und die Seinen.
Damit ist nicht, wie es oft heißt, das »Prinzip des Bösen« gemeint; ein solches Prinzip gibt es nicht. Keinem Verstande, solange er sauber unterscheidet und klare Konsequenzen zieht, wird es gelingen, Derartiges zu denken; es wäre der nämliche Unsinn, wie ein Prinzip der Unwahrheit behaupten zu wollen. Die Gnosis hat so gedacht und das Böse zu einem der beiden Grundelemente des Daseins erklärt; viele haben es ihr nachgeredet und gemeint, sie sprächen abgründige Weisheit aus. Was es einzig gibt, ist das Prinzip des Guten und der Wahrheit, und das ist Gott. Die Freiheit kann sich aber gegen Ihn stellen, ohne Prinzip, in Empörung und Zerstörung, und das ist das Böse. Diese Verneinung kann sich zu Neigungen verdichten, als Anlage vererben, in Gewohnheiten und Lebensformen verfestigen, und so zu einer im Einzelnen wie in der Gesellschaft wirkenden Macht werden ... Es gibt auch kein Wesen, das von Natur, im Sein, böse wäre, sondern nur solche, die sich gegen Gott aufgelehnt haben; denen die Entscheidung bis ins Mark gegangen ist, und die Ihn nun hassen. Wie das möglich gewesen sei, ist freilich nicht zu verstehen, und wer meint, er sei dazu fähig, verwechselt die Fühlung, in die er da mit seiner eigenen inneren Unordnung kommt, mit echter Einsicht - falls er nicht den Ernst des Widerspruchs von Gut und Böse verloren hat und aus ihm eine ästhetische Spannung macht.
Wir sollen aber wissen, daß wir Feinde haben, die unser Unheil wollen und darin keinen Kompromiß kennen. Satan und die Seinen waren von je am Werk. Er war es auch, der das

Böse an die ersten Menschen herangetragen, das heißt, sie versucht hat.

Sein Name wird vom Text der Genesis nicht genannt, sondern wieder erscheint für ihn ein Bild, das der Schlange. Diese ist an sich ein Tier wie andere auch und als solches so wenig böse, wie ein Reh oder eine Schwalbe. Was das Bild begründet, ist der Eindruck, den die Schlange macht: sie bewegt sich lautlos, schlüpft hinein und hinaus, ist stumm und kalt, und ihr Biß vergiftet. Alles das verdichtet sich in dem Satz: »Sie ist listig«. Wer ohne besondere wissenschaftliche Absichten eine Schlange sieht, empfindet Widerwillen – zugleich aber auch ein seltsames Interesse für das Wesen, das sich da so unheimlich bewegt, und er versteht, wie es zum Bild für Satan werden konnte, der sich kalt und tückisch dem Menschen nähert, um ihm sein Leben zu zerstören.

Er spricht zum Weibe: »Ob Gott wirklich gesagt hat: Ihr dürft von keinem Baum des Gartens essen?« Gleich der erste Satz schafft eine Atmosphäre der Zweideutigkeit. Er behauptet nicht: Gott hat so und so gesagt; darauf würde die klare Erwiderung kommen: Das ist nicht wahr. Sondern: Stimmt das, was man so hört? Habe ich richtig verstanden? Zwielicht also, in dem kein klares Ja und Nein ist; Wahr und Falsch, Gut und Böse sich nicht sauber scheiden.
Was wäre darauf die richtige Antwort? Überhaupt keine zu geben. Die Angeredete fühlt ja in der noch durch nichts getrübten Klarheit ihres Gemütes: Was da herweht, ist böse; da gehört Gottes Name nicht hinein. So müßte sie jedes Gespräch ablehnen. Statt dessen antwortet sie, und hat sich damit schon eingelassen. Zwar verteidigt sie noch und sagt: »Von den Früchten der Bäume im Garten dürfen wir essen.« Aber was braucht sie Gott zu verteidigen? Diesem bösen Wesen da Rechenschaft über Sein Tun zu geben? Das ist schon Verrat an dem heiligen Vertrauen, das der großmütig liebende Gott in den Menschen gesetzt hat.

Dann sagt sie: »Nur von den Früchten des Baumes in der Mitte des Gartens hat Gott gesagt: ›Esset nicht davon, rühret sie auch nicht an, damit ihr nicht sterbet.‹« Aber Er hat gar nicht alles das gesagt! Sie verteidigt Gott mit einer Übertreibung, und wer übertreibt? Der schon unsicher ist. Er sucht sich die Gültigkeit dessen einzuhämmern, was ihm schon nicht mehr fest steht.

Nun hat die Schlange der Angeredeten die Unruhe ins Gemüt gebracht, und es ist Zeit für den offenen Angriff. Sie spricht »zum Weibe: ›Mitnichten werdet ihr sterben, sondern Gott weiß: sobald ihr davon esset, werden euch die Augen aufgehen, und ihr werdet sein wie Gott, wissend das Gute und das Böse.‹« (4–5) Der Angriff sucht die Treue des Menschen und die Klarheit seines Urteils irre zu machen, indem er das Einfachhin-Heilige, den Grund aller Gültigkeit und Verläßlichkeit angreift, nämlich Gottes Gesinnung. Der Versucher gibt sich, als wisse er Bescheid, schaue hinter die ganze Anordnung da – heute würde man sagen: hinter den Priesterbetrug. Ihn täusche keiner darüber, wie die Dinge in Wirklichkeit stehen, und er werde den Menschen aufklären.

Was bedeutet das? Sehen wir einmal von der Verkehrung aller Wahrheit ab, die hier geschieht, und fragen: Wann spricht man denn recht über Gott? So lange man lebendig in dem Bezug steht, der unser ganzes Dasein begründet: Er, der Schöpfer – ich, sein Geschöpf. Aber das genügt noch nicht, es muß heißen: Du, Gott, mein Schöpfer – ich, Mensch, Dein Geschöpf. Ober Ihn kann man nicht in unbeteiligter Objektivität reden, sondern nur in Glaube und Ehrfurcht. Hier aber wird der Mensch aufgefordert, aus diesem Bezug herauszutreten, auf einen Standpunkt angeblich unabhängiger Kritik, von dem aus er »sachlich« über Gott und das Dasein urteilen werde – philosophisch, soziologisch, historisch und wie immer. Dann werde er feststellen, ob Gott sich richtig verhalte, ob Er richtig gesinnt, ja ob Er überhaupt wirklich

»Gott« sei. Sobald der Mensch so tut, ist er schon in der Unwahrhaftigkeit und für jede Verwirrung offen.

Nun sagt der Versucher weiter: Wißt ihr auch, warum Gott euch die Frucht verbietet? Weil er Angst hat! ... Wie aber das? Satan verfälscht das Bild des Lebendigen Gottes in das mythische. Der mythische Gott ist nämlich ein Wesen, dessen Herrentum von Bedingungen abhängt, und eine von diesen ist das magische Wissen um die Geheimnisse des Daseins. Dieses Wissen gibt Macht; so lange der Mythengott die allein hat, ist er seiner Herrschaft sicher. Wenn aber andere Wesen das Wissen gewinnen, wankt seine Macht, und der Gott der gegenwärtigen Weltstunde wird von dem der kommenden entthront.
Das ist der Kern dessen, was Satan sagt. Er macht den reinen, keines Dinges bedürfenden, ewigen Gott zu einem Numen, das von Weltbedingungen abhängt, und gibt dem Menschen den wahnsinnigen Gedanken ein, er könne diese Bedingungen aufheben und sich selbst an Gottes Stelle drängen.
Die Versuchung muß furchtbar gewesen sein, denn sie hat das Lebensgefühl der ersten Menschen erschüttert. Diese waren keine Kinder, sondern Wesen, welche von der Fülle reiner Kraft leuchteten, wie sie aus Gottes Schöpfermacht hervorgegangen war. Diese Kraft empfanden sie, und nun sagt die Versuchung: Die Lebensmacht, die ihr fühlt, mit der ihr Herrschaft übt in eurem Reich, kann noch viel größer werden. Sie kann die Welt umfassen; kann dem All gebieten. Ihr könnt dessen Herren werden, so wie Gott jetzt sein Herr ist – und damit verkehrt der Versucher die Gott-Ebenbildlichkeit, in welcher die Wahrheit des Menschen ruht, zum Trug der Gleichheit mit dem Schöpfer, ja der Überlegenheit über Ihn.
Die Hörende nimmt die giftigen Einflüsse in sich auf, und auf einmal wird der Baum, der soeben noch in der Unnahbarkeit des Heilig-Verwehrten stand, zudringend, verlockend, verheißend: »Da sah das Weib, daß der Baum gut sei, von ihm zu

essen und lieblich anzuschauen und begehrenswert, weil er klug machte. Und sie nahm von seiner Frucht und aß und gab auch ihrem Manne neben ihr, und er aß.« (6)
Die Versuchung ist zuerst an das Weib herangetreten. Das bedeutet nicht, sie sei, wie man gern sagt, »schwächer« als der Mann. Oder gar, sie habe von Natur Fühlung zum Bösen. Die Gnosis hat so gedacht, die offene wie die durch alle Zeiten gehende heimliche. Für diese steht das Weib überhaupt im Bereich der Unwahrheit und ist daher von vornherein Verführerin. Der Mann neigt nur zu sehr dazu, die Rollen im Dasein so zu verteilen. Es bedeutet vielmehr, das Zusammenhangsgefühl ihrer Natur habe sie für das Verschwimmen der Unterschiede empfänglicher gemacht. Freilich hätte aber die Wahrheit ihres Herzens sie auch fähig machen sollen, die Wesensart dessen zu empfinden, was da redete: daß es böse sei, das Leben zerstöre. Statt dessen tritt sie auf die Seite von Gottes Verleumder und leitet dessen Einfluß zum Manne über, dem sie Gehilfin sein sollte. Dieser nun könnte Einhalt tun, aber auch er erliegt.

Und nun verändert sich alles: »Da gingen ihnen beiden die Augen auf, und sie erkannten, daß sie nackt waren.« (7) Schon einmal hat es geheißen, gleich nach ihrer Erschaffung: »Beide, der Mann und sein Weib, waren nackt, aber sie schämten sich nicht.« Das war eine andere Nacktheit: die des reinen Offenseins. Was sie waren, durfte gesehen werden, denn alles war rein. Die Reinheit entspringt im Geist; ist der klar, dann ist es auch der Leib. Nun aber ist der Abfall geschehen, im Geiste. Der Frevel hat den Menschen in Widerspruch zu Gott und darum auch zu sich selbst gebracht. Das bringt ihm auch Trieb und Sinne in Unordnung, und er schämt sich. Er fühlt sich anfällig für die Mächte der Verstörung und sucht sich durch die Hülle des Kleides zu schützen.
Wir wollen den kurzen Bericht manchmal wieder mit Sorgfalt lesen und werden dann sehen, welche Kenntnis des Menschen

aus ihm spricht. Er wird uns zum Spiegel werden, aus dem nicht nur ein Begebnis herblickt, das sich einst, am Anfang der Menschengeschichte zugetragen hat, sondern wir werden fühlen: In dieser Geschichte habe ich schon selbst gestanden – und kann ich immer wieder stehen.

Rechenschaft und Verlust des Paradieses

Der Mensch hat in der Prüfung versagt. Er hat sein wollen »wie Gott«, Herr über sich selbst und über die Dinge. Daran ist das Paradies zerbrochen und alles, was es für den Menschen und sein Werk bedeutete.
Im dritten Kapitel der Genesis heißt es: »Da vernahmen sie die Stimme Gottes, des Herrn, der im [kühlen] Abendwind sich im Garten erging, und der Mann und sein Weib verbargen sich vor dem Angesicht Gottes, des Herrn, unter den Bäumen des Gartens. Gott der Herr aber rief den Menschen und sprach zu ihm: ›Wo bist du?‹ Er antwortete: ›Ich hörte Deine Stimme im Garten und scheute mich, weil ich nackt bin; so verbarg ich mich.‹ Er sprach: ›Wer hat dir gesagt, daß du nackt bist? Hast du etwa von dem Baume gegessen, von dem zu essen ich dir verboten habe?‹ Der Mensch entgegnete: ›Das Weib, das du mir als Gefährtin gegeben, hat mir etwas vom Baum gereicht, und ich habe gegessen.‹ Da sprach Gott der Herr zum Weibe: ›Was hast du getan?‹ Das Weib erwiderte: ›Die Schlange hat mich verführt, da habe ich gegessen.‹« (8–13) Am Schluß des Kapitels aber heißt es: »So vertrieb Gott der Herr den Menschen aus dem Garten Eden, daß er [fortan] die Erde bebaue, von der er genommen war.« (23) Wieder redet die Offenbarung in Bildern. Sie sind einfach, zuweilen fast kindlich, aber groß und tief für den, der sie richtig befragt.

Die Menschen haben dem Versucher mehr geglaubt als Gott. Im Maße sie sich auf seine Worte eingelassen, hat sich ihnen jene Wahrheit verwirrt, welche die Grundlage ihres Daseins bildete: daß Gott allein Gott ist, sie aber seine Geschöpfe; Er Urbild, sie Ebenbild; Er Herr aus eigenem Wesen, sie Herren von seinen Gnaden. Aus dieser Wahrheit allein hätte ihr

Leben sich richtig, groß und fruchtbar verwirklichen können; sie haben sich aber von ihr wegverloren. Im Maße das geschah, ist ihnen das Verwehrte verlockend geworden, und sie sind schließlich dem Versucher erlegen. Nun stehen sie als Betrogene da; verwirrt im Kern ihres Daseins, beraubt der Eigentlichkeit von Leben und Werk und brennend vor Scham.
Und was geschieht? Sie »hören« Gott, fühlen sein Kommen und verbergen sich! Wir haben Mühe, uns in das hineinzudenken, was sich da ereignet. Der Mensch verbirgt sich vor Dem, aus dessen Hand er immerfort das Dasein empfängt: sich selbst, die Dinge, die Möglichkeit, zu herrschen und zu schaffen, fruchtbar und glücklich zu sein. Vor Dem verbirgt er sich. In der Regung drückt sich der ganze Widersinn aus, der in sein Dasein gekommen ist. Der Wahrheit nach müßte aus dem Menschenwesen elementar der Antrieb hervorgehen: Hin zu Gott! Hinein in die heilige Nähe, in der alles Gute entspringt. Offen werden vor Ihm und in Ihm! Statt dessen die qualvolle Sinnlosigkeit, sich vor Dem verbergen zu wollen, Dem doch von den Wurzeln des Seins her alles offen ist - ebenso sinnlos, wie vorher der Wille, Ihm gleich zu sein. In der Scham aber offenbart sich dazu noch das Gefühl, in den unerträglichen Widersinn hineinbetrogen zu sein.

Nun fragt Gott den Mann: »Hast du etwa von dem Baum gegessen, von dem zu essen ich dir verboten habe?« Es ist keine Frage des Allwissenden, der braucht nicht zu fragen, sondern die des Richters, der zur Rechenschaft zieht und verlangt, der Schuldige solle sich verantworten. Solle Dem, der das Gebot gesetzt hat, bekennen, was er getan, und so zu seiner Tat stehen. Das ist der Beginn zur Bereinigung des Geschehenen, der erste Schritt ins Neue – und wer weiß, was möglich geworden wäre, wenn der Mensch zur Wahrheit gestanden hätte. Statt dessen weicht er seiner Verantwortung aus.
Der Mann sagt: »Das Weib, das Du mir als Gefährtin

gegeben, hat mir etwas vom Baume gereicht, und ich habe gegessen.« Was muß da alles zerbrochen sein, wenn Adam so sprechen kann! Als Gott ihm das Weib zuführte, hat er über die vollkommene Gefährtin gejubelt; also müßte er sich doch zu ihr stellen, sie zu schützen suchen, und wie hätte Gott, der Vornehme, das gewürdigt! Der aber, der den Anspruch erhoben hat, Herrscher der Welt zu werden, läßt seine Gefährtin im Stich, wälzt seine Verantwortung auf sie ab. Welche Enthüllung! Wie wird da offenbar, daß die Empörung gegen Gott durchaus nicht »groß«, durchaus nicht heroisch, sondern armselig ist, weil sie die Wahrheit überlügt.

So wendet sich Gott an das Weib und fragt sie: »Was hast du getan?« Wieder der Augenblick, zur eigenen Tat zu stehen. Sie aber erwidert: »Die Schlange hat mich verführt, da habe ich gegessen.« Auch sie weicht aus; auch sie schiebt die Verantwortung von sich ab.

Beide versagen; beide: der Mensch. Er versagt in der Wahrheit, im Gehorsam gegen das Gebot, in der Treue gegen Gottes Vertrauen - aber auch im sittlichen Mut, im Anstand der Person gegen sich selbst und gegen den Andern.

Doch noch Schlimmeres ist geschehen. In der Antwort des Mannes steht ein kleiner Satz, den man leicht überliest. Er sagt nicht etwa: »mein Weib hat mir etwas vom Baume gereicht«, sondern: »das Weib, das Du mir als Gefährtin gegeben«, hat es getan. Das heißt aber: Du bist schuld! Die Auflehnung, die der Mensch vorher als Ungehorsam gegen Gottes Gebot vollzogen hat, setzt sich nun in der Anklage fort: Du, Gott, bist verantwortlich für das, was ich getan habe. Damit bestreitet er dem Richter das Recht, ihn zur Verantwortung zu ziehen, und es beginnt der Vorwurf, der von da ab durch die ganze Geschichte gehen wird: Gott sei am Bösen schuld, das die Menschen tun, und am Unheil, das ihnen daraus erwächst. Er habe die Menschen erschaffen, ihnen die Freiheit und damit die Möglichkeit gegeben, wider das Gute zu handeln; habe vorausgesehen, was sie tun würden, und sie doch in die Lage gebracht, die Tat zu vollbringen; das Dasein sei so gebaut, daß es in ihm ohne das Böse nicht gehe – und wie immer die Weisen lauten mögen, in denen der Mensch das Gericht umzukehren, sich zum Richter und Gott zum Angeklagten zu machen sucht.

Darauf spricht Gott das Urteil: Sie sollen das Paradies verlieren. »So vertrieb Gott der Herr den Menschen aus dem Garten Eden, daß er [fortan] die Erde bebaue, von der er genommen war.« Jedes Wort in den sparsamen Sätzen ist wichtig.
Die ersten Menschen müssen aus dem Paradies fort, »hinaus«. Und was ist draußen? »Die Erde«, die der Mensch nun bebauen soll. Aber der Garten war doch auch »Erde«; und schon auf ihn hin hat es geheißen: »Gott der Herr nahm den Menschen und setzte ihn in den Garten Eden, daß er ihn bebaue und bewahre.« (2,15) Erde da und Erde hier; Arbeit da und Arbeit hier. Die Dinge sind also die gleichen, und gleich ist das Tun. Aber dort war die Erde im Raum von Gottes Willen und Wohlgefallen, von des Menschen Ehrfurcht und Treue, war »Paradies«. Jetzt hingegen ist sie Erde, die der Mensch aus dem Einvernehmen mit Gott herausgerissen hat. Sie ist Fremde und bleibt es, trotz aller Bemühungen, in Land und Haus, Menschengemeinschaft und Werk, Heimat zu schaffen. Und während der Mensch dort seine Arbeit im Frieden mit Gott getan hat, und sie dadurch frei und fruchtbar wurde, steht er jetzt in der Empörung wider den Herrn der Welt, seine Herrschaft ist Gewalt, und seine Arbeit wird schweren Stand haben.
Falschen Deutungen des Paradieses gegenüber haben wir uns schon früher gesagt, daß in ihm alles hätte geschehen sollen, was Menschenleben und Menschenwerk ausmacht; im Einvernehmen mit Gott und in einer Schöpfung, die sich willig in die Herrschaft des Menschen fügen würde. Jetzt ist das Kraftfeld dieses Einvernehmens zerfallen. Die Dinge sind

hart und schwer geworden. Sind so geworden, wie sie heute sind, sperrig und widerspenstig. Lassen wir uns doch vom Worte Gottes belehren: Daß der Zustand, in dem die Dinge jetzt sind, nicht ihr ursprünglicher ist, deswegen, weil der Mensch, der sie sieht und greift, nicht mehr ist, der er vorher war; ihr Zusammenhang für den Menschen nicht jene Natur, die Gott gewollt hat, vertraut und freundlich, deshalb, weil im Verhältnis zu ihr etwas zerrissen ist.

Wenn wir Augen haben, zu sehen, und ein Herz, zu fühlen, dann müssen wir doch merken, daß in allen Beziehungen, die der Mensch zu den Dingen haben mag, etwas aus der Ordnung geraten ist. Über diese Erfahrung sollen uns auch keine Redensarten vom Fortschritt wegtäuschen, der angeblich immer höher und höher steigt, alles besser und immer besser machen soll. Dieser »Fortschritt« ist ja selbst nicht in Ordnung; und nicht deshalb, weil hier noch etwas falsch, dort noch etwas unvollkommen, und das Ganze noch nicht lange genug im Gang wäre, sondern weil in der Beziehung jedes Menschen zu jedem Ding etwas verkehrt ist.

Noch etwas anderes sagt die Schrift, und es öffnet eine neue Tiefe. Es hat geheißen: »Da vernahmen sie die Stimme Gottes, des Herrn, der im [kühlen] Abendwind sich im Garten erging, und der Mann und sein Weib verbargen sich vor dem Angesicht Gottes, des Herrn, unter den Bäumen des Gartens.« (3,8) Ist uns schon alles deutlich geworden, was die Worte enthalten?

Zunächst sind wir versucht, sie wie Worte von Märchen zu hören, die man Kindern erzählt: Der liebe Gott ist in seinem schönen Garten spazieren gegangen, abends, als der kühle Wind wehte, und hat nachgesehen, ob alles in Ordnung sei ... So ist es aber nicht. Es sind keine Märchenworte, sondern sie stellen wieder ein Bild vor unsere Augen. Wenn wir es als solches schauen und erfühlen, dann offenbart es uns tiefe Dinge. Aber wir müssen zuerst etwas weiter ausholen.

Zu den Aufgaben, die dem Menschen in Lauf seiner religiösen Reifung gestellt sind, gehört vor allem, daß er lerne, Gott richtig zu denken. Dazu muß er sich die Begriffe erwerben, mit denen er das tun kann – wo findet er die aber? Als Kinder haben wir sie im täglichen Umgang mit Mutter und Vater gefunden, und wer sonst noch bemüht war, uns zu lehren. In der Welt unserer damaligen Vorstellungen »kam« Gott, und »sprach«, und »tat« das und jenes. Das war für unser kindliches Denken richtig und nichts dagegen einzuwenden. Dann wurden wir kritisch und streiften die Kindergedanken ab – sagen wir genauer: wir taten sie in die Tiefe des Gemütes, ins Gebet und in den Traum. Für unser Denken über Gott aber lernten wir den Begriff des höchsten Wesens, indem wir uns bemühten, alles auszuscheiden, was fehlerhaft, eingeschränkt, vergänglich – nur das zu behalten, was positiv ist, das aber ins Rein-Vollkommene zu steigern. So bildeten wir den Gottesbegriff des Ganz-Heiligen und Absolut-Seienden; Dessen, der alles weiß und vermag, des Ewigen und Unendlich-Seligen. Diesen Begriff errungen zu haben, war vielleicht die höchste philosophische Leistung der Menschengeschichte; jeder von uns muß sie in irgendeiner Weise neu vollziehen, weil er sonst Gott nicht denken kann. Genügt aber der Begriff?
Mit der Frage ist nicht gemeint, ob Gott überhaupt durch einen Begriff und voll zu erfassen sei; das ist Er natürlich nie. Auch nicht gemeint, ob man Ihn überhaupt »denken«, und nicht vielmehr aus ihm, mit Ihm, auf Ihn hin leben solle. Man sagt heute gern, Gott könne nie »Gegenstand« von Denken werden, sondern sei nur im Akt des Existierens gegeben. Was darin richtig ist, kann hier nicht erörtert werden; richtig ist aber auch, daß der Mensch mit sauberem Denken in verantwortbarer Weise sagen kann: Gott ist, ist heilig, ist allmächtig und allein gerecht; in Ihm ist der Sinn meines Lebens, und was sonst die Gotteslehre von Ihm zu sagen weiß. Die Schrift tut so, und die Denker der ganzen gläubigen Vergangenheit haben so getan, Menschen, mit deren christlicher Erfahrung

unsere religiöse Dürre sich nicht messen kann. Aber lassen wir das auf sich beruhen. Hier ist Anderes gemeint, nämlich die Frage, ob wir mit dem Begriff des absoluten Wesens allein der Wirklichkeit Gottes gerecht werden, wie sie sich in der Offenbarung bezeugt? Können wir in diesen Begriff alles das hineinholen, was die Schrift sagt, ohne daß es uneigentlich und blaß wird?

Ein Beispiel zur Klärung: wenn Jemand von meinem Freund spräche und sagte: Er ist geboren und wird sterben; er hat Verstand, hat die Gabe der Freiheit und des Fühlens; er arbeitet, freut sich und leidet – wäre ich damit zufrieden? Ich würde erwidern: Was du da sagst, ist richtig; es ist die allgemeine Wahrheit, die auf jeden normalen Menschen paßt. Aber darin fehlt ja das Wichtigste: er selbst; der Lebendige, Persönliche, mit keinem zu Verwechselnde, den ich kenne, und mit dem umzugehen ich mich freue – wenn das fehlt, fehlt doch das Eigentliche.

Das gilt auch für Gott. Sobald wir mit der Heiligen Schrift vertrauter werden, kommt uns etwas zu Bewußtsein, das uns zuerst vielleicht ratlos macht, dann aber immer wichtiger wird: daß es nämlich zu wenig ist, von Ihm nur zu sagen: Er ist der Allheilige, Allmächtige, Allwissende, kurz, der Absolute; und zwar zu wenig um das Wichtigste, nämlich um Ihnselbst, sein Lebendig-Persönliches, Eigentliches. Das gehört aber in die Gottesaussage hinein, wenn sie fähig sein soll, alles das aufzunehmen, was die Offenbarung von Ihm sagt. Um das zu erfassen, brauche ich Bilder, die von Dingen der Natur, vom Leben des Menschen genommen sind. Etwa sage ich, wie der Prolog des Johannesevangeliums, Gott sei »Licht«. Das ist ein Bild, aber ein gültiges, von Ihm selbst mir gegebenes, und ich muß es als solches nehmen, sonst zerstöre ich seinen Sinn. Ich darf es nicht durch allgemeine Aussagen ersetzen, wie: In Gott ist kein Irrtum, keine Lüge, keine Unwissenheit, nur Wahrheit und Einsicht usf. Die wären natürlich richtig, aber das Bild wäre verschwunden und mit ihm das Eigentlich-Gemeinte. Nein, sondern: Gott ist Licht;

»das« Licht, das eine und einzige, und was immer Licht heißt in der Welt, ist ein Abglanz von Ihm.

Dies zu sehen, wird noch wichtiger, wenn es sich um Aussagen handelt, die uns zunächst befremden. (Und es ist eine Regel für den Umgang mit der Heiligen Schrift: je mehr eine Aussage in ihr uns stößt, desto größer die Wahrscheinlichkeit, daß sie wichtig ist.) Wenn es also heißt – und das immer wieder – daß Gott »kommt« und »wohnt«, daß Er »sieht« und »spricht« und »handelt« – dann sind wir zuerst befremdet und neigen dazu, darin die Ausdrucksweise einer frühen religiösen Kulturstufe zu sehen; das Konkrete davon abzustreifen und alles auf den Begriff des absoluten Wesens zurückzuführen. Dabei würden wir aber vergessen, daß es um Offenbarung geht; Offenbarung, wer der Gott ist, an den wir glauben sollen, und mit dem wir leben dürfen. Statt dessen würden wir uns auf Jenen zurückziehen, den wir selbst aus den Gegebenheiten des unmittelbaren Daseins heraus gedacht haben.

In der Geschichte der religiösen Reifung, von der die Rede war, müssen wir also lernen, daß man Gott so denken soll, wie die Schrift es tut, mit all den konkreten und lebendigen Aussagen, die sie von Ihm macht. Diese sind keine Zugeständnisse an Ungebildete, die nicht im Stande wären, philosophisch oder theologisch zu denken, sondern sie sind richtig. Ja sie sagen sogar über Gott etwas aus, das im Begriff der Absolutheit nicht enthalten ist: das Geheimnis eines Überschrittes in unsere Endlichkeit, ohne den weder Schöpfung noch Menschwerdung noch ewige Heimholung verständlich sind. Dieses Geheimnis wird in Bildern ausgedrückt, die man nicht ohne Sinnverlust in Begriffe überführen kann; aber die Bilder sind von ebendem Gott gegeben, von dem sie reden; sind gültig und unumgehbar. Sie müssen auch in die schärfste theologische Darlegung aufgenommen werden – freilich so, daß dabei das Element der Absolutheit zugleich festgehalten wird. Dieses »Zugleich« und »Zusammen« kann dann zwar nicht logisch vollzogen werden, aber der Glaube fühlt die

Wirklichkeit. Es ist die des Namens, mit welchem die Schrift Ihn nennt: »der Lebendige Gott« – und des anderen, mit welchem das Herz Ihn nennt, wenn es Seine Nähe erfährt: »mein Gott«; jeder Mensch neu: »seiner«, wie keines Anderen. Gelangt der Glaubende im Gang seines Lernens dahin, dann hat er die Sprache seiner Kindheit wiedergewonnen, aber den Ertrag seines erwachsenen Denkens, den Begriff des Absoluten, bewahrt. Wenn er jetzt die Dinge Gottes zu denken versucht, dann kommen ihm die Begriffe aus beiden Quellen, und sind genau und lebendig zugleich.

Das war ein langer Anlauf, aber er hat uns etwas gelehrt, das über den besonderen Anlaß hinaus wichtig ist, und wir kehren zu unserem Text zurück. Ein solches Bild für Gottes »Lebendigkeit« ist hier. Er hat den Menschen das Paradies gegeben; einen »Garten«, daß sie darin wohnen und walten sollten. Dahinter aber steht unausgesprochen etwas anderes. daß in diesem Bereich aller Fülle Er selbst wohnen, und Er dem Menschen seine heilige Vertrautheit schenken will. Wenn dann, nach der Glut des Tages, »zur Stunde, da der Abendwind Kühlung bringt«, der große Herr durch den Garten geht, dann kommen seine Menschen zu Ihm und sprechen mit Ihm. Ist das Bild nicht wahr und schön – so wahr und von solcher Schönheit, daß es einem das Herz bewegt? Wie die Menschen, reine, edle Wesen, zu ihrem Schöpfer kommen und im Einvernehmen liebenden Vertrauens mit Ihm sprechen? Über was aber mit Ihm sprechen? Ich denke, über die Welt. Über die Erde, die Bäume, die Sonne, über alles, was Er geschaffen. Nicht in spielerischer Idylle, sondern ernst; begierig, zu erkennen. Aber zu erkennen so, wie man es nur mit Gott zusammen kann, so daß Denken und Beten, Erkennen und Erfahren eins werden. Wie müssen die Dinge in diesem Gespräch geleuchtet haben! Wie muß den Menschen aufgegangen sein, so klar als tief, was alles ist ... Worauf geht denn die Frage des Kindes, wenn es wissen will: Mutter, was ist das? Auf etwas, das keine Mutter ihm sagen kann. Denn wenn sie ihm antwortet, sagt sie Worte und Begriffe. Das Kind aber möchte wissen, wie die Dinge wirklich sind; und es wirklich wissen, im inneren Leuchten ihres Wesens. Das kann aber kein Mensch geben; das kann nur Gott. Wenn Er es gibt, spricht das Innere des Menschen: Ja, das ist es!... Ich denke, in jenen Gesprächen mit dem Herrn des Paradieses, zur Stunde des Vertrauens, haben die Menschen gelernt und verstanden, was keine Wissenschaft zu verstehen gibt.

Und über sich selbst haben sie zu Gott gesprochen. Er hat ihnen geantwortet, und sie haben sich verstanden ... Verstehen wir uns? Das, was uns das Nächste ist, ganz nah, weil wir es ja selbst sind? Verstehen wir, warum wir dieses getan haben und jenes? Dieses uns begegnet, das andere uns erschüttert, das dritte uns beglückt? Verstehen wir die so viel verflochtene, nach oben wie nach innen geschichtete Welt, die wir selbst sind? Ist mir klar, wer ich bin? Daß ich bin, statt nicht zu sein? Von alledem erfaßt mein Geist immer nur einige Fäden, einige Bewegungen, ein unbestimmt sich verzweigendes Gewese – aber wirklich verstehen?

Der Mensch ist so groß, lebt so hoch über sich hinaus und so tief in sich hinein – wenn er im Ernst fragt: was? und wer? und wie? und warum?, dann kann nur Gott antworten. Damals hat Er geantwortet, und wie gütig ernst, wie innig vergewissernd müssen seine Antworten gewesen sein! Jede Antwort Ihn selbst mit enthaltend; Ihn als Den, der in jedem Gedanken mitgedacht, in jedem Wort mitgesagt werden muß, sollen sie wirklich wahr und vollständig sein. Und nun versuchen wir, uns vorzustellen, was daraus hervorgegangen wäre: welcher Reichtum des Menschenlebens, welche Fülle des Menschenwerkes! Das alles aber wurde nur gesagt, weil nun gesagt werden muß, daß der Mensch in der Verstörung seiner Schuld vor dieser heiligen Nähe geflohen ist und sich in der schon fremd gewordenen Natur »unter den Bäumen des Gartens« vor Gott verborgen hat.

Der Tod

Im Zusammenhang dessen, was die Genesis über das Paradies berichtet, begegnen wir einer Aussage, die uns sehr fremd berührt, weil sie unseren Anschauungen vom Menschen und seinem Leben aufs schroffste widerspricht – der Aussage nämlich, der Mensch hätte nicht sterben müssen, wenn er in der Erprobung treu geblieben wäre. Nun könnte man denken, es handle sich um ein Nebenmotiv, das auch wegfallen dürfe, ohne daß dadurch das Wesentliche der Paradiesesoffenbarung beeinträchtigt würde. Bald sieht man aber, daß das nicht angeht, denn was Gott zum Menschen sagt, ist ebenso klar wie eindringlich: »Von allen Bäumen des Gartens darfst du essen, nur von dem Baum der Erkenntnis des Guten und des Bösen darfst du nicht essen; denn am Tage, da du davon ißt, mußt du sterben.« (2,16-17) Das Hebräische redet noch dringlicher: »mußt du des Todes sterben«, oder, wie andere übersetzen: »mußt du sterben, ja sterben«. In ihrem Gespräch mit dem Versucher sagt das Weib: »Nur von den Früchten des Baumes in der Mitte des Gartens hat Gott gesagt: ›Esset nicht davon, rühret sie auch nicht an, damit ihr nicht sterbet.‹« (3,3) Der Versucher aber antwortet: »Mitnichten werdet ihr sterben, sondern Gott weiß: sobald ihr davon esset, werden euch die Augen aufgehen, und ihr werdet sein wie Gott, wissend das Gute und das Böse.« (3,4-5) Es handelt sich also um etwas, das in den Zusammenhang der Lehre vom Paradies wesentlich hineingehört.
Was ist aber damit gemeint? Die rationalistische Erklärung ist schnell fertig. Sie behauptet, es handle sich um eine der Paradiesesaussagen, wie sie sich in der Dichtung der Völker vielfach finden. Um das Sehnsuchtsbild der Menschen von einem wunderbaren Dasein, worin nichts von alledem wäre, was ihn jetzt drückt, nur Schönes und Beglückendes. So sei in

diesem Land aller Erfüllung auch kein Tod, sondern nie endendes Leben – und zwar, natürlich, Leben in nie welkender Jugendlichkeit. Andere nehmen die Aussage wohl im Ganzen des Geoffenbarten an, fühlen sich aber durch sie in Verlegenheit gebracht. Ihnen ist das neuzeitliche Bild vom Menschen die selbstverständliche Grundlage ihres Denkens; so leugnen sie zwar jene Aussage nicht geradezu, schieben sie aber an den Rand des Bewußtseinsfeldes, so daß sie praktisch daraus verschwindet.
In Wahrheit gehört sie aber zum Kern der Offenbarung und macht unser heutiges Dasein erst verstehbar.

Die Lehre der Genesis vom Tode findet ein mächtiges Echo im Neuen Testament, und zwar im Römerbrief. Da sagt Paulus im fünften Kapitel: »Darum, wie durch einen Menschen die Sünde in die Welt gekommen ist und durch die Sünde der Tod, und so der Tod sich auf alle Menschen ausgebreitet hat, deshalb, weil [in der Tat des ersten] alle gesündigt haben ...« (5,12) Noch eindringlicher spricht er nachher, wenn er sagt, daß der Tod »durch den Ungehorsam des Einen [über alle] zur Herrschaft gelangt sei« (5,17), in engster Verbindung mit diesen Gedanken aber die großen Ausführungen über die Erlösung und das neue Leben durch Christus folgen. Hier von sagenhaften Nebenmotiven zu reden, ist ganz unmöglich. Der Gedanke des Todes und der der Sünde rücken so eng zueinander, daß sie geradezu eins werden. Es wird von einer »Herrschaft« des Todes gesprochen; von einem Daseinszustand, der aus jener Herrschaft kommt, und in dem sich alle Menschen befinden (5,17–21). Endlich ist da das achte Kapitel des gleichen Römerbriefes, in welchem von der »Sehnsucht der Schöpfung« die Rede ist, die hoffend auf den Augenblick wartet, da die Kinder Gottes vollendet und in ihrer Herrlichkeit offenbar werden sollen. Jetzt ist sie »der Vergänglichkeit« oder »dem Verderben«, das heißt, dem Tod »unterworfen«; dann aber wird sie von diesem »Knechtsdienst der Vergänglichkeit befreit zur Freiheit der Herrlichkeit der Kinder Gottes«. Und Inbegriff dieser Herrlichkeit ist »die Erlösung unseres Leibes« in der Auferstehung der Toten (Röm 8,19–23; dazu 1 Kor 15–16). Es handelt sich also um etwas, das im Mittelpunkt der Heilsbotschaft steht.

Jeder von uns lebt im Zusammenhang des neuzeitlichen Denkens. In der Frage, die uns beschäftigt, ruht das auf der Voraussetzung, der Mensch unserer Erfahrung sei der Mensch einfachhin; das Dasein, wie wir es erleben, das Dasein überhaupt. Darin gebe es wohl Störungen und Zerstörungen, und dem Denken seien dadurch schwere Probleme gestellt; über diese könne aber nur aus dem Zusammenhang heraus gedacht und gesprochen werden, der uns heute gegeben ist. Wo der Gedanke darüber hinausgehe, handle es sich um Spiele der Phantasie, die einen psychologischen oder ästhetischen Sinn haben mögen, nie aber beanspruchen dürfen, ernsthafte Wahrheit zu sein. Wenn also der Mensch unter dieser Voraussetzung über sich selbst nachdenkt, tut er es aus dem Zustand heraus, in dem er sich jetzt vorfindet. Die Folge davon ist, daß er den Kopf aus ihm nie herausbekommt. Sein Denken läuft auf vorbestimmten Wegen und bestätigt ihm immer neu, was jetzt ist, sei das Einzige und Wirkliche. Begegnen ihm dann in der Genesis Gedanken, wie die soeben angeführten, dann kann er nicht anders, als sie aus dem Bereich des Ernsthaft-Realen hinauszuweisen.
Wird er aber wirklich gläubig, vertraut er der Offenbarung als der Quelle göttlicher Wahrheit, nimmt er ihre Gedanken, auch wenn sie ihn zunächst befremden, mit vollem Ernst entgegen, dann öffnen sie ihm den Blick für die eigentliche Wirklichkeit. Sie sagen ihm: Der Zustand, in dem der Mensch sich jetzt vorfindet, wie ihn die ganze Geschichte zeigt, bildet nicht den der ersten Wirklichkeit; es ist vielmehr etwas geschehen, das die Verfassung des Lebens, wie sie damals war, verändert hat. So kann der heutige Zustand nur von ihm selbst her nicht begriffen werden. Einen solchen Blick ins

Eigentliche öffnet uns die Aussage der Schrift, wonach der Tod nicht zu der Lebensgestalt gehört, die Gott dem Menschen eigentlich zugedacht hat.

Wie sollen wir aber eine solche Lehre denken, ohne alles in Verwirrung zu bringen, was uns von täglicher Erfahrung und wissenschaftlicher Forschung gesagt wird? Ja ohne mit unserem Wahrheitsgewissen in Konflikt zu kommen, da echte Erfahrung wie echte Wissenschaft uns doch verpflichten?
Das war in der Zeit der positivistischen Anthropologie schwer; man konnte nicht viel mehr tun, als die beiden Aussagen nebeneinander stehen zu lassen und das Unverständnis der Andersdenkenden auf sich zu nehmen. Die jüngste Zeit aber hat Einsichten gewonnen, die neue und sehr wichtige Beziehungen zwischen Wissenschaft und Offenbarung schaffen. Früher hat man den Menschen als ein geschlossenes Gebilde gedacht, in welchem alles nach physikalischen und chemischen Gesetzen verläuft. Auch das Seelisch-Geistige störte diese Auffassung nicht, denn es wurde als letzte Auswirkung bestimmter Nervenvorgänge bzw. als ein regulierendes Element des organischen Ganzen angesehen – oder aber als etwas, das unerklärbar neben dem Organischen herläuft. Heute wissen wir aus immer zahlreicheren Beobachtungen und tiefer eindringenden Analysen, daß dieses Bild falsch ist. Der Körper bildet durchaus kein geschlossenes System, sondern ist den Einwirkungen offen, die aus Seele und Geist kommen. Immerfort werden die Vorgänge in diesem Körper von der Stimmung, vom Gewissen, von der personalen Haltung beeinflußt.
Da seien zum Beispiel zwei Leute, die nebeneinander arbeiten. Ihre körperliche Verfassung wie ihr berufliches Können halten sich die Waage. Der eine sieht aber die Arbeit als etwas in sich Sinnvolles an, während sie dem anderen nur ein Mittel ist, Geld für Sport und Vergnügen zu bekommen – werden die angesichts einer schwierigen Aufgabe über die gleiche Kraft verfügen? Doch gewiß nicht; die aus dem Geist kom-

menden Antriebe sind verschieden und ändern die Arbeitssituation ... Jeder Arzt weiß, was es bedeutet, wenn bei einer Krise der Kranke entschlossen ist, zu leben, weil die Seinen ihn brauchen, und er sein Werk liebt, oder ob er müde und mutlos wird und sich selbst aufgibt. Im ersten Fall gehen aus dem Willen die überraschendsten Kräfte der Abwehr hervor; im zweiten stirbt der Kranke von innen heraus ... Die Psychologie zeigt uns, daß manche Unfälle nicht durch bloß äußere Ursachen bewirkt werden, sondern unter einer Lenkung stehen, die vom Unbewußten des Menschen ausgeht, so daß man im tieferen Sinn des Wortes öfter von selbstgewolltem Tod reden müßte, als es die Statistik tut ... Die Erscheinungen der Suggestion und Hypnose zeigen uns, welch geradezu verwirrende Wirkungen vom Willen ausgehen können ... und mehr der Art.
Alles das besagt, daß der menschliche Körper unter der beständigen Einwirkung des Geistes steht; von ihm gestört und gefördert wird. Wenn wir – wie es tatsächlich der Fall ist – den Menschenkörper ebenso gut ein Geschehen wie ein festes Gebilde nennen können, dann liegt die Lenkung dieses Geschehens zum guten Teil beim Geist und Gemüt der betreffenden Persönlichkeit.

Ist das so – was muß es dann bedeuten, wenn der Mensch, um den es sich handelt, neu aus Gottes Hand kommt, rein im Herzen und ganz aus dem Wesen lebend; Ihm, der die Wahrheit und Ordnung ist, gehorsam von Grund auf? Wenn diese Gesinnung es ist, die seinen Körper regiert? Und wenn Gott seine schöpferische Kraft reich und stark in diesen Menschen einströmen lassen kann, weil die Türe – der freie Wille, das seiner selbst mächtige Herz – ihr weit offen steht? Was kann einem solchen Menschen geschehen?
Die redliche Antwort der Wissenschaft kann nur sein, daß sie dazu nichts sagen kann. Um so weniger, als es diesen Menschen nicht mehr gibt, weil der heutige anders ist und unter anderen Bedingungen lebt, und also gar keine Prüfung

möglich ist. Er bildet sich zwar ein, »der« Mensch zu sein, ist es aber nicht. Er ist der verstörte Mensch, der wohl ungeheure Leistungen des Erkennens, Eroberns und Gestaltens vollbringt, in alles aber die Verwirrung hineinträgt, die in ihm selbst wirkt.

Und nun sagt die Offenbarung: Gott hat in dem ersten Menschen, der so zu Ihm stand, wie wir zu sagen versuchten, eine Lebendigkeit bewirkt, die nicht sterben sollte. Natürlich hätte jeder Lebenslauf ein Ende gehabt, denn er ist Gestalt, und jede Gestalt ist auch Grenze. Aber dieses Ende wäre selbst Wirkung des so ganz lebendigen Geistes gewesen: Durchgeistung, Umwandlung, Überschritt. Damit ist etwas ganz anderes ausgesprochen, als der Märchengedanke einer Unsterblichkeit, in welcher das Leben immer weitergeht; einer Jugend, die nie altert. Es ist etwas, was es in unserer Welt nicht gibt, denn es ist ja nicht verwirklicht worden, das wir aber aus der Rede der Offenbarung erschließen oder doch erahnen können.

So können wir auch nicht sagen, wie dieses Lebensende, das kein Tod gewesen wäre, sich nun genauerhin vollzogen hätte; auch ist es sehr leicht, jeden lächerlich zu machen, der eine solche Möglichkeit offen hält. Immerhin kann man – wirkliche Bereitschaft des Verstehens vorausgesetzt – in etwa ahnen, was gemeint ist, wenn wir in das Antlitz eines Menschen blicken, der die Selbstsucht hinter sich gelassen, in der Wahrheit und der Liebe Wurzel gefaßt hat. Wenn wir uns vorstellen, dieser Vorgang wäre nie gestört worden, hätte sich immer weiter entfaltet – das weist uns in die Richtung. Mit Naturwirkungen hat das freilich nichts zu tun. Es kommt vom Geist, der in Gott lebt.

Als die Menschen Gott verrieten, zerfiel dieser Zustand, und ein neuer, ja eine neue Welt öffnete sich: die Welt des Todes. Im Grunde versteht man nicht, wie sie den Augenblick der Empörung überhaupt überleben konnten. Daß sie an dem

Riß, den ihr ganzes Wesen damals erlitten hat, nicht zugrunde gegangen, sondern am Leben geblieben sind und weiter Geschichte haben konnten, war nur möglich, weil Gott sie hielt und auf die einstige Erlösung zuführte. Das war selbst schon Beginn der Erlösung. Aber welche Verzweiflung muß sie zerwühlt, welche Sehnsucht sie verzehrt haben – Bedrängnisse, die jetzt noch aus der Tiefe unseres Unbewußten aufsteigen und weder aus biologischen Ursachen noch aus irgendwelchen seelischen Komplexen, sondern aus den Ur-Erlebnissen des Menschen stammen, in einer Welt, die ihm fremd und feindlich geworden war. Diese Welt ist es, in der er nun lebt; unter der »Todesherrschaft«, von der Paulus spricht.

Wir wollen uns einmal wirklich nahekommen lassen, welch furchtbare Flut des Tötens und Sterbens allein in den letzten fünf Jahrzehnten über die Welt gegangen ist ... Hören wir dann, mit welcher Selbstverständlichkeit man davon spricht, daß »so und so viele Millionen« getötet, verwundet, verkrüppelt, heimatlos geworden sind – ist das natürlich?
Man sagt, das sei eben der Kampf ums Dasein. Der gehe unter allem Lebendigen vor sich – wie bei den Tieren, so bei den Menschen. Aber das ist ja doch nicht wahr! Es ist eine verhängnisvolle und im Grunde unverständliche Täuschung, den Begriff des Daseinskampfes der Tiere auf den Menschen zu übertragen. Wenn das Tier Hunger hat, tötet es seine Beute, verzehrt sie, und damit ist der Vorgang abgeschlossen. Beim Menschen ist es aber oft – ja vielleicht im Grunde immer so, daß er tötet, weil er zerstören will. Und er tut es mit allen Hilfsmitteln der Forschung und der Technik. Er entwickelt eine Wissenschaft des Heilens, baut Krankenhäuser und Sanatorien, schafft Kunstlehren der Pflege, organisiert Berufe des Helfens – wendet aber zugleich nicht mehr abzuschätzende Mengen von Geld, Arbeit, Opfer aller Art daran, wie er Bevölkerungen ausrotten, Kulturen zerschlagen, Länder unfruchtbar und unbewohnbar machen könne. Hat das den

Charakter, der uns veranlaßt, zu sagen, es sei »natürlich«? Erklärt sich das durch sich selbst, so wie das Tun des Raubtieres durch sich selbst verständlich wird?
Lassen wir uns doch die Unabhängigkeit unseres Urteils nicht in biologische Begriffe einspinnen. Einer hat gesagt, es sei »eine große Gnade, sehen zu dürfen, was ist«. Wie hat das Wort recht! Blicken wir genau hin, unterscheiden wir, beurteilen wir, wie der Mensch ist – der heutige, wirkliche, in der Geschichte wie in der Gegenwart, um uns her wie in uns selbst. Dann werden wir nicht mehr sagen, er sei in einem natürlichen, das heißt wesensgemäßen Zustand. Ein verstörter Zustand ist es; Herrschaft des Todes, die bis in die Instinkte gegangen ist. Wie könnte der Mensch, der nach der Theorie in so langer Entwicklung aus der Materie heraufgestiegen ist, also auf Grund der Gesetze natürlicher Vernünftigkeit und Ordnung gebaut sein müßte, sich in einer Weise verhalten, in der kein Tier sich verhält? Da ist etwas geschehen, das bis in den Kern des Menschenwesens gegangen ist und bei ihm – gerade weil er kein Tier ist, auch kein noch so hochentwickeltes; gerade weil in ihm mehr ist als im Tier, nämlich der Geist, der jedem Impuls eine nur von ihm her mögliche Freiheit und nur durch ihn zu schaffende Wirkweite gibt – eine so furchtbare Zerstörungskraft gewinnen konnte.
Von diesem Sinnzusammenhang redet die Schrift. Dieser Todesmacht hätte der Mensch nicht zu verfallen brauchen. Und es wirkt wie ein Symbol dieser Todesmacht, wenn die Psychologie uns sagt, daß im Unbewußten dem Trieb zum Leben einer zum Tod gegenüberstehe. Was also im Menschen die Grundlage der Existenz bildet, das Verhältnis zum Leben, zum Sein, ist in sich selbst gespalten; die Macht des Todes ist in den Kern des Menschen gedrungen, ein Teil seiner selbst geworden und bedroht ihn aus seiner eigenen Mitte heraus. Welch unheimliches Licht fällt von hierher auf all die Schädigungen, die der Mensch sich selbst zufügt. Zunächst erscheinen sie wie einfache Folgen von Leichtsinn oder Mangel an

Selbstbeherrschung; von jener Feststellung her bekommen sie einen viel dunkleren Charakter, der stärker und stärker hervortritt, wenn es sich um die Bildung zerstörender Süchte, um unvernünftige Waghalsigkeiten und schließlich um die bei keinem Tier zu findende Tat des Selbstmordes handelt.
Hier ist wohl auch der Ort, von einem Bestandteil des Paradiesberichtes zu sprechen, der einer Erklärung besondere Schwierigkeiten entgegenstellt – mit der Gefahr, die Einheit des Ganzen zu stören, oder es ins Mythische zu führen. Ich möchte folgende Deutung vorschlagen.
Im Paradiesbericht erscheint neben dem der Erkenntnis des Guten und des Bösen ein zweiter Baum. Richtig gesagt, ist er sogar der erste, der genannt wird, und er steht an wichtigster Stelle, nämlich in der Mitte des Paradieses. Es heißt: »Und Gott der Herr ließ aus dem Erdboden allerlei Bäume aufsprießen, lieblich anzuschauen und gut, davon zu essen, den Baum des Lebens aber mitten im Garten und auch den Baum der Erkenntnis des Guten und des Bösen.« (2,9) Später kommt der Bericht wieder auf ihn zu sprechen, und zwar am Schluß des dritten Kapitels: »Dann sprach Er: ›Ja, der Mensch ist jetzt wie einer von uns geworden, da er Gutes und Böses erkennt. Nun geht es darum, daß er nicht noch seine Hand ausstrecke, sich am Baum des Lebens vergreife, davon esse und ewig lebe!‹ So sandte Gott der Herr ihn aus dem Garten Eden fort, daß er den Ackerboden bearbeite, von dem er genommen war. Er vertrieb den Menschen, stellte östlich vom Garten Eden die Kerubim und die Flamme des zuckenden Schwertes auf, den Weg zum Baum des Lebens zu bewachen.« (3,22–24)
Der vom Zusammenhang der Offenbarung her kommende Leser ist wahrscheinlich verwundert: Wozu der Baum des Lebens diene? Wie er zu dem der Prüfung stehe? Was vollends die Sorge Gottes bedeute, der Mensch möchte trotz seiner Empörung vom Baume essen, und die Vorkehrung, die den Zugang zu ihm versperrt? Ob da nicht doch der mythische Lebensbaum erscheine und im Paradies der verlorene

Urbereich, nach dem der Mensch immer wieder sucht und den seltene Auserwählte wirklich erreichen?

Der Sinn scheint am deutlichsten zu werden, wenn auch dieser Baum als Bild gesehen wird. Und zwar als Bild für das Schicksal, das die Verheißung erfährt, der Mensch werde vor Tod und Todesmacht bewahrt werden: ob sie sich erfüllt oder aber vereitelt wird.

Der Baum bildet den Mittelpunkt, das Herzstück des Paradieses. Seine Frucht bewirkt, daß der Tod über den Menschen, der doch ein vergängliches Wesen ist, nicht Herr wird. Es wurde bereits gesagt, das bedeute nicht, das Menschenleben solle kein Ende nehmen, keine mythische ewige Jugend, sondern es solle sich rein vollenden und durch einen, uns nicht mehr faßbaren Überschritt in die Ewigkeit gehen. Für diese Fülle und Vollendung ist die Frucht des paradiesischen Lebensbaumes das Bild. Von ihr genährt zu sein, bedeutet die durch nichts verletzte Lebendigkeit des paradiesischen Menschen. Offenbar darf er sie aber – wie das aus der Verwahrung am Schluß des dritten Kapitels hervorgeht – nur essen, nachdem er sich vor dem Baum der Prüfung bewährt hat, und im Einvernehmen des Gehorsams mit Gottes Willen befestigt ist. Dann bewahrt ihn eine besondere Gnade vor der Macht des Todes. Das Essen der Frucht ist dann das Bild dafür, daß die Verheißung sich erfüllt.

Der Frevel geschieht aber, und die Vergänglichkeit des Menschenlebens wird zum Verfallensein an den Tod. Es ertönen die Worte: »Ja, der Mensch ist jetzt wie einer von uns geworden, da er Gutes und Böses erkennt.« (22) Sie stellen ein furchtbares Unheil fest – aber auch eine entsetzliche Ungemäßheit in der Wurzel des menschlichen Daseins. Es ist eine metaphysische – nein, die absolute Groteske, daß der endliche, vergängliche Mensch »sein wolle wie Gott«. Das spiegelt sich in den Worten, wie eine souveräne, unendlich gelassene Ironie: So hat also der Mensch seinen Willen bekommen! Er hat nun wirklich erkannt, was Gut und Böse ist. Aber auf welche Weise! Erkannt dadurch, daß er das Böse

getan hat. Die große Unterscheidung sollte er ja lernen; aber durch den Gehorsam, durch das Verharren im Guten. Jetzt steht alles menschliche Tun und Sein unter dem falschen Zeichen. Nun fehlte nur, daß er zu seiner bösen Schein-Souveränität auch noch die Freiheit vom Tode gewänne. Dann wäre der Widersinn vollendet. Dann wäre die Daseinsordnung gegen Gott aufgerichtet.
Das kann nicht sein, denn der Mensch hat den Zugang zum Baum des Lebens schon durch seine Sünde verwirkt. Diese innere, aus dem heiligen Sinn von Gottes Ordnung kommende Unmöglichkeit wird dadurch ausgedrückt, daß die Kerubim, die Wächter heiliger Schranken, den Weg versperren – und ebenso »die Flamme des zuckenden Schwertes« als Bild für den Blitz, den Ausdruck der zürnenden Gottesmacht. Göttliche Unnahbarkeit und natürliche Ordnung machen es unmöglich, daß der Mensch als Frevler im Paradies sei.

In der Schule der Offenbarung verändert sich unser Blick auf das Dasein. Die Voraussetzung, die überall, vom Alltag bis zur höchsten Philosophie, das Denken beherrscht, »der Mensch« sei einfachhin so, wie er heute ist, verliert ihre stumme Suggestivkraft. Es wird deutlich, daß unser Denken – auch das wissenschaftliche, im Grunde auch das theologische, wo es vor der Aussage der Offenbarung zurückscheut, alles andere als »voraussetzungslos« ist, und man beginnt, scheint es, diese Voraussetzung in Frage zu stellen. Man ahnt, daß der Mensch nicht »Natur«, die Geschichte nicht »natürliche Entwicklung« ist, sondern daß das Dasein tragischen Charakter trägt – eine Tragik aber von anderer Art, als die immanente der Vergänglichkeit alles Irdischen oder der Unerbittlichkeit des Lebenskampfes, oder der Tatsache, daß ein Wert um so gefährdeter ist, je höher er steht. Sie kommt aus der Schuld eines Verrates, den der Mensch an Gott begangen und durch den er die erste unsägliche Möglichkeit verloren hat – verloren vor dem Beginn dessen, was jetzt »Geschichte« heißt.

Mit solcher Einsicht gewinnen wir dem Dasein gegenüber Stand; werden fähig, es zu beurteilen und uns aus seinen Bannungen zu befreien. Wir ahnen aber auch, was »Erlösung« bedeutet, die ja schon in solchem Stand-Fassen wirksam wird, und was die Verheißung einstiger Freiheit meint. Das ist dann nicht eine neue Daseinstheorie neben so vielen anderen – optimistischen, pessimistischen, absurdistischen und welche immer ausgedacht worden sind – sondern ein neuer Beginn, der in die Wahrheit führt.

Wessen Denken lange Zeit hindurch an der Erforschung der Offenbarung und zugleich des menschlichen Daseins arbeitet, macht immer wieder die Erfahrung, wie, man möchte sagen, unheimlich recht die Offenbarung hat. So gewöhnt er sich daran, ihre Aussage auch dann ernstzunehmen, wenn sie vor aller Wissenschaft töricht erscheint.

Die Verstörung des Menschenwerkes

Nachdem der Mensch – und in wie armer Weise – seinen Ungehorsam bekannt hat, spricht Gott ihm das Urteil: »Weil du ... von dem Baume gegessen hast, von dem Ich dir geboten, du sollest nicht davon essen, soll der Erdboden verflucht sein um deinetwillen. In Mühsal sollst du dich von ihm nähren dein Leben lang, und Dornen und Disteln soll er dir tragen ... bis du zur Erde wiederkehrst, von der du gekommen bist. Denn Staub bist du, und zum Staube mußt du zurück.« (3,17–19)
Auch das klingt fremd; aber wir haben uns ja entschlossen, nicht den Konventionen des Denkens zu folgen, die uns umgeben, sondern dem Wort der Schrift zu trauen. Was sagt es uns also?
Es sagt, dem Menschen sei gesetzt, »den Erdboden« zu bebauen; der aber steht für die Welt. In dieser Welt soll der Mensch seine Arbeit tun; von ihr soll er sich nähren; an ihr soll er das schaffen, was wir »Kultur« im weitesten Sinne des Wortes nennen. In alledem aber wird nach Gottes Urteil eine Verwirrung walten. Die Welt wird nicht geben, was der Mensch von ihr erwartet. Die Arbeit wird Mühsal sein, das heißt, eine Anstrengung kosten, welche die Freude an ihrem Ertrag trübt; der Ertrag selbst wird karg sein, und so wird es für den Menschen bleiben bis zum Ende seines Lebens. Das Ende aber ist der Tod.
Bittere Aufrechnung eines Daseins, in dem der Mensch hatte »sein wollen wie Gott«. Ist sie Wahrheit geworden?

Gott hat den Menschen nach Seinem Bilde geschaffen, auf daß er Herr der Welt sei von Gnaden, so wie Gott es ist von Wesen. Die Dinge sollten sich seinem Willen fügen, wie er selbst gehorsam sein sollte gegen den eigenen Herrn. Die

Welt wäre »Paradies« gewesen; im Einvernehmen stehend mit dem Menschen durch die Gnade, die bereit war, alles zu durchwalten.

Diese Welt sollte der Mensch »bebauen«, wie es in 2,15 heißt: die Dinge erkennen, seine Kräfte an ihnen auswirken, die Taten und Werke vollbringen, zu denen die Begegnung mit ihnen ihn auffordern würde ... Und er sollte die Welt »bewahren«. Sie war ihm in die Hand gegeben, daß er sie in der Wahrheit und in der Ordnung halte; ihr die Möglichkeit gebe, in seinem Lebensraum ihr Wesen, ihre Größe und Schönheit zu entfalten. Das sollte er tun, indem er selbst in seiner Wahrheit und Ordnung blieb und so sein eigenes Wesen bewahrte.

Wie haben aber die Worte ihren Sinn geändert: »Bebauen und bewahren« – wie anders klingen sie in Gottes Urteil nach der Auflehnung, als im Schöpfungsauftrag vor ihr. Eins ist vom andern nicht zu lösen: man kann nicht herrschen über Gottes Werk, wenn man ungehorsam gegen den Herrn dieses Werkes ist. Der Mensch hat Gott den Gehorsam gekündigt – da hat die Natur es ihm gegenüber getan.

Der Mensch ist kein Apparat, der, selbst immer gleich, ein stets gleichförmiges Produkt hervorbringt, sondern er lebt, und was er tut, ist Auswirkung dieses Lebens. Darum wirkt in das, was er tut, alles das hinein, was er selbst ist. Immer wird sein Werk durch den Zustand beeinflußt, in dem er sich jeweils befindet. So mußte die Verstörung, in die er durch den Verrat an Gott geraten war, sein Werk an der Welt mitverstören.

Nicht nur das. Die Dinge sind kein bloßes Material, das beliebig gehandhabt werden könnte, sondern Gott hat ihnen ihr Wesen gegeben, und sie fügen sich in den Griff des Menschen, wenn dieser sie in der Wahrheit ihres Wesens nimmt. Seine erste Herrschaft hat der Mensch im Zustand der Klarheit geübt, in der er mit dem eigenen Wesen einig war; mit überlegenem Willen und sicherer Hand. Und er hat es sehenden Auges und ehrfürchtigen Herzens für das Wesen

der Dinge und für die Ordnung getan, in der sie stehen. So hat die Natur in seinem Werk die Freiheit ihres Seins behalten; ja sie ist darin mehr sie selbst geworden, als sie es für sich allein gewesen.
Das wurde nun anders. Weithin ist es so, daß der Mensch die Natur zu seinem Willen zwingt und sie dabei zerstört. Die Welt ist voll von verwüsteter und unnatürlich gewordener Natur – die Kehrseite davon aber ist, daß der Mensch ihr, die er zu beherrschen meint, verfällt. Der Natur Gewalt anzutun und ihr zu verfallen, sind zwei Seiten des Gleichen. Das Verhältnis des Menschen zu ihr ist falsch geworden, und das wirkt in alles hinein, was der Mensch tut.

Wir wenden vielleicht ein, wie man denn vom Werk des Menschen so sprechen könne, da er doch derart Gewaltiges leiste? Was er leistet, ist wirklich gewaltig. Die Zeit der uns bekannten Geschichte ist verhältnismäßig kurz; in ihr wächst aber sein Werk mit einer Staunen erregenden Schnelligkeit. Heute vollends hat der Mensch das Gefühl, ihm sei grundsätzlich alles möglich. Wo ist da noch Kargheit des Ertrags? Wo sind die »Dornen und Disteln«?
Aber blicken wir genauer hin. Wenn wir die Pyramiden sehen könnten, wie sie einst in der ägyptischen Wüste standen, mit ihrem Mantel von geschliffenem Stein, riesigen Juwelen gleich in der Sonnenglut blitzend, dann würden wir sagen: Welche Herrlichkeit! Aber die Hunderttausende von Sklaven, die in der furchtbaren Arbeit ihrer Errichtung verkamen – was war mit denen? Das Verbrechen, das an diesen Menschen begangen worden, ist in die Werke eingegangen und vergiftet ihre Größe, und es ist Lüge, angesichts dieser Größe von jenen Furchtbarkeiten abzusehen.
Vielleicht erwidert man, das sei die Zeit der Sklaverei gewesen; heute habe man sie überwunden. Sehen wir davon ab, daß es heute noch – in verschiedenen Formen – Sklavenhandel und Sklavenarbeit gibt: Wie ist das aber mit den Kanalbauten im nördlichen Rußland? Mit den dortigen Urbarmachungen

und Bergwerken? Die Ergebnisse werden später wunderbar auf den Karten stehen, und die Kulturgeschichte wird erzählen, wie riesenhaft die Leistung war – aber die Millionen der Zwangsarbeiter, die sie vollbracht haben und dabei zu Grunde gegangen sind – was ist mit denen? Von ihnen redet man nicht; sie sind vergessen. Aber Gott weiß von ihnen und weiß, daß ihr Schicksal an den Werken haftet. Die Sklaverei ist wieder da, und zwar als offizielle Einrichtung. Sie heißt nur anders: Arbeitslager, Konzentrationslager, Vernichtung der Volksfeinde, Liquidation der Saboteure, der Reaktionäre und Kapitalisten. Sie war auch bei uns wieder da in den zwölf Jahren; und wer leistet Gewähr, daß sie nicht in irgendwelchen Formen wieder erscheinen wird? ... Dazu dann all die verborgene Sklavenarbeit, geleistet im Zwang der wirtschaftlich-technischen Systeme, unter dem Druck der Not, mit unzulänglichen Kräften, mit krankem Körper und müdem Herzen – was ist damit? Man sagt, das werde im Fortgang der kulturellen Entwicklung alles immer besser werden: es gehört schon der Schwung der Jugend oder der stumpfe Gehorsam des Parteimenschen dazu, um das zu glauben.

Und selbst jene, die ihren Beruf wählen dürfen – hält er ihnen, was er versprochen hat, als sie mit ihm begannen? Die Zuversicht, man werde etwas Wertvolles leisten; der Wille, im Beruf reines Werk zu tun; das Gefühl von Begabung und Kraft; die Hoffnung auf Erfolg und Ertrag – findet das alles seine Erfüllung? Dauert es, auch wenn der Reiz des Neuen verflogen ist, die Widerstände kommen, die tägliche Mühsal zu drücken beginnt? ... Wenn man die Menschen im Büro, in der Fabrik, in den Ämtern fragte: findest du in deiner Arbeit, was du von ihr erwartet hast?, dann wüßten sie wohl allerlei vom Bewußtsein erfüllter Pflicht und vom Sinn zu sagen, den die Arbeit trotz allem habe – ob man ihnen aber auch anmerken würde, daß sie in fruchtbarer Arbeit lebten, und die Dinge ihre Mühe lohnten? Ganz gewiß nicht, denn dann sähen ihre Gesichter anders aus. Wenn man aber weiterfragte, warum sie doch dabei blieben, dann würde die Antwort

lauten: Weil ich muß; weil ich nichts Besseres weiß; weil die Zeit des Umlernens vorbei ist; weil die Familie an mir hängt – weil, im Grunde, doch alles einerlei ist ...
Und wie ist es mit den Großen? Blicken wir doch in das Antlitz Beethovens: Woher kommt der furchtbare Ernst darin? Woher die Traurigkeit in den Augen Michelangelos? Die Bitterkeit in den Zügen Dantes? Haben die großen Wissenschafter und Philosophen Gesichter, aus denen erfüllte Hoffnung spricht? Sehen die bedeutenden Staatsmänner, Erzieher, Sozialreformer aus, als seien sie ihres Werkes wirklich und im Innersten froh geworden?

Aber dringen wir noch einmal tiefer: Da ist ein Mensch, der etwas Gutes will. Er setzt seine ganze Kraft ans Werk, ist mutig, opferbereit, ausdauernd und leistet Vortreffliches – immer wieder aber zeigt sich eine unheimliche Erscheinung: das Gute, das er will, ruft dessen Widerspruch heraus
Was gibt es Nobleres, als sagen zu können: Ich kämpfe für die Gerechtigkeit? Das bedeutet natürlich auch, daß er gegen jene Menschen kämpft, die der Gerechtigkeit im Wege stehen; wird er aber dabei ihnen selbst gerecht? Es bedeutet, daß er mit den verschiedensten Verhältnissen zu tun bekommt; wird aber die Maßnahme, die an einer Stelle richtig ist, es an anderer Stelle auch sein? Woher kommt das alte Wort: *summum jus, summa injuria* – höchstes Recht, höchstes Unrecht? Es kommt aus der Erfahrung, daß in der Substanz menschlichen Daseins Unheimliches wirkt; wenn man einen an sich guten und klaren Impuls hineinsendet, verstrickt der sich, verwirrt und verkehrt er sich, und Folgen kommen zum Vorschein, vor denen man erschrickt. In unserem Fall: aus dem Willen, Gerechtigkeit zu schaffen, erwächst Unduldsamkeit, Härte, Gewalt ... Oder jemand sieht all den Unrat in Bild und Druck, Schaustellung und Vergnügungsbetrieb, wie er uns beständig begegnet. Er geht dagegen an, damit die Welt reinlicher werde, die Jugend mit einem klaren Gefühl für Ehre und Anstand aufwachsen könne. Er spricht, schreibt,

sucht Behörde und Gesetz in Bewegung zu bringen, gewinnt Menschen gleicher Gesinnung – wie lange dauert es, bis sich um seine Bemühungen ein Schein von Enge, Peinlichkeit, Komik legt, so daß die Interessenten leichtes Spiel wider ihn bekommen?
Warum geht das so? Nehmen wir, welche Werte wir wollen: Gesundheit, Wohlfahrt, Recht, Kunst, Wissenschaft – sobald sie in die Wirklichkeit des Daseins gestellt werden, ist es, als ob sie selbst den Widerspruch gegen sich organisierten. Ist das »Ordnung«?

In diesen Betrachtungen haben wir uns selbst gemahnt, die Gewohnheit wegzutun, die alles grau macht; die Einflüsse abzuschütteln, die aus Büchern und Reden, Rundfunk und Zeitung auf uns einwirken. Was sehen wir also, wenn wir uns das Gerede von Fortschritt und Bildung und Kultur vom Leibe halten? Daß gewiß Ungeheures geleistet worden ist und immer weiter geleistet wird, in Wissenschaft, Sozialordnung, Technik, Hygiene – aber auch, daß alles von einer tiefen Verwirrung durchsetzt ist. Und das nicht bloß als Unvollkommenheit am Anfang, oder als Krisenerscheinung an bestimmten Stellen des Fortgangs, sondern immer und überall. Denn die Verwirrung sitzt im Kern, so tief, daß Menschen, die vom Leben wirklich etwas wissen, uns sagen, im Grunde sei das Dasein nicht in Ordnung zu bringen. Das sind die »Dornen und Disteln«, die dem Menschen erwachsen, wenn er am Acker des Lebens seine Arbeit tut.
Man hat zum Maßstab erreichter Kulturhöhe die Größe der Macht angesehen, die der Mensch über die Gegebenheiten der Natur hat. Diese Macht ist bereits ins Ungeheure gewachsen, und es ist nicht abzusehen, wie sie noch steigen wird. Doch Macht ist zweideutig; sie kann zum Guten und zum Schlimmen verwendet werden. Was über ihren wirklichen Wert entscheidet, ist die Gesinnung, die hinter ihr steht. Diese Gesinnung aber ist die des Menschen – jenes Menschen, in dem die Verwirrung von der ersten Schuld her herrscht,

welche Verwirrung seitdem in dunkler Fruchtbarkeit gewachsen und immer weiter gewachsen ist. Diese Gesinnung ist es, die die Macht in der Hand hat. Kommt dem tiefer Denkenden nicht die Ahnung, »Dornen und Disteln« möchten noch ein sanfter Ausdruck für das sein, was aus der Mühsal am Acker des Daseins noch erwachsen wird? Welche Ironie der zur Blindheit gewordenen Schuld ist es da, wenn der Sinn der Geschichte in der Offenbarung des Menschen selbst, in die endgültige Verwirklichung seiner Möglichkeiten gesetzt wird!

Was sollen wir also tun? Zuerst die Wahrheit wollen. Die Lüge des Fortschrittsglaubens durchschauen. Der Feigheit des Optimismus entgegentreten, der überall nur die Punkte des Gelingens sieht, aber nicht, was fehlgeht. Ehrlich sein und sehen, was der Mensch für sein Werk bezahlen muß, nachdem er es aus seiner Wahrheit herausgerissen hat. Das ist kein Pessimismus. Pessimist ist, wer seine Lust daran hat, festzustellen, alles sei schlecht und gehe zum Schlimmen – deshalb, weil er selbst versagt hat, weil er dem Leben grollt, weil er neidisch ist. Wir meinen hier nichts derart, sondern wollen Wahrheit. Daraus kommt ein Ernst, der tiefer und edler ist als all das Kulturgerede, denn er steht für den Menschen ein, wie er wirklich ist.
Das Zweite: für das Rechte arbeiten und kämpfen, und sich nicht entmutigen lassen. Denn worum es geht, ist nicht Fortschritt und Herrlichkeit auf Erden, sondern Wahrheit und Treue.
Was dann an Nicht-Gemäßem bleibt: das Durcheinander, die Mühsal, die Vergeblichkeit – für alles das gibt es nur ein Wort, das wirklich standhält: das Wort der Sühne, und die ist das Dritte. Der Mensch muß durch die Not seiner Arbeit sühnen, was die Überhebung seines Ungehorsams gefehlt hat. Aber wer denkt daran? Überall Analysen, Reformprogramme, Utopien – wer denkt daran, als Mensch für das Menschen-Dasein einzustehen und das Menschen-Unrecht

zu sühnen? Lassen wir sie uns nahekommen, die Wahrheit vom Acker, den wir bebauen müssen, und der uns Dornen und Disteln trägt. Wir werden mit ihr nicht fertig, wenn wir über sie hinwegphantasieren, sondern nur dann, wenn wir es im Ernst des Glaubens mit ihr aufnehmen.

Die Verstörung im Verhältnis der Geschlechter

Der Mensch hat Gott den Gehorsam aufgesagt; von daher ist Unordnung in sein ganzes Dasein gekommen. In den voraufgehenden Überlegungen war davon die Rede, wie sie sich im Werk des Menschen auswirkt. Sie fällt zuerst auf den Mann, der ja im antiken Denken der Träger des öffentlichen Handelns und Werkschaffens ist; gilt aber natürlich auch für die Arbeit der Frau. Die Heilige Schrift ist kein Lehrbuch. Sie entwickelt ihre Gedanken nicht gleichmäßig nach allen Seiten, sondern setzt sie jeweils an Stellen, wo sie gerade gefordert sind, und überläßt es ihrer inneren Wahrheitskraft, weiter zu wirken.

Wenn wir genauer in die Geschichte hineinschauen – aber auch in unsere Zeit, ja in unsere eigenste Umgebung – sind wir bald belehrt, wie schwer das Joch der Arbeit auf der Frau liegt; welch harte Sklaverei sie erfahren hat und weiter erfährt, und wieviel »Dornen und Disteln« ihr der Acker des Daseins trägt. Das vergangene halbe Jahrhundert ist vom Kampf der Frau um ihre soziale und wirtschaftliche Freiheit durchzogen, und sie hat viel erreicht. Die letzten Jahre haben das Losungswort ihrer Gleichberechtigung gebracht, hinter welches nur zu leicht das der gleichen Art tritt. Mögen jene, die den Kampf führen, ihre Augen offen halten und darüber wachen, daß aus alledem keine neue Leistungsknechtschaft der Frau werde; sie würde nicht weniger schlimm, ja vielleicht zerstörender sein als die frühere.

Die Unordnung, von welcher die Rede war, dringt aber auch in das unmittelbare Leben selbst, in die Beziehung zwischen Mann und Weib ein. Wir haben früher gesehen, daß Gott den Menschen geschaffen hat nach Seinem Bilde; im Atem des gleichen Satzes aber heißt es: »als Mann und Weib erschuf er

sie« (1,27). Damit ist gesagt, daß die Gliederung des Menschenwesens in die Geschlechter nichts Nebensächliches ist, das unter dem Gesichtspunkt irgendeines besonderen Zweckes hinzukäme, sondern daß sie in den Grundplan gehört, nach welchem es gebaut ist. Jede Auffassung vom Menschen, die ihn in irgendeinem Sinne dualistisch sieht, also die Geschlechtlichkeit für böse, oder niedrig, oder auch nur für unwesentlich ansieht, entstellt den Sinn der Offenbarung.
Und etwas Weiteres ist gesagt: daß nämlich der geschlechtliche Unterschied sich nicht nur auf den körperlichen Bereich, sondern auf den ganzen Menschen bezieht. In ihr geht es um männliche und weibliche Menschlichkeit, die sich in allem, auch im Seelisch-Geistigen verwirklicht.
Ebenso ergibt sich daraus, daß Mann und Weib als solche in der Gottebenbildlichkeit stehen; in diese Ebenbildlichkeit also auch ihre Gemeinschaft gehört. Die Bildverwandtschaft, in welche Gottes Großmut den Menschen zu Ihm selbst begründet hat, ist kein Vorzug, der nur einem übergeschlechtlichen Geiste, als dem angeblich Eigentlich-Menschlichen angehörte, während »unten«, in den Niederungen des Physiologischen, der Bereich des Untermenschlichen läge, der sein Urbild im Tier hätte. Der ganze Mensch ist Gottes Ebenbild, und sein ganzes Leben soll sich darin vollziehen; auch die ganze Mannigfaltigkeit und Tiefe der Beziehungen, die sich zwischen Mann und Weib verwirklichen. Wenn aber, wie die voraufgehenden Überlegungen uns gezeigt haben, die Gottebenbildlichkeit darin besteht, daß der Mensch, selbst dem Herrn des Alls gehorsam, ein Herrentum von Gnaden innehat, dann darf auch dieses nicht nur vom Manne, sondern muß vom Menschen her gedacht werden. Es bezieht sich auf die Grundtatsache von dessen Dasein: daß er nicht in die Welt eingefangen ist, sondern in ihr steht und zugleich ihr gegenübertreten kann; daß er fähig ist, sie zu durchleben, aber auch sie zu beurteilen; aus ihrem Stoff gebaut, in ihr Schicksal eingewoben, und doch ihr Gewissen. Es bedeutet nicht diese oder jene besondere Leistung, sondern Freiheit, samt alle-

dem, was durch sie vorausgesetzt und von ihr her möglich wird. Diese Freiheit aber – um das noch einmal zu betonen – darf nicht vom Männlichen her vorbestimmt werden; vielmehr stellt sie sich in beiden Grundformen des Menschlichen jeweils echt und ursprünglich dar. Es ist das Unrecht des Mannes gewesen, daß er die Wesensmomente der Freiheit männlich bestimmt, damit die entscheidenden Werte in seinen Besitz gebracht und die Ordnungen des Daseins dadurch beherrscht hat. Die Folgen waren unabsehbar.

Die Schöpfungslehre der Genesis entfaltet sich in Bildern. So läßt der zweite Bericht, der auf die Ordnung der Ehe ausgerichtet ist, zuerst den Mann allein erscheinen. Dann aber spricht Gott: »Es ist nicht gut, daß der Mensch allein sei; Ich will ihm eine Hilfe machen, die sich zu ihm fügt.« (2,18) Hilfe – wozu? Zu allem, was Leben und Werk heißt. Und nun wird versucht, ob diese Gehilfenschaft dem Manne von einem anderen Lebewesen her erstehen könne; es zeigt sich aber, daß das nicht möglich ist. Nicht aus der Natur, von keiner tierischen Lebensform her kann ihm die Lebensgemeinschaft und Daseinshilfe erwachsen, deren er bedarf. So bildet Gott dem Manne aus dem gleichen »Wesensstoff«, aus dem er selbst besteht, das Weib. Jetzt erst ist die »Hilfe« da, deren er bedarf.

Wir sind bereits in einer früheren Betrachtung darauf aufmerksam geworden, wie wichtig der Begriff ist, mit welchem die Genesis das Verhältnis von Mann und Weib bestimmt. Es ist nicht, um mit der Psychologie zu reden, der des Triebsubjekts zu seinem Objekt, auch nicht der Zeugungspartner zu einander, sondern jener der Gehilfenschaft. Der volle Sinn des Begriffs geht erst aus dem Ganzen hervor. »Gehilfe« ist das Wesen, das das »Alleinsein« aufhebt, von dem Gott selbst sagt, es sei »nicht gut«; lasse noch nicht jenes Gut-sein zu Stande kommen, das der erste Schöpfungsbericht meint, wenn er es allen Werken Gottes zuschreibt, daß sie nämlich im Wesen richtig, vollendet, fähig seien zu einem Leben, worin das betreffende Wesen selbst bestehen und für die Art fruchtbar werden kann. Erst mit ihm kann der Mann sprechen, und das heißt, geistig verkehren; erst mit ihm für seine Art fruchtbar werden; erst mit ihm zusammen alles das tun, was die Auftragsworte Gottes meinen, die sagen, er solle den Garten Eden, also die Welt »bebauen und bewahren« (2,15).

Der ganzen Anlage des Berichtes nach ist diese Gehilfenschaft zunächst vom Manne her gesehen; sie gilt aber ebenso vom Weibe her. Jeder soll dem Anderen Gehilfe sein, in allem, was Leben und Werk bedeutet – im Hervorbringen neuen Lebens, in dessen Hut, Pflege und Erziehung; in der Entfaltung der eigenen Persönlichkeit, die sich an der des Anderen vollzieht, im Aufbau des Heims, jener kleinen Welt, die es erst möglich macht, daß der Mensch sich in der großen nicht verliere; im Verhältnis zu den Dingen, deren Fülle sich nur dem Liebenden öffnet; in der Herrschaft über das Dasein, die nur dem ganzen Menschen gelingt – ganz aber wird er erst in der Gemeinschaft ... In alledem sollen Mann und Weib einander Gehilfen sein.

Und nun sagt der Text, wie in dieser so tiefen und umfassenden Beziehung die Verstörung einsetzt. Gehilfenschaft ist nur auf Grund der Achtung des Einen gegen den Anderen möglich, in Freiheit und Ehre. Das aber setzt voraus, daß beide Dem gegenüber loyal seien, dem das zuerst gebührt. Doch die Menschen lehnen sich gegen Gott auf und zerstören damit den Grund ihrer eigenen Lebensordnung; so entsteht das Verhältnis der Geschlechter zu einander, wie wir es heute kennen. Die allgemeine Ansicht darüber geht von der Voraussetzung aus, so, wie es jetzt ist, sei es im Wesen. Man untersucht, welche Energien in ihm wirksam seien; welche Entwicklung es genommen habe und weiter nehme; welche Spannungen und Krisen, welche Werte und Unwerte in ihm hervortreten und meint, so sei »der« Mensch und so »die« Geschlechtlichkeit. In Wahrheit ist das Ganze verwirrt.

Im Paradies haben die geschlechtlichen Impulse im Zusammenhang des Menschenbildes gestanden, wie Gott es gemeint hat; gehorsam seiner geistigen Freiheit, so wie diese gehorsam war dem Herrn des Daseins. Die Spitze des Menschen lag im Einvernehmen mit Gott, und dessen ordnende Kraft wirkte ins Ganze der so vielfältig gefügten menschlichen Persönlichkeit hinein. So waren jene Impulse von der Person bestimmt und standen in deren Verantwortung. Ihr Drängen war ehrfürchtig; ihre Kraft gütig. Als jenes Einvernehmen zerbrach, verloren sie die Selbstverständlichkeit ihrer Einordnung. Jetzt erst bekamen sie jene Heftigkeit, mit der sie die Ordnung bedrohen; jene Gleichgültigkeit gegen die Ehre der Person; jene Härte und Grausamkeit, durch die sie so viel Unheil anrichten.

Was die Schrift darüber sagt, verstehen wir nicht, wenn wir uns nicht über den Ausgangspunkt klar werden, der alles bestimmt: die Welt der Beziehungen zwischen Mann und Frau bildet keinen naturhaft geordneten, durch eindeutige Gesetze sicher geregelten Zusammenhang mehr, dessen Antrieben der Mensch einfach vertrauen könnte, sondern dieser Zusammenhang ist gestört, und zwar vom Innersten her. Und die Störung selbst kommt entscheidenderweise nicht aus biologischen, psychologischen oder soziologischen Schäden, sondern aus einer geschichtlichen Ursache: einer Tat, deren personales Entscheidungsgewicht ein »Trauma« geschaffen hat, eine innere »Verwundung«, die in alles hineinwirkt. So können die Vorgänge dieses Bereiches auch nie rein »natürlich« betrachtet werden, weil sie es nie sind. Immer enthalten sie jenes Element der Störung, das bewältigt werden muß. Dieses Element ist für den Menschen konstitutiv geworden und kann daher nie in der Wurzel überwunden, sondern muß in jedem Menschen und in jeder Situation immer neu aufgearbeitet werden.

Mehr als das: das Trauma hat einen unaufhebbar ethischen Charakter. Es ist keine nur natürliche, sondern eine verschuldete Störung und daher in sich selbst auch Sühne. Die dumpfe

Blindheit der neuzeitlichen Menschenbetrachtung offenbart sich, wenn es möglich ist, daß die Äußerungen des Geschlechtslebens von Zoologen als Verhalten des »Menschen-Männchens und -Weibchens« behandelt werden, während doch der ganze Bereich – ebenso wie der von Arbeit und Werk – unter die Maßstäbe der Person und der Geschichte, und zwar einer tragischen Geschichte gehört.

Das Urteil, das Gott zum Weibe hin spricht, lautet: »Viel Beschwerden will ich dir bereiten in deinen Schwangerschaften; unter Schmerzen sollst du Kinder gebären. Nach deinem Manne wird dein Verlangen gehen; er aber soll dein Herr sein.« (Gen 3,16)
Die Beschwerden, Schmerzen und Gefahren von Schwangerschaft und Geburt gehören zu jener Macht des Todes, von der in früheren Überlegungen die Rede war. Niemand zweifelt daran, daß Wissenschaft, ärztliche Technik, Hygiene und Pädagogik hier viel erreicht, Gefahren beseitigt, Leiden behoben haben, und daß sie noch viel mehr erreichen werden. Es ist aber kindische Überhebung, wenn triumphiert wird, »der Fluch der Genesis« sei gegenstandslos geworden. Die Bedrängnisse und Gefahren des Frauenlebens kommen zunächst aus Mißständen, von denen sicher viele überwunden werden können, zutiefst aber aus Wurzeln, denen weder Medizin noch Psychologie beikommen – eben jenem Trauma, von dem die Rede war.
Im übrigen müssen wir uns auch hier daran erinnern, daß zwar die Lasten der menschlichen Fruchtbarkeit von der Frau her gesehen sind, aber auch den Mann mitmeinen; wir brauchen bloß daran zu denken, was Gründung und Erhaltung der Familie, und was deren innere Geschichte ihn an Arbeit, Sorge und Entsagung kosten.

Was aber das »Herrentum« des Mannes angeht, von dem der Text spricht, so sind damit nicht nur soziale und kulturelle Mißstände gemeint, obwohl die schwer genug wiegen.

Worum es eigentlich geht, ist jene Verstörung, die wirksam wird, auch wo die Frau alle Rechte und Freiheiten genießt; um das, was Psychologie und Literatur den »Kampf der Geschlechter« nennen. Die Tatsache also, daß Eines nach dem Anderen Verlangen trägt, darüber aber ihm verfällt; Eines dem Anderen Erfüllung schenkt und es dabei um seine Freiheit bringt.
Es ist der Verrat an der Gehilfenschaft; denn diese ruht auf der Person und ihrer Verantwortung. Sie achtet, mehr, sie fordert die Freiheit und Ehre des Anderen. Der bloße Trieb will den Anderen als Objekt für seine Selbsterfüllung, als Mittel für seinen Zweck; damit ist die Gehilfenschaft in ihrem Kern schon aufgehoben. Wie weit dann die Zerstörung faktisch geht, hängt von der Weise ab, wie die Triebgesinnung sich auswirkt. Der Verrat an der Gehilfenschaft hat in der Versuchung begonnen. Aber nicht darin, daß die ersten Beiden einander zur angeblich verbotenen Vereinigung verführt hätten, sondern er geschah im Personalen. Der Mann hätte sich neben sein Weib stellen und es vor ihr selbst schützen sollen; statt dessen hat er es allein gelassen. Das Weib hätte aus der Tiefe seiner Liebe fühlen sollen, es gehe um das Heil dessen, dem es verbunden war, und hellsichtig sein, noch für ihn mit. Hätte sogar nach ihrem Fall ihn genug lieben sollen, um ihn vor dem gleichen Unheil zu bewahren; statt dessen hat es ihn hineingezogen. Als aber das Unrecht geschehen war, hätten beide in der Bitterkeit ihrer Schuld vor Gott zusammenstehen, Einer des Anderen Last tragen, Eins das Andere in die Reue führen sollen. Statt dessen haben sie ihre Schuld von sich weggeschoben; besonders kläglich aber der Mann, der die Gefährtin, die er einst so freudig willkommen geheißen, für das Unheil verantwortlich gemacht hat. Dieser Verrat wirkt weiter. Immer wieder lassen Mann und Frau einander allein, und die beiden so eng Verbundenen können nebeneinander einsamer sein als Fremde.

Auch im Geschlechtsverlangen selbst lauert eine Gefahr der

Knechtung. Sie kommt einmal aus dem Charakter, den der Trieb annimmt, sobald er im Zusammenhang der menschlichen Lebendigkeit steht. Im Tier ist er in die Notwendigkeiten des Organischen eingeordnet, ebendamit aber auch gesichert. Im Menschen tritt jedoch der Trieb in den Bereich der Person und ihrer Freiheit. Da ist er nicht mehr durch natürliche Organisation gebunden, sondern wird durch die Freiheit bestimmt und gewinnt eine Freizügigkeit, die er im Tier nicht hat.

Hier entsteht die Gefahr einer »Herrschaft«, die dort nicht möglich ist; eines Beherrschtwerdens des personalen Menschen durch den unpersönlichen Trieb, sobald dieser sich der eigentlichen Herrsch-Instanz, der Freiheit, entzieht: einer Sklaverei, die entehrt, gegen die das Gewissen sich verwahrt, und die doch vom »Verlangen« gewollt wird. Sie bedroht die Frau, von welcher die Schrift zunächst spricht, aber ebenso den Mann. Sie verdichtet sich in der Gestalt des Partners, der doch eigentlich »Gehilfe« sein sollte – auch und gerade im Geschlechtsbezug; dazu nämlich, daß beide einander in Ehrfurcht vor der Freiheit und Ehre des Anderen gegenübertreten sollten.

Daraus kommt eine Geschlechtswelt von einer Heftigkeit, Unordnung und Sinnlosigkeit, die im Tierischen ihresgleichen nicht findet – wir brauchen nur an all die Verkoppelungen des Sexus mit dem Geld zu denken.

Da ist aber noch einmal mehr: der Mensch, der unaufhebbar Person ist und Würde hat, fühlt, daß der Andere, »nach dem sein Verlangen geht«, ihn durch eben dieses Verlangen unterjocht, und empört sich gegen ihn. Ein Groll entsteht, um so tiefer, als er in sich selbst den Verrat an der Personalität fühlt. Ein Haß, unlösbar in das Verlangen hineingewoben, nicht wegen dieser oder jener Handlung, sondern weil der Andere ist, wie er ist.

Kommt hinzu, daß der Trieb selbst und von vornherein die Möglichkeit der Abneigung in sich trägt. Nur die echte

Entscheidung des Geistes, die reine Wahrheit des Gewissens ist eindeutig; der Trieb hingegen, das von ihm bestimmte Gefühl können jederzeit in ihre Gegenrichtung umschlagen. Die Liebe der Gefährtenschaft, die von Person zu Person geht, ist eindeutig; sie ruht auf der Wahrheit und verwirklicht sich in der Treue. Die des Triebes hingegen begehrt und kann sich in Widerwillen kehren. Sie meint, ohne den Anderen nicht leben zu können, und kann ihn wieder nicht ertragen. So entsteht der rätselhafte Kampf der Geschlechter, bitter wie kein anderer, da in ihm der Haß ins Innerste des Verlangens, die Abweisung in die nächste Nähe eingewoben ist. Für ihn gibt es trotz aller biologischen Wissenschaft und psychologischen Tiefenschau keine wirkliche Erklärung, denn diese liegt nicht im Natürlichen. Was da so geläufig »die menschliche Natur« genannt wird, ist alles andere als das – wenigstens so lange das Wort seine Bedeutung behält, daß nämlich etwas aus seinem ursprünglichen Sinn heraus verständlich sei.
Ist es nicht so durch die ganze Geschichte gegangen und geht immer noch? Und trotz aller großen Reden von Freiheit und gleichem Recht kein Absehen, wie es je anders werden solle? Daß der Mann die Frau zur Sklavin macht, und die Frau den Mann zum Narren – und umgekehrt nicht minder?
Wie tief ist aber doch das Bild der Gemeinschaft von Mann und Weib dem Menschen eingeprägt; wie nötig ist ihm die Gehilfenschaft, wenn dieses Wesentliche trotz aller Verstörungen doch immer wieder durchdringt! Denn die Geschichte ist auch durchwirkt von den Kräften der Liebe und Treue, des Opfers und der täglichen Meisterung des Schicksals um des Anderen willen – Kräften freilich, die um so stiller ihr Werk tun, je echter sie sind.

Wie Christus die Offenbarung vollendet, richtet Er die erste Ordnung wieder auf. »Vom Anfang her« gibt Er jedem seine Würde, der Frau wie dem Mann. Er erklärt das Vorrecht für nichtig, das »die Herzenshärte« des Mannes sich im Alten Bund angemaßt hatte: »Da traten die Pharisäer heran und

fragten, um Ihn zu versuchen: ›Ist es einem Mann erlaubt, seine Frau zu entlassen?‹ Er aber antwortete ihnen: ›Welche Weisung hat Moses euch gegeben?‹ Sie sagten: ›Moses hat erlaubt, einen Scheidebrief zu schreiben und [so die Frau] zu entlassen.‹ [Dtn 24,1] Da sprach Jesus zu ihnen: ›Eurer Herzenshärte wegen hat er euch diese Weisung gegeben. Vom Anfang der Schöpfung aber [war es nicht so, denn] Gott hat sie als Mann und Weib geschaffen ... Deshalb wird ein Mann seinen Vater und seine Mutter verlassen [und seinem Weibe anhangen], und die zwei werden ein Leib sein. Sie sind also nicht mehr zwei, sondern ein Leib. Was nun Gott verbunden hat, soll der Mensch nicht trennen.‹« (Mk 10,2–9; Gen 1,27; 2,24) Christus fordert die Achtung vor dem Anderen schon in Blick und Gedanken: »Ihr habt gehört, daß [zu den Alten] gesagt worden ist: Du sollst nicht ehebrechen! Ich aber sage euch: Ein jeder, der eine Frau begehrend anblickt, hat schon in seinem Herzen die Ehe mit ihr gebrochen. « (Mt 5,27-28) Paulus aber nimmt den Gedanken der Genesis wieder auf und verstärkt ihn: »Doch ist im Herrn weder die Frau ohne den Mann noch der Mann ohne die Frau. Denn wie die Frau aus dem Mann, so ist auch der Mann aus der Frau; alles aber kommt von Gott.« (1 Kor 11, 11–12)
Auf Grund dieser Verkündung gewinnt die Gehilfenschaft eine neue Würde und Tiefe. Gewiß, was die Auflehnung der ersten Schuld an Wirrnis und Wildheit in das Menschenwesen gebracht hat, bleibt. Erlösung ist keine Zauberei; so wird die Verwirklichung des Geschlechtsbezuges immer das Element der Sühne und Überwindung in sich tragen. Aber die große Möglichkeit öffnet sich: der echten Ehe als der Gehilfenschaft unter Kindern Gottes, in Achtung, Treue und Geduld – ebenso wie die des echten Alleinseins für Gott im jungfräulichen Leben ohne Neid und Verhärtung. Große Gestalten wachsen auf, machen das Geheimnis des einen wie des anderen Standes sichtbar und zeigen den Weg in neue Freiheit.

Dann aber kommt die Neuzeit und verkündet die Autonomie des Menschen. Sie lehnt es ab, sein Leben von Gott her zu ordnen. Sein Herrentum soll nicht mehr vom Herrn der Welt her sein Recht erhalten, sondern aus eigenem Recht bestehen. Was in Wahrheit durch lange Jahrhunderte christlicher Erziehung geworden ist, wird als Ergebnis natürlicher geschichtlicher Entfaltung angesehen oder preisgegeben – scheinbar bestätigt durch das Versagen vieler Christen, die die große Möglichkeit nicht verwirklichen. So entsteht mitten in den Leistungen fortgeschrittener Kultur ein neues Chaos der Geschlechtsbeziehungen, schlimmer als das vor Christi Kommen – schlimmer deshalb, weil durch Ihn der Mensch sittlich mündig geworden war.

Die Neuzeit vergißt immer mehr die Offenbarung der Genesis: daß die Beziehung der Geschlechter durch die Sünde verwirrt ist, daher nicht aus sich selbst heraus zur Wahrheit gelangen und sich in der Wahrheit halten kann. Wir haben bei unseren Überlegungen über das Werk des Menschen bedacht, daß es nicht nur als Auswirkung erobernder, schaffender, leistender Impulse verstanden werden kann. Es muß gesehen werden, daß in ihm auch etwas liegt, das mit der Schuld zusammenhängt; ein Element der Sinnlosigkeit, das nur als Sühne zu verstehen und in Bereitschaft zu bewältigen ist. Mit der Beziehung der Geschlechter steht es ebenso. Sie kann nicht, wie die neuzeitliche Erlebnisromantik denkt, aus der immanenten Logik des Gefühls erfüllt, oder durch eine bloße ethische und soziologische Vernunftordnung geregelt werden, sondern verlangt eine Askese, die nur aus dem Bewußtsein erwachsen kann, daß hier tiefe Beziehungen von Schuld und Sühneverpflichtung bestehen.

Um aber noch einmal auf die Gleichstellung der Frau mit dem Manne zu kommen: das Grund-Recht, in welchem Gleichheit sein soll, besteht im Recht auf das eigene, von Gott begründete Wesen. Wohin kommt es aber damit auf dem Wege, den der Mensch allein gehen will, ohne Gott, nur auf die eigene Einsicht und die Antriebe des eigenen Herzens vertrauend? Gelangt der Mann in die Freiheit seines Wesens, wenn die Staatsmaschine ihn zum Rad in ihrem Getriebe macht? Wird die Frau zu sich selbst frei, wenn sie, unter der Formel gleichen Rechts und gleicher Pflicht, ins Bergwerk gehen und als Soldat kämpfen muß? Dringt da nicht eine Tendenz durch, Mann und Frau auf ein Drittes hin auszugleichen? Auf ein Wesen ohne eigenen Charakter, worin sie nicht mehr wechselseitig einander als Gehilfen zugeordnet sind, sondern den anonymen Mächten des Staates, der Wirtschaft und Technik dienen?

Aus der Genesis kann man Entscheidendes lernen. Man spricht heute viel von Existenzphilosophie und meint damit die Frage, wie das sei, wenn der Mensch da ist; in welcher Weise es damit richtig werde, und aus welchen Kräften er leiste, was er zu leisten habe. In der Genesis – wie nachher in den Paulusbriefen – liegen die Grundgedanken zu einer christlichen Existenzphilosophie und -theologie. Sie zeigen dem sehwilligen Blick die Grundgesetze des Lebens; die Ordnungen, nach denen das Menschentum heil bleibt und gedeiht.

Verlust und Verheißung

Wir haben vom Anfang gesprochen, und es wäre noch viel über ihn zu sagen, denn der Anfang ist unerschöpflich. Er ist nicht bloß das, was zuerst kommt und dann dahinten bleibt, sondern aus ihm fällt ein Licht auf alles, was folgt, zumal wenn es der Anfang einfachhin ist, von dem die Rede geht – ebenso wie er durch das, was folgt, immer neu und weiter aufgeschlossen wird. Wir müssen aber mit unseren Überlegungen an ein Ende kommen.
Eine Bemerkung soll doch noch nachgetragen werden. Vielleicht konnte der Leser den Eindruck gewinnen, unsere Meditationen seien pessimistisch. Gewiß sind die negativen Momente in der menschlichen Situation scharf hervorgehoben worden. Unsere Zeit hat aber die Meinung, die Macht des Menschen sei allen Aufgaben gewachsen, und die andere, der menschliche Zustand schreite beständig zum Immer-Besseren fort, zu derart festen Dogmen geprägt, daß diesem blinden Optimismus die Wirklichkeit entgegengestellt werden muß. Einem Optimismus, der doch innerlich unsicher ist, sonst würde er sich nicht wieder derart aufgeben, wie das aus vielen Zeugnissen der gegenwärtigen Philosophie, Dichtung und bildenden Kunst hervorgeht. Der Glaube an die Offenbarung ist nicht pessimistisch, sondern ernst, denn er hat den Mut zur Wahrheit. Ihm eignet aber auch jenes Vertrauen, das aus der nie aufzuhebenden Tatsache von Gottes Liebe erwächst, wie sie sich in der Schöpfung und der Erlösung kundgetan hat – und aus dem Bewußtsein, daß die Gabe der Freiheit und des schöpferischen Lebensgrundes nicht vom Menschen genommen ist.

Der Anfang, von dem die Genesis spricht, gehört zu allem hinzu, was nachher die Geschichte ausmacht. Was immer die

Forschung über diese Geschichte sagen mag – immer ist schon etwas vorausgegangen: die Tatsache nämlich, daß einst, bevor der Mensch wurde, den unsere Geschichte zeigt, das Paradies war und die Möglichkeit, das Leben nicht durch den Tod enden zu müssen; daß Paradies und Todesfreiheit verloren wurden, und zwar durch seine eigene Schuld. Dieses »a priori« steht auch vor jedem Einzelgeschehen, jedem Begebnis und jeder Tat. In gewissem Sinne kann man sagen, daß das Paradies in unserem Leben überall mitgegeben ist, aber als verlorenes.

Daraus entspringt der tiefe Strom der Schwermut, der durch die Geschichte fließt: daß an ihrem Anfang kein nur natürlicher Beginn steht, der sich dann entfaltete; keine einfache Kindheit, die zur Reife heranwüchse, sondern eine verlorene göttlich-große Möglichkeit. Hier liegt die Wurzel aller Tragik unseres Daseins. Denn was das Wort meint, ist ja doch im Grunde nichts anderes als die Tatsache daß die einst von Gottes Großmut gewährte Möglichkeit verloren ging; daß vor jedem Geschehen ein Bereits-Geschehensein steht; eine Schuld, die sich quer stellt und macht, daß die Möglichkeiten sich nie klar entfalten, die Beziehungen zwischen den Menschen sich nie rein erfüllen, das Dasein nie klar aufgeht. Wann immer das Tragische fühlbar wird – und das geschieht, sobald es um die Vollkommenheit, um den Adel des Daseins geht – meldet sich das verlorene Paradies.

Immerfort sehnt sich der Mensch zurück, der Einzelne, das Volk, die Menschheit. Mythen und Märchen erzählen in vielen Weisen von dem großen »Einst«, als alles anders war als heute, alles licht, freudig und gut. Dann aber wurde es, wie es heute ist, und zwar durch unsere Schuld. Das Wissen davon liegt dunkel in der Tiefe unseres Gemütes, und vergeblich müht sich der Optimismus der natürlichen Entwicklung und des beständigen Fortschritts, es zu übertäuben.

Immer wieder erhebt sich auch die Frage, ob das Verlorene nicht wiedergeholt, neu hergestellt werden könne. Um das zu fühlen, brauchen wir ja bloß auf die Weise zu achten, wie

immer noch und trotz aller Aufklärung das Wort vom
»Paradiesischen« wiederkehrt: ob nun damit die stille Schönheit einer unzerstörten Landschaft, oder das Glück behüteter Kindheit gemeint, oder auch nur in läppischem Mißbrauch mit diesem leidgesättigten Wort irgend etwas Vergnügliches aufgeputzt wird: ausgiebiger Wildbestand oder günstige Skiflächen oder was sonst. Wer aber die Weisheit menschlicher Urerinnerung wie auch die Stimme des eigenen Herzens genauer versteht, der weiß, daß das unechte Dinge sind. Das Paradies kann nicht wiedergeholt werden. Ja ein Stolz gerade des Leides will lieber das reine Verlorenhaben, als all die Ersatzmittel, mit denen die Oberflächlichkeit der Tragik auszuweichen sucht.

Wir kennen auch Versuche, das Paradies dadurch wiederzugewinnen, daß es in die Zukunft geworfen wird: all die Träume von einem Zustand, in welchem durch wissenschaftliche, soziale, erzieherische Arbeit alles Böse, Schädigende, Hemmende überwunden, und ein Reich der Gerechtigkeit und des Glücks für alle errungen ist. Man sucht so das Verlorene wiederzuholen – freilich fehlt dabei das Entscheidende, nämlich Gott und die Gnade der Gemeinschaft mit Ihm. Was daran ehrenwert ist und dem Menschen, der mit Zuversicht leben will, unentbehrlich, darf nicht angetastet werden. Schlimm wird es aber, wenn dadurch das Tiefe im Menschen, das sich des Anfangs erinnert, zugedeckt; wenn die Stimme, die sagt, was hätte sein können und nie mehr sein kann, erstickt werden soll. Ganz abgesehen davon, daß dieses Verlorene ja vor allem liegt, was für uns Geschichte heißt, und es daher ein vergebliches, ja törichtes Bemühen ist, es in sie hineinziehen zu wollen, sei es auch als fernste Zukunft. Töricht auch deshalb, weil der Mensch dabei vergißt, daß er sich selbst in alles mitnimmt, was er tut, und wozu er je fortschreiten mag. Den Schritt aus dem jetzigen in ein nicht nur Einstiges, sondern Neues – in der Weise neu, wie das Paradies als das Gottgeschaffen-Ursprüngliche es war – kann

er aus sich heraus nicht tun. Zwar reden die Träume und Pläne unserer Zeit vom »Neuen«, das werden soll, und umkleiden das Wort mit einem mystizistischen Schauer; aber nichts, was aus dem Zusammenhang der Geschichte kommt, kann wirklich neu sein. Dem gegenüber, was das Ur-Neue, in Gnade und Reinheit Neue war, ist es stets und unaufhebbar »alt«.
Wie sehr, wie schuldverfallen alt, wird vor allem dadurch offenbar, daß es gerade das wegläßt, was das Wesen des Einst-Neuen ausmacht: die Nähe, in welcher Gott mit dem Menschen zusammen das Dasein baute.

Weiß aber die Offenbarung, die mit so unbestechlichem Ernst die Wahrheit des Verlorenhabens verkündet, uns keine Verheißung zu geben?
Das Paradies kommt nie wieder; aber steht mit Bezug auf es in der Zukunft das reine Nichts? Die Erlösung ist doch geschehen – hat das, was sie uns verheißt, gar keine Beziehung zum Paradies? Ist Erlösung nur – das Wort soll wahrhaftig keine Abwertung ausdrücken! – Vergebung der Sünde und ein mit allem Gewesenen unvergleichbares Heil?
Sehen wir genauer zu, dann entdecken wir doch mehr. Das Paradies kehrt nicht wieder; seine leuchtende Unschuld und reine Vollkommenheit bleiben verloren und dürfen durch keine Ersatzversuche entehrt werden. Aber es sind uns Verheißungen gegeben, die sagen, daß etwas kommen soll, das zu ihm steht wie die Erlösung zur Schöpfung. Es liegt im »Einst« der Zukunft; jenseits der Grenze des Todes, wie das Paradies im Einst der Vergangenheit, jenseits der Grenze der Schuld. Daß der »Anfang« nicht durch die Schuld in den Abgrund versunken ist; daß Gottes Treue den Menschen trotz seiner Untreue im Leben gehalten hat, war schon Beginn von Erlösung. Jeder Beginn aber geht auf Zukunft zu. Sie ist das, was Paulus und Johannes den »neuen Menschen« nennen, der einst, »unter dem neuen Himmel und auf der neuen Erde«, seine Heimat haben soll; durch die Wiederge-

burt zu leben begonnen hat und in der Auferstehung sich offenbaren wird.

Die Briefe des Apostels Paulus bringen eine wunderbare Botschaft. Sie sagen, daß im alten Menschen, dem Menschen des »Fleisches« – will sagen der verstörten Natur – von der Erlösung her, aus Glauben und Taufe, etwas Neues erwacht. Paulus nennt das den »geistigen«, genauer: den »geistlichen« Menschen. Das Wort bezeichnet nicht das Spirituelle im Unterschied zum Körperlichen, denn mit »Geist« ist der Heilige Geist gemeint, der gleiche, durch den einst die Welt geschaffen, die Menschwerdung gewirkt, am Pfingstfest die Kirche geboren worden ist. Dieser geistliche ist der neue Mensch mit Leib und Seele, der durch die Schöpfermacht des Pneuma Christi im alten zu leben und sich zu entfalten beginnt. Er ist gebildet nach dem Bilde Dessen, der den Geist gesandt hat, freilich in der Vergänglichkeit und Verdunkelung der Geschichte verborgen.

Manches läßt ihn aber schon durchscheinen: Züge der Gesinnung, Weisen des Handelns, Arten, sich zum anderen Menschen zu verhalten, die aus den Voraussetzungen des »natürlichen« Daseins allein nicht erklärt werden können. Denn was kann dessen Erfahrung und Wissenschaft uns über Gestalten sagen, wie die Heiligen es sind? Im Ganzen ist dieses Werden aber verborgen; immerfort verleugnet und widerlegt durch all das »Alte«, das mit ihm verbunden ist. Wir müssen auf das Wort Christi hin an es glauben und vertrauen, daß es sich einst offenbaren werde. »Noch ist nicht offenbar, was wir sein«, aber »wir wissen, daß wir, wenn Er sich [einst] offenbart, Ihm ähnlich werden«, sagt Johannes in seinem ersten Brief (2,2). Und der Römerbrief spricht in Worten tiefer Gewißheit vom Aufleuchten »der Herrlichkeit der Kinder Gottes« (8,19ff), auf welche »das sehnsüchtige Harren der Schöpfung wartet.« Die Macht des Todes aber, welche die erste Schuld über uns gebracht hat, kann das nicht vereiteln, denn sie wurde gebrochen, als der Erlöser ihn starb.

Dadurch ist ein neuer Keim heiliger Lebendigkeit in den Menschen gekommen; und Paulus bestimmt jenes Grundbewußtsein, ohne das kein Leben möglich ist, nämlich die Hoffnung, als die Gewißheit von diesem werdenden ewigen Leben in uns (Röm 8,24).
So könnte man denken, das einst Verlorene kehre doch wieder. Aber so ist es nicht. Das Verlorene soll in seinem Einst bleiben. Was uns verheißen wird, ist keine Wiederholung, sondern etwas Neues, in welchem das Einstige aufgehoben ist. Das ist dadurch gewährleistet, daß zwischen seinem Offenbarwerden und unserem jetzigen Leben der Tod liegt. Er entlarvt alle Verschleierungen. Nach ihm aber wird die Auferstehung geschehen; die Verwirklichung und Offenbarung des »neuen Menschen« Jenseits aller Zeit.

Etwas Entsprechendes, so ist verheißen, soll auch mit Bezug auf das Ganze des Daseins geschehen, und abermals sind wir versucht, von einem Wiedergewinn des Paradieses zu sprechen. Denn die gleichen Apostel reden in prophetischen Worten vom Werden der neuen Welt, vom himmlischen Jerusalem, von der ewigen Stadt Gottes. Aber auch hier wollen wir genau sein: Was die heiligen Bilder meinen, ist nicht das Paradies, von dem die Genesis spricht; das ist verloren und bleibt es. Verheißen ist etwas Neues, das aus einem neuen Schaffen des Heiligen Geistes hervorgehen soll.
Er, der einst über dem Chaos geschwebt hat und den Reichtum der Weltgestalten hat werden lassen, wird eine neue Welt heraufrufen. Auch sie wird »geistlich« sein und aus demselben Geheimnis der Auferstehung hervorgehen, wie der neue Mensch. Wenn wir die Eingangskapitel des Epheser- und Kolosserbriefes lesen, wieder das bereits genannte achte des Römerbriefes und schließlich das letzte Kapitel der Apokalypse, dann ahnen wir, worum es geht. Was da werden soll, wird um so viel über dem Paradies sein, als die Erlösung über der Schöpfung ist.

Weisheit der Psalmen
Meditationen

*P. Placidus Pflumm O.S.B.
in alter Freundschaft zugeeignet*

Vorbemerkung

In den Psalmen klingen menschliche und religiöse Urlaute mit Grundmotiven der Offenbarung zu einem starken Akkord zusammen. Daß sie geschichtlich einer frühen Epoche angehören, macht den Klang nur um so eindringlicher. Nicht umsonst sind sie zum Grundstoff der liturgischen Texte geworden. So ist es wohl nicht ohne Nutzen, einige von ihnen auf jene Elemente hin zu durchdenken und sie so dem Verständnis unserer Zeit näher zu bringen.
Nützlich schien es aber auch, gerade die Unterschiede, die zwischen ihnen und dem neutestamentlichen Empfinden bestehen, genauer herauszuheben, weil sich dadurch das Eigene der christlichen Frömmigkeit deutlicher abzeichnet. Die Auswahl folgt keinem besonderen Gesichtspunkt, sondern bringt Stücke, die dem Verfasser im täglichen Umgang vor allem nahegekommen sind.
Auch haben die Meditationen selbst keine systematische Absicht. Sie wollen nicht das Ganze, sondern einige – allerdings wesentliche – Elemente dieses Ganzen geben. So fehlen manche Gedanken, die an sich für die religiöse Welt der Psalmen wichtig wären. Andere kehren dafür öfter wieder, wie das die geistige Bewegung der Meditation mit sich bringt.
Als Text wurde die Psalmenübersetzung des Verfassers zu Grunde gelegt, die er unter dem Titel »Deutscher Psalter« (München 1950 u. ff) im Auftrag der deutschen Bischöfe veröffentlicht hat.
Was die Zählung der Psalmen angeht, so folgt unsere Auswahl darin der Vulgata, das heißt, der lateinischen Übersetzung. Zwischen dieser und der hebräischen Bibel – damit aber auch der ihr folgenden evangelischen Übersetzung – besteht hierin ein Unterschied, der durch textliche Gesichtspunkte

bestimmt ist. Zu leichterer Orientierung werden daher bei jedem Psalm die lateinische und, in Klammern, die hebräische Ordnungszahl angeführt.

Der Geist der Psalmen

Die Psalmen bilden ein Buch des Alten Testamentes, das zwischen den Schriften der Propheten und den Weisheitsbüchern eingeordnet ist und aus einhundertundfünfzig religiösen Dichtungen: liturgischen Texten, persönlichen Gebeten, Meditationen und Lehrgedichten besteht. Sie haben sich durch eine lange Zeit hin zusammengefunden. Die frühesten sind vom König David, also um die Jahrtausendwende vor Christus, die letzten in der Zeit der Makkabäerkämpfe, also im zweiten Jahrhundert v. Chr. verfaßt.
Ihr Umfang ist sehr verschieden. Der große einhundertundachtzehnte enthält fast einhundertundachtzig Verse; kurz vor ihm steht der kleinste, das »Pünktchen im Psalter« genannt, der nur zwei Verse hat.
Verschieden ist auch ihr Inhalt. Es gibt solche, die Dank sagen für erfüllte Bitten; andere sind voll Jubel über die Herrlichkeit von Gottes Welt; in wieder anderen drückt sich das Bewußtsein großer Schuld aus. Manche steigen aus unmittelbarer Not auf, etwa der Bedrängnis durch Feinde, oder durch erlittenes Schicksal. Andere tragen einen betrachtenden Charakter, sinnen nach über Gottes Werke in der Natur, oder über die Macht, mit der Er die Geschichte seines Volkes geführt hat, oder über die Weisheit seines Gesetzes, welches das Leben der Glaubenden ordnet.

In den Psalmen herrscht also große Mannigfaltigkeit, doch wird alles durch etwas Gemeinsames verbunden. Da ist zunächst die einfache Tatsache der Tradition, die sie immer als Einheit gesehen hat. Dann die wichtigere, daß diese Dichtungen Gebete sind: Worte, die aus gläubigem Herzen kommen und das, was im Leben geschieht, vor Gott tragen.

So haben die Psalmen denn auch in der Geschichte der christlichen Frömmigkeit eine große Rolle gespielt. Sie bilden den Grundstoff für das Gebet der Kirche. Die Liturgie ist von Psalmentexten ganz durchsetzt. Sie stehen hinter vielen geistlichen Liedern; Worte aus ihnen erscheinen in der christlichen Verkündigung wie im täglichen Sprachgebrauch, und so fort.

Und nun fragen wir: Was bedeuten die Psalmen für uns? Für unser Leben?

Man hat gesagt, sie seien wunderbare Dichtungen. Die Schönheit ihrer Sprache, die Kraft ihrer Bilder wirke jene Erhebung des Gemütes, welche nur die große Kunst hervorzubringen vermag. Das ist wahr, aber doch nur bis zu einem gewissen Grade. Sicher gibt es unter den Psalmen herrliche Stücke, denken wir etwa an den großen Schöpfungspsalm, den einhundertunddritten; oder an den fünfzigsten, der aus dem Bewußtsein tiefer Schuld entstanden ist, das »Miserere«. Es gibt aber auch andere, die, dichterisch gesehen, von nur durchschnittlichem Rang; sogar solche, die einfachhin Handwerk sind. Es muß erlaubt sein, das zu sagen; und man kann es um so leichter, als die eigentliche Bedeutung der Psalmen ja nicht in ihrer literarischen Qualität liegt – ebensowenig, wie etwa die Bedeutung der paulinischen Briefe darin, daß sich in ihnen eine so starke Persönlichkeit ausdrückt, oder die des Johannesevangeliums, daß es in metaphysische Höhen aufsteigt. Die Psalmen sind vielmehr Wort Gottes; Wort, das Er sagt, indem ein von Ihm ergriffener Mensch sein Menschenwort spricht. So sind sie Offenbarung, die zum Heil führt.

Das aber in einer besonderen Form, nämlich der des Gebetes. Sie kommen nicht aus dem Erlebnis eines Menschengeistes, etwa eines Propheten, der göttliche Wahrheit erkannt hätte und nun sagte: »Also spricht der Herr« – obwohl nicht selten auch dieses Element mitspricht, denken wir etwa an Psalmen, die, wie der siebenundsechzigste, einhundertundvierte und

einhundertundfünfte, die Geschichte des Volkes deuten, oder in denen, wie im einhundertundneunten, die Gestalt des kommenden Messias aufleuchtet. In der Regel entspringen sie der Ergriffenheit des Menschen, der sich betend, sei's als Einzelner, sei's in Gemeinschaft zu Gott wendet.
So ist die Weise, wie man eigentlich die Psalmen aufnehmen soll, nicht die, sie zu lesen und zu durchdenken, sondern jene, sich in ihre Bewegung zu Gott hineinnehmen zu lassen. Da aber wird man vielleicht eine eigentümliche Erfahrung machen. Man wird in Zweifel kommen, ob sich denn der Christ diese Gebete immer aneignen könne? Ob in ihnen das Irdische nicht eine Rolle spiele, welche christlicher Gesinnung widerspricht; in ihnen die Leidenschaften nicht in einer Weise durchbrechen, die mit dem Geist Christi unvereinbar sei? Manche unter ihnen, die sogenannten Fluchpsalmen, zum Beispiel der achtundsechzigste oder einhundertundachte, reden sogar die Sprache offenen Hasses. Sie rufen alles Unheil, ja Gottes Fluch auf den Feind herab. So kann es sein, daß das christliche Gefühl sich dagegen verwahrt; und es fehlt nicht an Stimmen, die fordern, diese Psalmen müßten entfernt, alle aber auf Anstößiges dieser Art hin durchgesehen werden.
Doch besteht auf der anderen Seite die Tatsache, daß wir es in ihnen mit Gottes Wort zu tun haben; der Mensch aber kein Recht hat, über dieses Wort zu urteilen oder an ihm etwas zu ändern. Nehmen wir – was die Vorbedingung jedes gültigen Nachdenkens über die Offenbarung ist – diese Tatsache zum Ausgangspunkt, so wird uns gerade das, was Anstoß zu geben droht, zum Hinweis auf etwas Wesentliches.

Man hat, um die genannten Schwierigkeiten auszuräumen, viel Scharfsinniges gesagt; und natürlich ist alles zu begrüßen, was zu tieferem Verständnis führt. Ich glaube aber, es gibt einen Gesichtspunkt, der uns, ohne allen Aufwand, mit der schlichten Kraft der Wahrheit weiter führt.
Wer redet denn in den Psalmen? Ein Mensch, der kein Heide

mehr ist. Die Göttlichkeit, an die er sich wendet, ist nicht mehr die der Mythen und Mysterien. Diese war die Geheimnistiefe des Alls, die religiöse Mächtigkeit des Daseins, aber mißverstanden als Göttlichkeit der Welt selbst. Wenn der Mensch sich in den heidnischen Mythen bewegte, dann nahm er die Welt als das Ein-und-Alles, gab sich ihr hin, verfiel ihr. Mit einer solchen Frömmigkeit hat der Beter der Psalmen nichts zu schaffen.

Der, zu dem sie reden, ist der Lebendige Gott, welcher über aller Welt steht. Wir können die schwierige Frage, was »Götter« in Wahrheit seien, hier nicht erörtern; so wollen wir der Einfachheit wegen sprechen, als ob sie wirklich »etwas« seien. Jedenfalls hängen sie aber von der Welt ab. Es gäbe keinen Zeus, wenn die Himmelswölbung und die Ordnung der Gestirne; keine Gaia, wenn die dunklen und fruchtbaren Tiefen der Erde nicht wären. Der Gott der Psalmen ist Jener, welcher der Welt nicht bedarf. Er lebt in sich selbst, und durch sich selbst. Der Name, unter dem Er sich in der entscheidenden Stunde auf dem Horeb geoffenbart hat, »Jahwe« (Ex 3,13 ff), wird durch die griechische und lateinische und, nach ihnen, durch die deutsche Übersetzung mit dem Wort »der Herr« wiedergegeben. »Herr« aber ist Er nicht erst deshalb, weil Er über die Welt herrscht, sondern weil Er seiner selbst mächtig ist.

Dieser Gott ist es, an den der Psalm sich wendet. Der Glaube an Ihn löst den Betenden aus der Bannung, die in jeder Äußerung heidnischer Frömmigkeit liegt, so herrlich sie im einzelnen sein mag. Der Anruf dieses Gottes hebt den Menschen in eine Freiheit, die er von der Welt her nicht findet – weder in der kühnsten Metaphysik, noch in der höchsten Weisheit.

Das alles ist wahr. Wahr ist aber auch, daß der Mensch der Psalmen noch kein Christ ist. Er hat die Botschaft von Gottes drei-einigem Leben und seiner darin begründeten Freiheit noch nicht vernommen. Ebensowenig die Kunde, daß dieser Gott die Welt liebt, in freier, personaler Liebe; so sehr, daß

Er die Verantwortung für die Schuld seines empörerischen Geschöpfes auf sich nimmt. Daß Er selbst diese Schuld sühnt, und damit einen Anfang schafft, aus dem ein neues Dasein hervorgeht. Von alledem weiß der Mensch des Alten Testaments noch nichts. Er ist erst vom Heidnischen zum Christlichen unterwegs. Wohl auf dem rechten Wege, aber noch nicht im Eigentlichen angelangt.

In der Geschichte des Alten Testaments hat sich etwas ereignet, das sich tief in das Gedächtnis des Volkes eingegraben, ja zur Grundform geworden ist, wie es sein Dasein verstanden hat: die lange Wanderung aus Ägypten – jenem Lande, in welchem sich Mythos und Mysterium in so eindrucksvoller Weise entfaltet haben – durch die Einsamkeit der Wüste, geführt durch die persönliche Gegenwart des Lebendigen Gottes, ins versprochene Land. Das ist das Daseinsbild des alttestamentlichen Menschen: er ist unterwegs.

Aus diesem Unterwegs-sein heraus reden die Psalmen. So treten in ihnen alle Mächte und Erfahrungen zu Tage, die Menschen bewegen: die Freuden, die Nöte, die Ängste, die Leidenschaften. Alles wird aber vor Gott getragen. Nicht dionysisch: nicht in einer All-Bejahung des Daseins; nicht so, daß gesagt würde: Lebe, je stärker und glühender, desto besser! Auch der Haß, auch die Rache, auch Verwünschung und Fluch sind Leben und deshalb gut. Sondern es wird gesagt: So ist der Mensch, der hier redet; voll von Erdenwillen, von Lebenshunger, von Leidenschaften aller Art, von Haß und Rachsucht - aber er bleibt bei Gott. Er tritt vor Ihn; zeigt sich Ihm, wie er ist.

So steht der Heilige über allem, was da gesagt wird, und alles erfährt von Ihm her Gericht. Nehmen wir jene Lieder, die den härtesten Anstoß geben: die Fluchpsalmen. Vergleichen wir sie mit Formen religiöser Verfluchung, wie sie in der heidnischen Magie vorkommen, dann sehen wir den Unterschied. Diese offenbaren den Willen, Hand auf Gott zu legen;

Ihn durch Reizung und Beschwörung zu zwingen, daß Er die vernichtende Wirkung ausübe. Davon findet sich im Psalm nichts. Gottes Freiheit wird nicht angetastet. Immer ist Er der Herr und der Richter. Alle Leidenschaft, aller Haß werden vor Ihn getragen, und ebendamit vollzieht sich Unterscheidung, wird Wahrheit, geschieht Befreiung.

Nun könnte aber einer sagen: Ich bin doch nicht mehr unterwegs. Ich bin ja Christ! Ihm wird man antworten müssen: Bist du das tatsächlich? Wagst du zu sagen, du habest die Christlichkeit verwirklicht?
Was heißt denn das: ein Christ sein? Die erschöpfendste Antwort hat vielleicht Paulus gegeben, wo er im Galaterbrief sagt: »Ich lebe, doch nicht mehr ich, sondern Christus lebt in mir.« (2,20) Und dann geht der Gedanke weiter: »aber eben dadurch bin ich erst ich-selbst.« Ist das so bei dir? Kannst du sagen, du lebest im Bewußtsein von Christi Einwohnung, du seiest in Seine heilige Gesinnung eingegangen, und aus ihr heraus du-selbst geworden? Man braucht diese Frage ja doch nur zu stellen, um zu wissen, woran man ist.

Was aber da im Menschen des Alten Testamentes lebt, ist auch noch in uns. Nicht in der Weise, wie im Menschen jener Zeit, als das Werk der Offenbarung und der Erlösung geschichtlich noch nicht »vollbracht« waren (Joh 19,30); wohl aber in der Weise einer persönlichen Verwirklichung. Auch wir sind ja doch zum Christ-sein erst unterwegs. Wir haben wohl die Botschaft vernommen und sind getauft und glauben – bemühen uns, zu glauben, sagen wir besser – aber alles ist doch erst ein Wandern und Sich-durchkämpfen. Auch dafür hat Paulus das Entscheidende gesagt, wenn er im Römerbrief davon spricht, daß in uns der neue Mensch, der »dem Bilde von Gottes Sohn gleichförmig ist« (Röm 8,29), erst durch den alten, empörten und verwirrten Menschen durchdringen muß; daß wir den alten »ausziehen«, hinter uns lassen und den neuen »anziehen«, aus einem verknechteten und verdor-

benen Zustande in die Freiheit und wesenhafte Wahrheit des in Christus Wiedergeborenen hinübergehen müssen.
Doch wollte jemand weiter auf seinem Recht bestehen und sagen: Ich habe ja doch in der Schule Christi gelernt; in mir ist doch kein solcher Haß wie der im Psalm! – dann könnte man nur abermals antworten: Ist das wirklich so? Oder nur deshalb, weil du noch keine Gelegenheit hattest? Liegen in dir nicht die gleichen Möglichkeiten, und würden erwachen, wenn der Anlaß käme? Vielleicht sogar noch schlimmere?

Ein gern und leicht erhobener Einwand gegen die Erlösung lautet: Ist denn die Welt nach Christi Tod und Auferstehung besser geworden?
Sehen wir einmal von alledem ab, was durch Ihn und sein Wort wirklich besser, ja anders und ganz anders geworden ist; lassen wir die Frage redlich zu: Ist die Welt in ihrer geschichtlichen Ganzheit besser geworden? Vielleicht müssen wir sie verneinen. Vielleicht ist ihr unmittelbarer Zustand sogar in manchem schlimmer geworden.
Die Person Christi hat den Unterschied zwischen Gut und Böse offenbar gemacht. Gutes wie Böses sind »mündig« geworden. Der im mythischen Bewußtseinszustand lebende Mensch weiß noch nicht wirklich, worum es in seiner Existenz geht. Alles spielt noch in Eins, wie die Kräfte der Natur. Der Unterschied zwischen Gut und Böse geht immer wieder in den von Schön und Häßlich, Edel und Unedel, oder Gesund und Krank über. Erst an Christus scheiden sich Werte und Wege wirklich. Er erst ist das »Gericht«.
Wenn von Christi Kommen ab der Mensch das Gute wollte, war es das Sittlich-Heilige, das Tun wie Er getan, und hatte den Ernst des Kreuzes. Ebenso wie das Böse nun den Widerspruch gegen den Mensch gewordenen Sohn des Heiligen Gottes bedeutete; den Aufstand gegen Jenen, der «in sein Eigentum gekommen war, und den die Seinen nicht aufnahmen« (Joh 1, 11) – nein, den sie töteten.
So ist das Böse seitdem furchtbarer denn je; offenbar, bewußt

und gewollt. Nie sind in der heidnischen Zeit Dinge geschehen, wie sie in den letzten vierzig Jahren geschehen sind. Wir aber gehören zu unserer Zeit und haben alle Ursache, anzunehmen, das Schreckliche sei auch in uns. Es kommt nur darauf an, wie weit Gott die Bitte erfüllt: »Führe uns nicht in Versuchung«.

Die Psalmen können für uns eine große Bedeutung gewinnen: daß wir nämlich, sie sprechend, uns selbst offenbar werden. Daß wir die Worte, die da gesprochen sind, als eigen annehmen. Unser Herz nicht so sehen, wie wir möchten, es solle sein, sondern wie es wirklich ist. Nicht nur so, wie es uns vertraut ist; sondern auch sein Verborgenes, auch seine dunkle Tiefe. Und alles vor Gott tragen. Daß wir wissen: Ich bin wirklich noch in die Bindungen des Daseins eingeflochten. Immerfort denke ich an Irdisches. Ich hasse, wünsche meinem Feinde Böses, würde ihn vernichten, wenn es in meiner Möglichkeit stünde. Aber, Herr, ich trete vor Dich, mit allem, was in mir ist. Du sollst es sehen. Du sollst es richten, und mögest Du mich hellen!
Wenn wir die Dinge so betrachten, dann sehen wir, wie wichtig diese Texte sind. Man darf ruhig sagen: Je stärker ihr Wort uns stößt, desto mehr Anlaß haben wir, zu denken, daß wir selbst darin offenbar werden. Daß wir es also annehmen und in ihm betend, Bekehrung vollziehend, zu Gott gehen sollen.

Wachstum und Weg

Psalm 1

Wir wenden uns dem ersten der Psalmen zu. Er bildet das Eingangstor, durch das man in die Welt dieser Dichtungen eintritt, und lautet:

> Selig der Mann,
> der nicht dem Rate der Gottlosen folgt,
> der Sünder Weg nicht betritt,
> im Kreise der Spötter nicht sitzt;
>
> vielmehr seine Freude hat am Gesetz des Herrn,
> bei Tag und bei Nacht über Seinem Gesetze sinnt.
>
> Er ist wie ein Baum,
> an Wasserbächen gepflanzt,
>
> der Frucht hervorbringt zur rechten Zeit
> und dessen Blätter nicht welken:
> alles, was er beginnt, gerät ihm wohl.
>
> Nicht also die Gottlosen, nein, nicht so,
> wie Spreu sind sie, die der Wind verweht.
>
> So werden die Gottlosen nicht im Gerichte bestehn,
> die Sünder nicht in gerechter Gemeinde.
>
> Der Herr umsorgt den Gerechten,
> der Weg der Gottlosen aber führt in den Untergang.

Der Psalm ist sehr schlicht. In ihm finden sich weder große Aufstiege zu metaphysischen Höhen, noch Erschütterungen durch die Tragik des Daseins.
Er ist auf drei Bildern aufgebaut. Bildern, die aus dem Leben des Volkes stammen, in dessen Mitte der Psalm entstanden ist; die aber unter dieser Besonderheit in die Tiefe des Daseins

überhaupt hinabreichen; Urbildern, mit denen jeder Mensch sein Leben deuten kann.

Das erste erscheint gleich im ersten Vers: das Bild des Weges. »Weg« ist etwas, das wir vollziehen, so oft wir irgendwohin gehen – und wir gehen ja immer irgendwohin. »Weg« bedeutet, daß man von einem Ausgangspunkt aus vorangeht; von Stelle zu Stelle weitergegeben wird, Schritt um Schritt – und es wäre gut, wenn wir das Gefühl wegtäten, das seien Selbstverständlichkeiten, über die nachzudenken sich nicht lohne; vielmehr die Urgestalt empfänden, die sich da zeigt. »Weg« bedeutet, daß jeder Schritt den vorhergehenden voraussetzt und den nächsten vorbereitet; daß die Bewegung Richtung hat, auf ein Ziel zu, bei welchem der Gehende endlich anlangt; daß man müde werden kann, aber auch ruhen; richtig gehen und auch falsch.
»Weg« ist eine Grundfigur, nach welcher alles Geschehen aufgefaßt wird. Wenn da eine Pflanze wächst: erst ist sie ein Samenkorn, dann wird sie zum Keimling, dann formt sie sich weiter, Stufe um Stufe – ist das nicht auch Weg? Weg im Wachstum und im Wandel der Gestalt? Auch hier bereitet ein Vorhergehendes ein Nachfolgendes vor. Das Zweite seinerseits ruht auf dem Ersten, und ist Schritt zum nachher Kommenden. Nichts steht für sich allein; alles ist Glied eines Zusammenhangs. Auch eine Richtung ist da: die auf das Werden dieser Pflanze zu, und nicht einer anderen; Gefährdung ist da und Gelingen, und so fort.
Auch in einer Arbeit ist Weg: ich fange an; dann gehe ich von Abschnitt zu Abschnitt weiter. Ich kann nicht zuerst tun, was Zweites ist. Jedes wird vom Vorhergehenden vorbereitet und macht seinerseits, daß das Folgende verwirklicht werden könne. Auch Richtung ist darin, auf ein Ziel zu, nämlich das fertige Werk; Müde-werden und Ausruhen; Gefahr und Überwindung.
Weg ist auch in einer persönlichen Begegnung. Ich treffe einen Menschen – schon liegt ein langer Weg dahinten, denn

ich komme aus meinem Leben her, er aus dem seinen, und jeder hat sein Schicksal gehabt. Dann geschieht Begegnung; das Gemüt erfährt einen Eindruck; ein Interesse erwacht, ein Vertrauen entsteht, und es entwickelt sich, von Mal zu Mal, was da werden soll- eine Freundschaft, eine Werkgemeinschaft, eine Liebe, samt allem, was es darin an Krisen und Überwindungen, an Erfüllung und Enttäuschung gibt.

Der Weg ist ein Ur-Bild: Weise, wie das Endliche sich in Zeit und Raum verwirklicht. Es taucht überall auf, in Weisheit und Dichtung, in Mythos und Traum. Dieses Bild braucht der Psalm als Ausdruck für das Tun des Menschen.
Zuerst spricht er vom falschen Weg. Denn wenn es den rechten Weg gibt, gibt es auch den verkehrten; zum Gehen gehört die Möglichkeit des Irrens. Der Mensch, der hier spricht, weiß davon; er lebt ja in Palästina und ist Nachbar der Wüste. Wie sieht aber der Irr-Weg aus?
Er besteht im Tun jenes Menschen, »der dem Rat der Gottlosen folgt, der Sünder Weg betritt, im Kreise der Spötter sitzt«. Wenn einer zum Zögernden sagt: Sei nicht dumm; nimm deinen Vorteil wahr; alle tun es, und wenn du dich richtig anstellst, merkt es schon keiner – wenn der so Beratene sich darauf einläßt, geht er den falschen Weg ... Das Gleiche tut, wer sich der heiligen Wahrheit überlegen dünkt; es besser zu wissen meint als sie, weil dieser Philosoph, jener Schriftsteller so sagt; wer sich über die altmodischen Vorurteile lustig macht, weil er doch das Leben kenne und ein Realist sei.
Inwiefern ist das »Weg«? Nehmen wir an, jemand lasse sich auf die Möglichkeit eines unehrlichen Gewinns ein. Das ist beim ersten Mal schwer. Er muß sein Gewissen zum Schweigen bringen; muß die Widerstände überwinden, die durch gute Erziehung und rechte Berufssitte aufgebaut worden sind. Das nächste Mal geht es schon leichter, weil ein Zusammenhang entstanden ist, der im Abnehmen des Widerstandes besteht; in der Leichtigkeit, dem Impuls zu folgen.

Eine Art Gefälle hat sich gebildet, auf die Unehrlichkeit hin. Das ist Weg.
Kein schlechtes Tun steht nur im Augenblick; immer ist etwas vorausgegangen, und etwas folgt. Noch dem schlimmsten Verfallensein – an Unordnung und Unwahrheit, an die Leidenschaft, an den Haß – ist etwas vorausgegangen, und dem wieder etwas, und diesem ein Früheres, und zuerst war ein Beginn. Nachher war alles Schritt; jeder hat Weg geschaffen; hat ihn breiter, glatter, abschüssiger gemacht.

Dann aber spricht der Psalm vom guten Weg; tut es so, daß er sagt, der Mensch, der ihn gehe, habe »Freude am Gesetz des Herrn«. Es gibt eine Art, das Gute anzusehen, die schon die Wahrscheinlichkeit enthält, man werde es nicht tun – daß man nämlich nur denkt: Ich soll. Daß man es nur als Pflicht versteht. Natürlich ist das Tun des Guten Pflicht, die man erfüllen »soll«, aber das bildet nur die eine Seite seines Wesens; die andere besteht darin, daß das Gute etwas Großes ist, und man es tun »darf«. Wir Menschen haben von Gott die Möglichkeit erhalten, das Gute tun zu können; das wunderbare Recht, es tun zu dürfen. Das zu wissen, ist mit der »Freude am Gesetz des Herrn« gemeint. Wer Gottes Willen nur als Joch versteht, das getragen werden muß, der sieht nicht, wie das Gute leuchtet.
Weiter wird gesagt, den guten Weg gehe »der Mann, der bei Tag und bei Nacht sinnt über Gottes Gesetz«. Bei Tag und bei Nacht – lassen wir doch, jeder von uns, einmal einen Gedanken ehrlicher Selbstprüfung zu: Wieviel Mühe gebe ich mir, das Gute zu verstehen? Wieviel Zeit verwende ich darauf, zu erkennen, was in meinem Leben recht ist und was falsch? Welchen Bruchteil auch nur jener Aufmerksamkeit, die ich Tag für Tag der Zeitung gebe, verwende ich darauf? Müssen wir nicht antworten: So gut wie nichts? Wie sieht es da mit unserem Weg aus?

Und nun die beiden anderen Bilder, beide schön und groß.

Das eine sagt: Der den guten Weg geht – und nun ist das Bild des Weges verlassen, und ein anderes aufgerufen – »wird wie ein Baum, an Wasserbächen gepflanzt«.

Wir denken an den Orient, wo die Sonne brennt und alles Grün zerstört; an einem Bach aber – selbst schon eine Kostbarkeit für den Menschen dieser Länder – steht ein Baum, dessen Wurzeln in die feuchte Tiefe hinuntergreifen und reiche Nahrung saugen. Der Stamm wächst auf, wie eine Säule der Festigkeit; die Zweige breiten sich aus, grünen und blühen und fruchten ...

Auch das ist ein Ur-Bild. Erinnern wir uns an den Lebensbaum, der in Mythos und Märchen erscheint und jenes Dasein bedeutet, das Stand und Gestalt hat; mit seinen Wurzeln dort hinreicht, wo die Quellen sind; blüht und Frucht trägt. So ist der Mensch, der in Gottes Wahrheit wurzelt und reiche Lebensfrucht bringt – »in Geduld«, wie der Herr sagen wird, stetig und nicht zu ermüden.

Diesem Bild wird für den Menschen, der den falschen Weg geht, ein drittes gegenübergestellt: »Nicht also die Gottlosen, nein, nicht so, wie Spreu sind sie, die der Wind verweht.«

Wenn der palästinensische Bauer das Getreide geerntet hat, bringt er es auf die Tenne. Die liegt hoch, so, daß der Wind über sie hinwehen kann. Das Getreide wird gedroschen, das Stroh herausgeholt, und nun liegt der Rest da, ein Gemenge von Körnern und Spreu. Dann nimmt der Bauer die Wurfschaufel und wirft den Drusch quer durch den Wind hindurch. Die schweren Körner kommen drüben auf dem Haufen an, der immer höher ansteigt, die Spreu hingegen wird durch den Wind zur Seite geweht, zusammengefegt und verbrannt.

So das Bild, und nun dessen Sinn: der den falschen Weg geht, wird nicht wie reifes, schweres Korn, fest geformt und voll von Leben, sondern wie die Spreu, die leer und dürr ist, von jedem Winde weggeweht und zu nichts gut, als in kurzer Flamme zu verbrennen.

Wie reich ist der einfache Psalm! Nur sechs Verse bauen ihn auf; aber wie sind sie dicht an Gestalt und voll von Sinn Freilich muß man ihn erforschen.
Man muß fragen; nur der beharrlich Fragende erhält Antwort. Gewiß, es gibt Fragen, die keine bekommen – dann, wenn der Befragte keine weiß, wie so oft, wenn er ein Mensch ist. Hier redet aber Gott. Wenn der Ernst des Gewissens wirklich Antwort will, und das Herz bereit ist, sie anzunehmen, dann kommt sie.

Sobald man den Psalm vernimmt, stellen sich auch Erinnerungen an das Neue Testament ein.
Etwa an das, was Johannes der Täufer vom Messias sagt: »Der nach mir kommt, ist stärker als ich. Ich bin nicht gut genug, Ihm die Riemen seiner Schuhe zu lösen. Er aber wird euch taufen mit Heiligem Geist und mit Feuer.« Und weiter: »Er hat die Wurfschaufel in der Hand und wird die Tenne reinigen. Er wird seinen Weizen in die Scheuer bringen; die Spreu aber verbrennen mit Feuer, das niemand löscht.« (Mt 3,11 f) Das Bild des Psalms! Christus ist Jener, der die Frucht sondert und wägt; das Gutgewichtige in die Ewigkeit trägt, das Leere aber der Verwehung preisgibt.
Vom gleichen Christus wird auch das andere Bild gesagt – nein, Er sagt es selbst: »Ich bin der Weg!« Das heißt einmal: »Ich zeige ihn«; durch Gebot und Weisung. Darüber hinaus aber meint es, daß Er selbst der Weg ist; in Dingen des Heils das ist, was in Dingen des Verkehrs die Straße und der Pfad. Daher jeder, der sich gegen Christus stellt, die rechte Richtung verliert – jene, die zum Vater führt. Gott, der lebendige Vater, steht nicht auf dem Markt, so daß jeder Ihn sichten und fassen könnte. Er ist nicht einfachhin verfügbar, weder für das religiöse Bedürfnis noch das selbstherrliche Denken. Sondern Er ist der verborgene Gott; und Christus hat ausdrücklich gesagt: »Niemand kommt zum Vater, es sei denn durch Mich!« (Joh 14,6) Zum Vater kommen wir nur durch Jenen, den der gleiche Vater zu uns gesandt hat: indem

wir mit Ihm leben; Er in uns eingeht und wir in Ihn; Er uns Licht wird und Kraft und Speise. Er ist der Weg. Wer den nicht gehen will, endet anderswo, als er gewollt hat.

Auf die Frage nach dem wirklichen Gott antwortet Paulus, Er sei »der Gott und Vater Jesu Christi« (Röm 15,6). Keine vom freien Erleben und Erdenken erreichbare Göttlichkeit, sondern Jener, den Jesus meint, wenn Er sagt: »Mein Vater.« Dieser, und nur Dieser. »Wer mich sieht, sieht den Vater«, hat Christus gesagt. Er ist Epiphanie des Vaters und gibt das Auge, den Vater zu schauen (Joh 14,9). Alles andere führt in die Irre.
Das ist so, ob es uns gefällt oder nicht. Jeder würde es für Torheit halten, eine Stadt, die im Süden liegt, so erreichen zu wollen, daß er nach Norden ginge. Die Unerbittlichkeit, welche den Weg zum Vater bestimmt, ist von noch ganz anderer, von absoluter Strenge.

Der Lebendige Gott

Psalm 113 (114)

Der einhundertunddreizehnte Psalm ist von einem Geschehen beherrscht, das sich tief in das Gedächtnis des berufenen Volkes eingegraben hat: der Befreiung aus der Knechtschaft in Ägypten und dem langen Zug durch die Wüste ins versprochene Land. Er beginnt mit den Worten:

> Als Israel aus Ägypten zog,
> Jakobs Stamm aus dem fremden Volk,
>
> ward Juda zu Gottes Heiligtum,
> zu Seinem Reiche ward Israel.

Vorher war Israel Eigentum seiner Zwingherren gewesen und hatte Frondienst für sie tun müssen; mitbauen an den Städten und Festungen Ägyptens, an den Tempeln seiner Götter und den Pyramiden seiner Herrscher. Jetzt wurde es zum »Heiligtum Gottes«, zum Herrschafts- und Wohnreich Dessen, der es berufen. Befreiung und Wüstenzug haben sich unauslöschlich in das Bewußtsein des Volkes eingeprägt; wir begegnen ihren Spuren in den Schriften des Alten Testamentes immer wieder. Was hat aber gemacht, daß sie ihm derart ins Gemüt gegangen sind?

Vor allem bedeutet jene Zeit die heroische Epoche seiner Geschichte; den Zusammenschluß der verschiedenen Stämme zur Einheit des Volkes, umwittert von Gefahren, Kämpfen und großen Taten ... Dann ist da aber noch etwas anderes, und wir müssen uns dessen Bedeutung ganz klar machen, weil wir sonst die Eigenart dieses Volksdaseins nicht verstehen.

Am Sinai, wo »der Herr mit Moses von Angesicht zu Angesicht geredet« hat, so, »wie jemand mit seinem Freunde redet« – im tiefen Bewußtsein dieser Huld sagt der Berufene zu Gott: »Wenn Du nicht in Person mitziehst, dann laß uns lieber überhaupt nicht weiterziehen. Woran soll man denn erkennen, daß ich Gnade in Deinen Augen gefunden habe, ich und Dein Volk, wenn nicht daran, daß Du mit uns ziehst, und wir, ich und Dein Volk, dadurch vor allen anderen Völkern auf Erden ausgezeichnet werden?« Gott aber erwidert: »Auch das, wonach du soeben begehrt hast, will Ich tun; denn du hast Gnade in meinen Augen gefunden, und Ich kenne dich mit Namen!« (Ex 33,11.15-16.17) So wird denn auch immer wieder gesagt, der Herr sei »vor ihnen hergezogen«, und dieses Vorausziehen Gottes vor seinem Volke hatte ein geheimnisvoll-gewaltiges Zeichen: die heilige Wolke.

Im gleichen Buche Exodus heißt es: »Die Wolke bedeckte das Begegnungszelt, und des Herrn Lichtglanz erfüllte die Wohnstätte. Moses war nicht im Stande, in das Begegnungszelt hineinzugehen; denn es lagerte darauf die Wolke, und des Herren Herrlichkeit erfüllte die Wohnung. Wenn sich nun die Wolke von der Wohnstätte hinweg erhob, dann machten sich die Israeliten, Abteilung um Abteilung, auf den Weg. Erhob sich aber die Wolke nicht, so brachen sie auch nicht auf, bis zu dem Zeitpunkt, da sie sich wiederum erhob. Denn die Wolke des Herrn war über der Wohnstätte des Herrn am Tage; des Nachts aber war Feuer darin, vor den Augen des gesamten Hauses Israel während all seiner Wanderungen.« (40,34–38)
Gott wohnt unter ihnen. In einem Zelt, wie sie selbst. Freilich durch strenges Gebot von frevelnder Annäherung geschieden. Die »Wolke« aber ist Zeichen seiner führenden Macht.

Doch was bedeutet das, wenn gesagt wird, Gott sei mit diesem Volke gewandert; Er habe unter ihm gewohnt; Er habe durch den Mund des Moses Weisungen gegeben und Recht gesprochen, seine Kämpfe gekämpft und für seine Lebensnotdurft gesorgt?

Wenn man Einem, der damals dabei gewesen, eingewendet hätte: Gott ist doch überall; wie kann Er da unter euch gewohnt haben und vor euch hergezogen sein? – dann hätte der wohl erwidert: Ich weiß, Er regiert die Welt, und was überall geschieht, geschieht durch Ihn. Aber Er war bei uns wie bei niemandem sonst, und ist mit uns gezogen, und hat über uns Recht gesprochen, und wenn wir kämpfen mußten, war Er es, der den Feind besiegte. Das haben wir erfahren, und es war so wirklich, wie daß die Sonne am Himmel ihre Bahn zog, und der Erdboden unsere Füße trug.

Hier ist ein Geheimnis, das sich durch die ganze Geschichte der Offenbarung erstreckt: Gott, der einfachhin ist, und darum auch an allen Orten und zu jeder Zeit, kann in eine bestimmte Stunde der Geschichte eintreten, und Er hat es auch wirklich getan. Das bedeutet nicht nur, daß man Ihn als Nähe erlebt hätte, oder seine Hilfe wirksam geworden wäre; durch solche Erklärungen würde das Eigentliche nur verwischt. Es ist vielmehr genau das gemeint, was jeden Rationalisten stößt: ein ausdrückliches Eingehen Gottes in die Endlichkeit, in Ort und Stunde, das sich dann, »in der Fülle der Zeit«, durch die Menschwerdung des Sohnes Gottes vollendete, so daß man sagen konnte – nein, sagen mußte, sie sei an diesem Orte geschehen und nicht anderswo; in diesem Jahr, nicht in einem früheren oder späteren; Er sei dieses Weges gegangen, und habe zu diesen bestimmten Leuten gesprochen ...

Ein großes Geheimnis, das aber zum Kern des christlichen Glaubens gehört. Es hat begonnen, als Gott sich seinem Volke nahte, in ausdrücklichem Kommen, wunderbar und furchtbar, und auf dem Sinai seinen Bund mit ihm schloß. Es vollzog sich auf der langen Wanderung durch die Wüste. Und als diese ihr Ziel erreicht hatte, verwirklichte es sich im Tempel zu Jerusalem. Darin hat Gott gewohnt; nicht nur psychologisch erlebt, sondern wirklich, lebendig, persönlich dort wellend.

Diese Gegenwärtigkeit Gottes war die Ursache, warum der Zug durch die Wüste, und was auf ihm geschah, so tief ins Gedächtnis des Volkes Israel eingegangen ist. Von diesem Ungeheuren war alles umwittert und von ewiger Bedeutung erfüllt.

Jetzt verstehen wir die Atmosphäre der nächsten Verse:

> Das Meer sah es und floh,
> der Jordan wandte den Lauf zurück.
>
> Die Berge sprangen, den Widdern gleich,
> den Lämmern gleich die Hügel.
>
> Was ist dir, Meer, daß du fliehst?
> dir, Jordan, daß du wendest den Lauf zurück?
>
> ihr Berge, daß ihr springet, den Widdern gleich,
> den Lämmern gleich, ihr Hügel?
>
> Erbebe, Erde, vor dem Antlitz des Herrn,
> vor dem Antlitz von Jakobs Gott,
>
> der den Felsen verwandelt in Wasserflut,
> in strömende Quellen den Stein.

Wovon da erzählt wird, ist der Zug durch das Rote Meer zu Anfang der Wanderung und der Übergang über den Jordan an ihrem Ende. Dann ist die Rede von erdbebenartigen Ereignissen, vielleicht der Erschütterung des Sinai durch die Gotteserscheinung, wie sie im neunzehnten Kapitel des Buches Exodus berichtet wird. Endlich von jener Durstnot in der Wüste, für die Moses auf Gottes Geheiß das Wasser aus dem Felsen schlug (Ex 17,2ff).

Alles ist von der Atmosphäre des Geheimnisses umgeben: das Meer »flieht«; der Jordan »weicht zurück«; die Berge »sprin-

gen«. Das sind nicht nur dichterische Bilder, sondern Ausdruck für das Ungeheure, das damals waltete.
So erhebt sich der Lobpreis:

> Nicht uns, o Herr, nicht uns,
> nein, Deinem Namen die Ehre,
> um Deiner Gnade willen und Deiner Treue.
>
> Was sollen die Helden sprechen:
> »Wo ist ihr Gott?«
>
> Im Himmel ist unser Gott –
> alles, was Ihm gefiel, hat Er vollbracht.

Was da geschehen ist, soll seinen richtigen Ort haben. Der Verfasser des Psalms will kein Heldenlied schreiben. Ihm geht es nicht um nationale Größe, oder um den Ruhm hervorragender Persönlichkeiten aus der Geschichte Israels: eines Moses, oder Saul, oder David, wenngleich das alles natürlich mitspielt, denn er ist Mensch und erzählt von Menschengeschichte. Das Eigentliche aber, was er verkündet, ist die Ehre Gottes, und was er sagt, ist Gebet und Bekenntnis.
Israel spielt in der Geschichte der Völker eine eigentümliche Rolle. Das ihm zugewiesene Schicksal – in diesen Meditationen ist auch anderwärts davon die Rede – war groß und hart zugleich. Es stand nicht auf eigener Kraft, aber auch nicht auf Freundschaften und Bündnissen mit anderen Nationen. Zwischen ihm und allen sonst, mochten sie ihm anlagemäßig auch noch so verwandt sein, erhob sich immer die unerbittliche Grenze des Herausgerufenseins durch Den, der kein Numen geschichtlicher Volkheiten, sondern Jener war, der am Horeb jede Benennung von der Welt her zurückgewiesen und auf die Frage des Moses nach Seinem Namen geantwortet hatte: »Ich bin der Ich-bin.« (Ex 3,14)
Israel war Sein Volk. Es sollte keine andere Wesensbestimmung haben. Alle anderen Völker waren »Heiden«, die sich

zur religiösen Bestätigung ihrer naturhaften Geschichtlichkeit ihre jeweiligen Gottheiten schufen, ägyptische und babylonische, persische und syrische, griechische, römische und germanische. Diese waren auf Sein und Nichtsein an das Leben ihrer Gläubigen gebunden. Geht das ägyptische Volk unter, dann erlöschen auch seine Götter; stirbt das assyrische, dann sind alle Tempel und heiligen Bezirke leer. Israels Gott aber thront »im Himmel«, jenseits der Erdendinge, wenn Er auch, heilige Geschichte führend, »in Person« mit dem Volke zieht, das Er berufen, nein, das Er durch seine Einwohnung zum Volke gemacht hat. Die Götter der Heiden »bestehen« und »wollen«, wie sie müssen, weil sie nichts anderes sind als der religiöse Ausdruck von Weltmächten. Er aber ist der Herr; Herr seiner selbst und darum Herr alles Seienden, und »vollbringt«, was Ihm gefällt.

In der Zeit, von welcher der Psalm spricht, ist dem berufenen Volke etwas Besonderes geschehen. Es ist physisch aus der politischen Knechtschaft ausgewandert – hat das aber auch geistig getan, und zwar aus der Welt des Heidentums. Als es durch den Ruf Gottes getroffen wurde, sich aus der jahrhundertlang gewohnten Umgebung löste und in die Gefahren der Wüste zog, erfuhr es auch, wer der Geheimnisvoll- Gewaltige war, durch dessen Befehl es geführt, und von dessen Nähe es umgeben war.
Israel hatte wahrlich Gelegenheit gehabt, zu sehen, was »Götter« sind; in Ägypten mit seinen uralten Mythologien, seinen ungeheuren Tempelanlagen, seinen unzähligen Bildwerken; herrlichen Gestaltungen menschlichen Könnens, zugleich aber auch eine einzige Verleugnung des wahren Herrn der Welt. Es hatte die magische Macht dieser Welt erfahren – nun erfuhr es die herrscherliche Wirklichkeit des Lebendigen, die glühende Heiligkeit Seiner Nähe. Jetzt wußte es den Unterschied.
Die gläubige Existenz beginnt mit der Unterscheidung zwischen den Mächtigkeiten von Natur und Menschenwerk auf

der einen Seite und Jenem, »Der da ist« auf der anderen. Diese Unterscheidung wird hier vollzogen; so scharf, so alle Zweideutigkeit durchschneidend, daß sie ihren Ausdruck in Worten von großartiger Naivität findet:

Doch ihre Götzen sind Silber und Gold,
Werke von Menschenhand.

Sie haben Lippen und reden nicht,
haben Augen und können nicht sehn;

sie haben Ohren und hören nicht,
eine Nase und können nicht riechen.

Sie haben Hände und tasten nicht,
haben Füße und gehen nicht,
aus ihrer Kehle geben sie keinen Laut.

Diese Gestalten, vom künstlerischen Standpunkt aus oft herrlich, für das unmittelbare Gefühl von magischer Mächtigkeit – sie werden in den Augen dessen, der da redet, wie nackt: »Werke von Menschenhand«.
Bei den Propheten findet sich für die Götter ein Wort, das sie gleichsam auslöscht: sie sind »Nichtse«; das Nichts in Figuren. Isaias sagt: »Ihr Land ist von Götzen voll, unzählbar sind ihre Bilder ... Doch diese Götzen verschwinden ganz und gar.« (2,8.18) Und Jeremias: »Hat je ein Volk seine Götter vertauscht, die nicht einmal Götter sind? Mein Volk aber hat seine Ehre vertauscht gegen ein ohnmächtiges Etwas!« (2,11) Gewiß sind sie nicht Null; in ihren Bildern gestaltet sich religiöse Weltmächtigkeit und oft tiefe Welterfahrung. Aber der Blick, den die Begegnung mit dem Lebendigen Gott gibt, geht auf den Kern. Er schaut durch alles hindurch, was der Mensch religiös, philosophisch, ästhetisch, politisch und wie immer zum Gottesbilde macht, und sieht: Das ist nichts, was in sich wirklich wäre; »es entschwindet«.
So grotesk wird der Widerspruch zwischen der angemaßten Majestät und der realen Ohnmacht; zwischen dem Aufwand

an Denkwerk, Kunst, Feierlichkeit auf der einen Seite und der inneren Leere der Göttergestalten, denen er gilt, auf der anderen, daß der Psalm anfängt, über sie zu höhnen: Sie haben Augen und sehen nicht; haben Ohren und hören nicht - nichts sind sie! Der heutige Gebildete empört sich über solche Reden. Er empfindet darin Kulturlosigkeit und Fanatismus. Es steht auch gewiß nicht jedem zu, so zu sprechen; der es aber hier tut, hat die große Erfahrung gemacht, von welcher der ungläubige Kulturmensch nichts weiß, und die doch alles entscheidet. Von ihr her hat er göttlich recht.
Die ganze Geschichte des berufenen Volkes ist von dieser Grunderfahrung beherrscht. Sie bedeutet noch nicht, daß nun alle fromm und gehorsam gewesen wären. Die Einen waren es, die Anderen nicht, vielleicht Viele nicht. Es hat unter ihnen sehr schlimme Zustände gegeben, Faustrecht, Zwietracht, Sittenverderbnis, Gottlosigkeit – die Propheten beben vor Empörung darüber. Für das Ganze des volksgeschichtlichen Bewußtseins aber war Gott lebendige Wirklichkeit, während ringsum Göttergestalten und Göttermythen die Welt erfüllten, oft geformt durch große Kunst, gedeutet durch tiefe Weisheit, im Letzten aber ein Nichts.

Weiter heißt es:

> Ihnen gleich sollen werden, die sie machen,
> jeder, der auf sie sein Vertrauen setzt.

Der Vers soll uns am Ende unserer Betrachtung noch besonders beschäftigen; so lassen wir ihn fürs erste noch stehen. Dann fährt der Psalm fort:

> Israels Haus vertraut auf den Herrn,
> Er ist sein Helfer und Schild.

> Aarons Haus vertraut auf den Herrn,
> Er ist sein Helfer und Schild.

> Alle, welche den Herren fürchten, vertraun auf den Herrn,
> Er ist ihr Helfer und Schild.

Gegenüber den leeren Göttern und Götzen erhebt sich der Lebendige, der sich dem berufenen Volk auf dem Sinai offenbart hat; »der Herr«, der keines Dings bedarf; der von keinem Volke abhängt, aber in freier Gnade eines berufen hat, daß es sein Volk sei, und Er sein Gott, und Er im Gang der heiligen Geschichte von ihm aus allen Völkern das Heil bringe. Auf Ihn vertraut »das Haus Israel«, »das Haus Aaron«, zwei Stämme des Volkes, genannt für alle anderen.
Auf ihn vertrauen »alle, die den Herrn fürchten«. Das heißt nicht, sich vor Ihm zu fürchten, sondern in Ihm den Heiligen zu erfahren; den Unnahbaren und doch Genahten; den Allein-Wirklichen, der seine furchtbare Macht den Seinen in Gnade zuwendet. Darum vor allem zurückschrecken, was Ihm widerspricht; zugleich aber Ihm vertrauen, grenzenlos, über alle endlichen Mächte hinweg.
Von Ihm kommt dann auch der »Segen«. Wirklich segnen kann nur, wer erschaffen kann. Gottes Segnen ist gleichsam eine Fortsetzung des Erschaffens in die Zeit hinein. Es macht, daß das, was geworden ist, Bestand habe; daß das Werdende gedeihe; das Lebendige fruchtbar werde.

> Der Herr ist unser gedenk –
> segnen wird Er uns.
>
> Segnen wird Er Haus Israel,
> segnen Aarons Haus.
>
> Segnen wird Er jene, welche Ihn fürchten,
> die Kleinen, wie die Großen.

Dieser Segen kommt aus heiliger Tiefe; aus der Innerlichkeit Gottes, wenn man so sagen darf; aus seiner Gesinntheit gegen die Seinen, deren Er »gedenkt«; die Er nicht vergißt, sondern ohne Wandel gegenwärtig hält.

Und nun tritt der meditierenden und betenden Rede eine andere entgegen; wie man wohl annehmen muß, aus Handlung heraus. Ein Träger von Vollmacht, vielleicht ein Priester, nimmt gleichsam das Segnen Gottes in seine Befugnis und spricht es in liturgischen Worten aus:

> Wachsen läßt euch der Herr,
> euch und eure Kinder.
>
> Und seid gesegnet vom Herrn,
> der Himmel und Erde geschaffen.

Darauf antwortet der Chor der also Bedachten:

> Der Himmel ist Himmel des Herrn,
> die Erde aber hat Er den Menschen gegeben.
>
> Nicht Tote loben den Herrn,
> noch irgend einer, der zur Tiefe hinabgestiegen.
>
> Wir aber preisen den Herrn
> jetzt und in Ewigkeit.

Wieder der Hinweis auf Gottes unzugängliche Majestät: der Himmel ist sein Ihm vorbehaltenes Reich; Er hat aber auch den Menschen ein Reich gegeben: die Erde.
Ein tiefes Gefühl bricht durch: auf der Erde Raum und Recht zu haben, für Leben und Werk. Die hier reden, werden der Wurzeln ihres Seins inne. Die liegen in der Erde; Gott hat sie hineingesenkt. Das Gefühl ist um so tiefer, als der Mensch, der hier redet, noch kein wirkliches Bewußtsein ewigen Lebens hat. Der Tod löscht zwar nicht aus, er bedeutet jedoch ein »Hinabsteigen zur Tiefe«, in ein Schattenreich unter der Erde. So sammelt sich das ganze Gefühl von Sein, Leben, Welterfassung, Werk in die Frist, die auf Erden

gewährt ist. Es bedarf aber keiner besonderen Betonung, daß das nichts mit Materialismus zu tun hat. Es hat vielmehr eine besondere Bedeutung im Zusammenhang der Heilsordnung, über die wir hier nicht sprechen können.

Doch kehren wir nun zu dem Vers zurück, den wir uns aufgespart haben, und der von den Göttern und Götterbildern der Helden sagt:

> Ihnen gleich sollen werden, die sie machen,
> jeder, der auf sie sein Vertrauen setzt.

Ein furchtbarer Satz – besonders angesichts des Ästhetizismus und der Leichtfertigkeit, mit der man heute von »Göttern« redet. Wir müssen ihn von dem Hintergrund jener Worte her verstehen, welche die Gründungsurkunde des menschlichen Wesens bilden. Sie stehen in der Genesis, im ersten Kapitel, und lauten: »Gott sprach: Lasset uns den Menschen machen nach unserem Bilde!« (1,26f) Da schuf Gott, der selbst über allen Bildern ist, ein Wesen, in welchem Seine Herrlichkeit erscheint. Er übersetzt – wenn man sich so ausdrücken darf – Seine unendliche, durch nichts zu umschreibende Wesensfülle in ein endliches Bild, und das ist der Mensch.

Der Mensch ist Gott ebenbildlich; worin besteht aber diese Ebenbildlichkeit? Die Schrift bestimmt sie so, daß sie sagt, Gott selbst herrsche, und Er habe dem Menschen gegeben, es auch zu tun. Dieses »auch« muß recht verstanden werden: Gott herrscht von Wesen, weil Er Gott ist; der Mensch aber von Gnaden, weil Gott ihm schenkt, es zu können. Er steht im Gehorsam zu Gott; von daher gehorcht ihm die Welt. Erkennend, urteilend, handelnd, gestaltend formt er die Welt zu seinem Reich; und da er selbst im Dienst des höchsten Herrn steht, wird es dadurch Reich Gottes. Das ist die Ebenbildlichkeit.

Wäre der Mensch darin verharrt, so wäre er Gott immer

»ähnlicher« geworden. Immer vollkommener hätte er die Welt zu eigen genommen und sie in immer reinerer Liebe Gott zurückgegeben. Er hat sich aber empört; hat von eigenen Gnaden herrschen; hat die Welt für sich selbst haben wollen. Das Ergebnis war, daß er der Welt verfiel. Er hat den wahren Herrn verraten; dafür ist die Welt sein Gott geworden. Ausdruck davon sind die Götter: Verdichtungen der Macht, welche die Welt über den Menschen gewann, als er von Gott abfiel. So ist der Mensch, der Gottes Ebenbild sein sollte, den Göttern ähnlich geworden. Was das aber bedeutet, mag deutlicher werden, wenn man nicht nur auf Apollon und Athene, sondern auch auf die dunklen, und die furchtbaren, und die scheußlichen Gestalten blickt, denen die Menschen göttliche Ehre erwiesen haben. Dann wird der Blick ernüchtert genug, um auch in den glänzendsten Olympiern die leere Kälte, das anonyme »Es« zu sehen. –

Das ist eine Wahrheit, die wir an uns heranlassen müssen. Was der Mensch ist, wird letztlich nicht von ihm selbst, sondern von der Göttlichkeit her bestimmt, an die er glaubt. Rationalisten pflegen zu sagen, der Mensch denke sich das Göttliche so, wie sein Charakter, sein Temperament, seine Lebensbedürfnisse es wünschten. Das spricht mit, gewiß; im Eigentlichen verhält es sich aber umgekehrt: so, wie das Göttliche ist, an das der Mensch glaubt, so wird er selbst. Und wenn er an gar keines glaubt, dann ist es dieses Garnichts, was sein Innerstes bestimmt.
Wenn der Mensch sich zum Beispiel bewußt ist, Gott habe ihn durch seinen Anruf geschaffen, so daß er von Wesen Angerufener ist; wenn er die verschiedenen Situationen seines Lebens als Weisen ansieht, wie dieser Anruf dringlich wird, sein eigenes Tun aber als Antworten, die er darauf gibt – dann wird der Kern seiner Person immer fester, sicherer und freier; sein Wesen immer reicher und ewigkeitshaltiger.
Denkt er aber Gott so, wie der Pantheismus es tut, als den All-Geist, oder das Urgeheimnis, oder den Wesensgrund der

Welt, dann ist da kein reines und verpflichtendes Du, sondern nur eine verschwimmende Unbestimmtheit. Dann geht die Unbestimmtheit auch in sein innerstes Wesen, und er verliert die Fähigkeit, in den entscheidenden Fragen des Daseins klar Ja oder Nein; so und nicht anders zu sagen ...
Und wenn er wieder ins Mythische zurück will, wie in den zwölf Jahren des Unsinns, als die germanischen Götter aufleben sollten; oder wie bei Philosophen und Ästheten, die behaupten, die griechischen Götter seien für sie gültige Wirklichkeit, dann kommt in den Menschen der absolute Unernst, denn die Götter sind »Nichtse«, in welcher Form sie auch auftauchen mögen, politisch, oder philosophisch, oder ästhetisch ...
Wenn aber vollends das Göttliche überhaupt geleugnet und ausgerottet wird, der radikale Positivismus oder Materialismus herrscht, dann entsteht in der Tiefe des Menschen eine böse Leere. Sie wird zwar vom Zwang der Macht, vom Getöse des Fortschritts, vom Schein des Wohlstands überdeckt, aber sie ist da, macht den Menschen zu innerst wehrlos, und die Gewalt des Staates kann zugreifen.
Der Gott, an den wir glauben, der Lebendige und Freie, ist unser Halt und Schutz; vergessen wir das nicht. Im Maße Er aus dem Bewußtsein des Menschen verschwindet, verdirbt dessen Wesen. Er weiß nicht mehr, wer er ist. Seine Wissenschaft mag noch so exakt, seine Technik noch so fortgeschritten, seine Kultur noch so verfeinert sein – in Wahrheit wird er ortlos und haltlos, jeder Lüge und jeder Gewalt preisgegeben. Es ist genau so, wie der Psalm sagt: Der Mensch wird, wie der Gott ist, an den er glaubt.
Das ist die ungeheure Erfahrung, die aus unserem Psalm redet. Das Volk, das in Ägypten war und dort erlebt hat, was Götter sind, wird inne, wer der Lebendige Gott ist.
Das geht uns an! Die Grund-Entscheidung unseres Lebens besteht darin, ob wir erkennen, wer Er ist, angesichts der Göttlichkeiten und Gottlosigkeiten in Politik und Kultur und Dichtung und wo immer. Nur, weil Gott ihn in sein Wesen

begründet hat, ist der Mensch, was er ist. Nur sich selbst von Gott empfangend, bleibt er seiner selbst gewiß. Nur im Angerufensein durch Gott kann er überhaupt sprechen: Ich. Denn sein ganzes Dasein ist nichts anderes als die Antwort auf den schaffenden Anruf: »Du, sei!«

Jubel dem König

Psalm 95 (96)

Eine charakteristische Gruppe unter den Psalmen ist die der Königspsalmen – genauer gesagt, der Psalmen von »Gott, dem König«. Um sie zu verstehen, muß man bedenken, was den Kern des religiösen Bewußtseins der Gläubigen im Alten Testament bildete: die Tatsache nämlich, daß Gott mit diesem Volk in einer besonderen, nirgends sonst wiederkehrenden Weise Geschichte geführt hat. Wie ist das gegangen?
Das Alte Testament erzählt im zwölften Kapitel des Buches »Genesis«, wie Gott einen Mann namens Abram – später Abraham genannt - aus seinem Heimatlande herausruft und nach Kanaan führt. Sippe und Zugehörige wachsen an Zahl und Wohlstand heran; dann aber kommt eine schwere Zeit der Dürre und Hungersnot, und sie wandern in das Land der Zuflucht jener Zeit, Ägypten. Zuerst stehen sie in Gunst; dann ändert sich die Haltung von Herrscher und Volk, und sie geraten in Knechtschaft. Nach langer Zeit beruft Gott wieder einen Mann, Moses, und führt durch ihn das Volk in die Freiheit. Auf der Halbinsel Sinai aber geschieht etwas, das sich nur dieses eine Mal in der Geschichte zuträgt: Gott schließt mit dem Volke einen Bund.
Dieser Bund drückt sich in einem Gedanken aus, der oft wiederkehrt, so zum Beispiel im Buche Levitikus: »Mitten unter euch will ich wandeln, will euch Gott sein, und ihr sollt mein Volk sein!« (16,12) Der Satz muß in einem besonderen Sinn verstanden werden. Nicht so, wie jedes Volk ein Volk Gottes bildet, da Er der Schöpfer und Herr aller ist; auch nicht so, wie das mythische Bewußtsein von der Gottheit eines Volkes als von dessen Lebensgrund sprach. Sondern hier hebt etwas Außerordentliches an: Gott ruft dieses Volk

und will mit ihm Geschichte führen – eine Geschichte, deren Inhalt das Heil der Menschen ist, sich verwirklichend im Reiche Gottes.

Dem Volk Israel war Großes gewährt und auferlegt zugleich: ein Volk zu sein unter anderen Völkern; ein Land zu besitzen, eine Verfassung zu haben, eine Kultur zu schaffen, Kriege durchzustehen, wie jedes Volk sonst; das alles aber nicht unter jenen Führungen, unter denen alle Völker sonst leben – also der Weisheit von Herrschern, der Klugheit von Gesetzgebern, der Tüchtigkeit von Feldherrn, und so fort – das heißt, aus den normalen Initiativen, aus denen sonst Geschichte hervorgeht, sondern unter der unmittelbaren Führung Gottes, kundgetan durch die von Ihm Berufenen.
Es ist nicht leicht, sich klar zu machen, was das bedeutete. Nicht das, was die Kulturgeschichte unter »Theokratie« versteht. Die bedeutet eine Regierungsform, die sich auf primitiver Entwicklungsstufe findet. In ihr wird ein Volk bzw. ein Stamm, der die natürlichen politischen Werte und die entsprechenden Lebensformen noch nicht kennt, im Namen einer Gottheit von Priestern geleitet, um später zu oligarchischen oder monarchischen Formen fortzuschreiten. Hier handelt es sich um etwas anderes. Das ganze Leben dieses Volkes sollte ein Leben aus dem Glauben sein; einem Glauben aber, der sich nicht auf Wahrheiten richtete, die im Jenseits des Geheimnisses, sei's der Höhe, sei's der Innerlichkeit, standen, sondern auf Wirklichkeiten der Erde, der Geschichte. Ein Glaube, ein Vertrauen von einer, man ist versucht zu sagen, übermenschlichen Härte, beständig in Gefahr, an den Proben zu zerbrechen, in die er immerfort gestellt wurde.
Aus dieser Forderung mußte ein Konflikt nach dem anderen entstehen. Etwa urteilt der Feldherr Saul, es sei höchste Zeit, gegen das Philisterheer loszuschlagen. Der Prophet Samuel hingegen hat Gottes Weisung kundgetan, Saul solle warten,

bis er selbst das Opfer darbringen würde, kommt aber nicht, und das Heer beginnt sich aufzulösen (1 Sam 13,4ff) ... Oder der König Joakim urteilt, es sei politisch klug, sich mit der Großmacht Ägypten gegen die Babylonier zu verbünden, unter deren Oberhoheit der jüdische Staat steht. Der Befehl Gottes durch den Propheten Jeremias aber sagt: Nein, sondern bleibt im Bunde mit den Letzteren, obwohl sie euch bittere Demütigungen zugefügt haben (Jer 27) ... Die Ernte will eingebracht sein, jeder Tag ist nötig, aber das Sabbatgebot verbietet die Arbeit. Bis zu solchen Geboten, die aller Vernunft Hohn zu sprechen scheinen, wie das des Sabbatjahrs, das nach je sechs Jahren wiederkehrt, und in dem »das Land Feierzeit haben«, kein Acker bestellt, kein Rebstock beschnitten werden soll; verheißen ist aber, alle werden von dem, was frei wächst, hinreichende Nahrung haben (Lev 25,1 ff).
Wenn dann die natürliche Vernunft sagte, das sei doch Torheit, dann würde die Antwort lauten: Gott gebiete es und verbürge sich dafür, alles werde gut gehen.
Einen letzten Nachhall davon vernehmen wir wohl noch heute in der Verheißung, die dem Vierten Gebot angefügt ist: »Du sollst Vater und Mutter ehren, auf daß es dir wohlergehe, und du lange lebest auf Erden« – »lange lebest in dem Lande, das der Herr, dein Gott, dir geben wird«, hat es ursprünglich geheißen (Ex 20,12).

Damit aber eine solche Existenz möglich werde, muß dieses Volk eine besondere religiöse Erfahrung gehabt haben, nämlich das unmittelbare, lebendige Bewußtsein: Gott ist mit uns. Und das nicht so, wie jeder an Gott und seine Vorsehung Glaubende es meint, sondern in einem besonderen Sinne. Nachdem die Gesetzgebung auf dem Berge Sinai geschehen ist, und es Zeit wird, auf die lange Wüstenwanderung aufzubrechen, spricht Moses zu Gott ein seltsames Wort: »Wenn Du nicht persönlich mitziehst, dann laß uns lieber überhaupt nicht weiterziehen.« (Ex 33,15) Damit will er nicht sagen,

Gott solle mit seiner Gnade, sondern in persönlicher Ausdrücklichkeit bei ihnen sein, so, wie der Feldherr bei seinem Heer ist. Man versteht die alttestamentliche Existenz nicht, wenn man nicht in ihrem Kern das Bewußtsein einer unmittelbaren machthaften Gegenwart Gottes sieht; waltend, handelnd, Geschichte führend.
Besonders auf der langen Wanderung nun durch die Wüste muß es sich immer wieder ereignet haben, daß das Volk vom Innewerden dieser Gegenwart überflutet wurde, und der Königsjubel ausbrach; der Jubel über den Gott-König, der sich seinem Volk bezeugte. Aus solchem Erleben sind die Königspsalmen hervorgegangen.

Einer von ihnen, der fünfundneunzigste im Buch der Psalmen, lautet so:

> Singet dem Herrn ein neues Lied,
> singet dem Herrn, alle Lande.
>
> Singet dem Herrn, preist Seinen Namen,
> kündet von Tag zu Tag Sein Heil.
>
> Erzählet unter den Helden von Seiner Herrlichkeit,
> von Seinen Wundertaten unter den Völkern allen.
>
> Groß ist der Herr und hoch zu loben,
> zu fürchten mehr als die Götter alle.
>
> Denn alle Götter der Helden sind Menschengebild,
> der Herr aber hat die Himmel geschaffen.
>
> Hoheit und Schönheit stehn vor Ihm,
> Macht und Glanz um Seinen heiligen Thron.
>
> Zollet dem Herrn, ihr Völkergeschlechter,
> zollet dem Herrn Ehre und Macht,
> zollet dem Herrn Seines Namens Ehre.

Bringt Ihm das Opfer dar,
tretet in Seine Höfe ein,
huldigt dem Herrn im heiligen Schmuck.

Zittre vor Ihm, du Erde all!
Sprechet unter den Völkern: »König ist der Herr!«

Er hat den Erdkreis gefestet, daß er nicht wanke;
nach Recht regiert Er über die Völker.

Die Himmel mögen sich freuen und jauchzen die Erde,
brausen möge das Meer, und was es erfüllt;
jubeln soll das Gefild, und alle Wesen in ihm.

Die Bäume des Waldes alle werden sich freuen
vor dem Herrn, denn Er kommt,
kommt, auf Erden zu herrschen.

Herrschen wird Er über das Erdenrund in Gerechtigkeit;
über die Völker in Seiner Treue.

Wenn wir hinter diesen Worten das Erlebnis fühlen, von welchem die Rede war, den Ausbruch des Gott-Königsjubels fühlen – wie lebendig werden dann die Worte!
»Ein neues Lied« soll gesungen werden. Was verdirbt das heiligste Gebet? Wenn das Wort »alt« wird, abgegriffen. Der Psalmendichter sagt, das Lied solle »neu« sein. Ob das nun bedeutet, der Psalm sei in der Stunde überhaupt entstanden, oder aus dem starken Erlebnis der Stunde das Gefühl aufsteigt: noch nie ist etwas so empfunden, so gesagt worden, wie jetzt, mag dahingestellt sein.
Es sollen »singen alle Lande«. Aus der Gottesherrschaft in diesem Volk soll es hinausstrahlen unter alle Völker.
»Sein Name« soll gepriesen werden, und der Name Gottes ist Er selbst. Vom »Heil«, das Er schenkt, und das seine Getreuen erfahren, sollen sie Zeugnis geben ... Sollen erzählen »von Seinen Wundertaten unter den Völkern allen«: der

Befreiung aus Ägypten, der Führung durch die Wüste, dem Sieg in so manchen Kämpfen, dem Wohlstand im gewährten Land.

»Groß ist der Herr und hoch zu loben, zu fürchten mehr als die Götter alle.« Wir sehen, »die Götter« sind hier nicht einfach Null; ihre Tempel und Bilder, Mythen und Kulte erfüllen die Umwelt: Ägypten, Babylonien, Assyrien, Persien. Gestalten religiöser Größe und Schönheit, die überwältigend gewesen sein müssen. Die Welt ist voll davon; mitten darunter lebt dieses kleine Volk und gibt Zeugnis: alle diese Götter sind an sich »Nichtse«, leben nur aus der Blindheit der Menschen, aber daheraus haben sie macht, große, unter Umständen überwältigende. Nur ein Einziger ist wirklich, Er, der Herr des Bundes vom Sinai.
»Denn alle Götter der Helden sind Menschengebild«, Verdichtungen des Geheimnisses der Natur durch die Phantasie des Menschen. »Der Herr aber hat die Himmel geschaffen.« Er bedarf nicht der Welt, um zu sein; nicht des dichtenden Menschengeistes, um zu leben. Er ist aus sich und vor allem Anderen.

»Hoheit und Schönheit stehn vor Ihm, Macht und Glanz um Seinen heiligen Thron«: Die Attribute des himmlischen Königs verdichten sich zu Gestalten, die Ihn umstehen.
Was Hoheit ist, haben wir vor lauter Freiheitssucht und Persönlichkeitskult vergessen: Heiligkeit, die lebendig herrscht. »Schönheit und Macht und Glanz« aber meint die Lichtherrlichkeit Gottes, von der die Propheten in so erschütternden Worten sprechen (vgl. Jes 6).
Diesen Gott sollen die »Völkergeschlechter« der Erde preisen; sollen an geweihter Stätte »im heiligen Schmuck«, im Feiergewand, ihr Opfer darbringen.
Von da soll die Rühmung des Gottherrschers auf die ganze Schöpfung übergreifen. Auch sie soll in den Königsjubel eintreten. In einer Welt-Ekstase soll die Erde erbeben; der

Himmel von Freudenglanz erstrahlen; das Meer samt dem unmeßbaren Leben, das es enthält, wie in Stimmen brausen; die Felder und Tiere und Bäume aufleuchten. Das, was immer ist, aber in der Hülle des Alltags schläft: daß sie von Gott geschaffen sind, Er sie durchwohnt und durchwaltet, das soll sich offenbaren in einer Epiphanie Gottes durch alles, was ist. Das ist der Königsjubel.

Was ist aber aus der Möglichkeit geworden, daß in einem ständigen Wunder Gott regiert, und, in einem Glauben, der über alle Vernunft geht, das Volk Ihm gehorcht hätte? Unnennbares hätte daraus hervorgehen können, aber es ist nicht geschehen.
Wir dürfen nie vergessen, daß unsere gläubige Existenz auf dunkler Tragik ruht: Am Anfang die Zerstörung des Paradieses und seiner nicht ausdenkbaren Möglichkeiten ... Dann nimmt das berufene Volk die Gottesherrschaft wohl am Sinai an, lehnt sich aber immerfort, »harten Nackens«, gegen sie auf, so daß der Bericht des Zuges durch die Wüste der Bericht eines beständigen Kampfes ist, den Moses gegen den Widerstand führt. Zur Zeit des letzten der »Richter« fordert es einen irdischen König, »wie alle Völker ihn haben«; und als Samuel sich über die Verblendung entrüstet, spricht Gott zu ihm: »Höre auf die Stimme des Volkes in allem, was sie von dir verlangen; denn nicht dich haben sie verstoßen, sondern mich verworfen; daß Ich nicht mehr König über sie sein soll. Wie sie vom Tage, da Ich sie aus Ägypten herausführte, an mir gehandelt haben, wie sie mich verließen und andern Göttern dienten, so handelten sie auch gegen dich.« (1 Sam 8,6–8) Die Geschichte der Könige, die Gottes Sachwalter hätten sein sollen, ist ein beständiger Wechsel zwischen Treue und Abfall, und derer, die abfallen, sind mehr als jene, welche die Treue halten ... Wie dann schließlich Der in die Geschichte eintritt, den die Propheten verkündet haben, der Messias, Gottes Sohn, und ein Gottesreich in der Fülle der Gnade aufrichten will, da wird Ihm wegen angemaßter Königswürde

der Prozeß gemacht, und Er wird ans Kreuz geschlagen ... So ist es gegangen.
Das muß man manchmal durchdenken. Wir dürfen uns nicht mit einigen Katechismus-Sätzen zufrieden geben. Woraufhin wir leben, ist ein ungeheurer Zusammenhang; ein Geschehen, das von den Anfängen des Menschengeschlechtes bis in die heutige Stunde geht – auf ein Ziel zu, von dem der Herr gesagt hat: Niemand weiß, wann es erreicht sein wird, »nicht den Tag noch die Stunde«.

Diesem Geschehen leben wir mitten inne. Die weltlichen Mächte haben sich vom göttlichen Herrn gelöst und sich, immer entschiedener, auf sich selbst gestellt. Und nun erleben wir eine neue Epoche des Vorgangs: daß große Staaten, fast die halbe Erde, nicht nur sagen: ohne Gott! – sondern: weg mit Gott! Daß sie nicht nur die Gottesleugnung freigeben, nicht nur sie ermutigen, sondern den Glauben verfolgen; ihn mit einer Vollkommenheit der Methode in den Erwachsenen, in Geist und Herzen der Kinder zerstören, neben der die Feindschaft des römischen Reiches fast harmlos erscheint.
Ja das Zeichen, unter dem alles steht, ist nicht nur die Verkündung, Gott »sei tot«, das heißt, nicht mehr als Erlebnis, als geschichtliches Motiv wirksam, sondern der Wille, Ihn zu »töten«, das religiöse Organ zu zerstören, der Wille zum Gottesmord.

So steigt bedrängend die Frage auf: Was können wir tun? Die Antwort gibt Christus.
Das erste Wort, das von Ihm berichtet wird, lautet: »Das Reich Gottes ist herbeigekommen, ändert euren Sinn und glaubet der Heilsbotschaft.« (Mk 1, 15) »Dann« – so geht der Satz unausgesprochen weiter – »wird es anlangen.« Nicht im Sinne des eschatologischen Reiches am Ende der Zeit, wenn Christus zum Gericht wiederkommt, sondern gleich, innerhalb der Geschichte, die Bedingungen des gläubigen Daseins verändernd. Das ist nicht geschehen, denn die durch Jesu

Botschaft Angerufenen »haben sie nicht angenommen« (Joh 1,11). Sein Wort ist aber nicht ausgelöscht. Das Reich Gottes ist nicht »da«, aber immerfort »im Kommen«. In jedem von uns, wenn wir »unseren Sinn ändern« und »glauben«, in jeder Gemeinschaft, jedem Werk, jeder geschichtlichen Stufe, wenn sie sich dem Rufe öffnen. Freilich mühsam, angefochten von innen und von außen, hoffend auf das einstige, siegende Kommen des Herrn, wenn Er die ganze Geschichte vor sein Gericht ruft, und sein Sieg offenbar wird.
Es ist ein wunderbarer Gedanke, zu denken: In mir, in all meiner Armut, kann das Reich Gottes ankommen. Darin, was ich bin, wie ich lebe, wie ich meinen Beruf ausübe, wie meine Familie ist, wie ich mein Schicksal trage, kann das Reich Gottes ankommen. Es kann kommen in jedem Gedanken, jedem Tun, die dem Ruf gehorchen. Das ist das Geheimnis von Gottes Vornehmheit, daß Er sein Reich nicht erzwingt, sondern es von uns abhängig macht, ob wir es annehmen. Er, der Allmächtige, vertraut seine Königsehre unserer Bereitschaft an; wenn wir nicht wollen, kommt sie in uns nicht zu ihrem Recht. Wenn wir nur mit lauem Willen wollen, geschieht es mühsam und verdunkelt. Immerfort sind wir es, die Ihm die Türe öffnen oder verschließen: in jedem Denken und Tun und Lassen und Leiden.

Die Erschaffung der Welt

Psalm 103 (104)

Der erste Satz der Heiligen Schrift lautet: »Am Anfang schuf Gott den Himmel und die Erde«, das heißt, die Welt, alles. Die Worte gehen uns leicht von der Zunge; vollziehen wir aber auch innerlich, was sie sagen?

Versuchen wir einmal Folgendes zu denken: Nichts Endliches ist. Doch Gott ist, einfachhin. Es ist nicht möglich, daß Er nicht sei. Zu sein, ist sein Name. So hat er sich selbst geoffenbart, als Er am Berge Horeb sprach: »Ich bin der Ichbin« (Ex 3,14). In reiner Freiheit, aus unerforschbarer Tiefe des Entschlusses will Gott, daß die Welt werde, und sie wird. Sie ist nicht einfachhin, nicht von Wesen, sondern durch Seinen Willen. Diesen Schritt ins Sein können wir nicht denkend vollziehen; versuchen wir aber, uns an ihn heranzufühlen und das Geheimnis von Gottes allmächtiger Tat zu ahnen.

Ein Geschehnis über alle Maße des Geschehens hinaus. Etwas, zu dessen Vollbringung, menschlich gesprochen, nicht nur Weisheit und Macht, sondern auch Großmut, Kühnheit, Begeisterung gehört – und was bedeuten diese Worte, wenn es Gott ist, Den sie meinen? Hier ist schon Der am Werk, der die Ur-Dinge ermöglicht, der Stürmende und Glühende: der Heilige Geist. Die beiden nächsten Sätze des Schriftbeginns lauten: »Die Erde war wüst und leer, Finsternis lag über der Urflut, und der Geist Gottes schwebte über den Wassern«; oder, nach anderer Übersetzung: »Geist-Sturm fuhr über die Wasser.«

»Welt« ist Unabsehlichkeit der Energien und Gestalten; in immer gewaltigere Größe hinauswachsendes, in immer winzigere Kleinheit sich entziehendes Gewebe der Zusammenhänge. Alles das ist durch Gott gedacht, gewollt, verwirk-

licht. Ihm ist dafür nichts vorgegeben; nicht Modelle noch Materialien. Alle diese Gestalten und Ordnungen, so voll von Wahrheit, die zu durchdringen die Wissenschaft unablässig arbeitet, um immer wieder zu sehen, daß sie sich ins noch Unbekannte hin fortsetzen; diese Fülle von Wert und Sinn, von welcher das Menschenherz immer neu betroffen wird, ohne es je auserfahren zu können – Gott hat sie geschaffen.
Das kann nicht nur Ergebnis eines trocken-nüchternen, wenn auch noch so gewaltigen Leistens sein, sondern da ist sich öffnende Tiefe, urhebendes Erdenken, Flamme und Gewalt.

Suchen wir dafür ein Gleichnis in den Bereichen menschlichen Vollbringens. Wenn den genialen Menschen die Eingebung trifft, dann hat er das Gefühl: Das ist nicht nur Ergebnis meines kleinen Rechnens und Machens, sondern es kommt von anderswo her, und doch bin ich es, der es hervorbringt. Es ist größer als ich; ich weiß aber, in Seligkeit und Bedrängnis zugleich, daß ebendarin ich selbst bin. Von Beethoven erzählt man, wenn er fühlte, daß sich ein neues Werk ankündigte, sei er bis in die Herztiefe hinein erschrocken vor dem, was er nun werde durchstehen müssen ... Wie muß das aber sein in Gott!
Was muß das für Ihn sein, zu schaffen! Und nun wirklich zu »schaffen«; denn der Mensch dürfte dieses Wort ja eigentlich gar nicht für sein Tun in Anspruch nehmen. Er vermag ja nicht auch nur das Geringste aus dem Nichts ins Sein zu heben, sondern immer nur, an bereits Seiendem zu arbeiten; bereits Gebildetes zum Stoff für neue Gebilde zu machen. Gott aber schafft. Nichts ist, und Er macht, daß etwas sei. Keine Wesenheiten sind; Er aber erdenkt jene unabmeßbare Fülle der Sinngestalten, welche »Welt« heißt. Das tut Er nicht in trockener Tüchtigkeit; nicht, weil Er damit irgendwelche Zwecke erreichen will; sondern in herrscherlicher Freiheit schafft Er, in verschwendendem Übermaß und feinster Genauigkeit zugleich. Und – wir reden menschlich-töricht,

aber wie sollen wir es sonst tun? – welch ein Sturm des Entzückens muß in Ihm gewesen sein!...

Nachdem wir aber so versucht haben, Worte zu finden, die das Ungeheure andeuten sollen, das da geschieht, ruft das Gewissen uns zur Ordnung: Was tust du da? Glaubst du wirklich, Ihm durch Bilder des Übergroßen nahe zu kommen? So holen wir alles in das hinein, was erst die wahre Allmacht ausdrückt: nämlich in die vollkommene Mühelosigkeit des reinen Gebotes: »Es werde«.
Auch das, die leichte Freiheit, die nicht von Anstrengung noch von Getöse weiß – auch sie Ist im Heiligen Geist, für Den die Sequenz des Pfingstoffiziums ein Wort so reiner Erfahrung hat: *lux beatissima,* »seligstes Licht«. Er ist der *Creator Spiritus,* »der Schöpfergeist«. Alles ist geschaffen in Ihm. Von daher ist es »neu«. Menschenwerk ist im Grunde immer »alt«; schon beim Entstehen, weil es bereits Vorhandenes formt. Was Gott schafft, ist neu, aus dem reinen Ursprung her, ohne Vorfahr.
Von dieser Freude Gottes in seinem Schaffen spricht der Psalm. Nicht so sehr durch ausdrückliche Worte – obgleich die auch nicht fehlen; wir werden sie bald vernehmen – als vielmehr durch die Kraft der Bilder, die Schwingung der Sätze, die innere Bewegtheit, die alles durchströmt.

Er beginnt mit der Anrufung von Gottes Herrlichkeit:

> Preise den Herrn, meine Seele:
> Herr, mein Gott, überaus groß bist Du!
>
> Mit Hoheit und Pracht bist Du angetan;
> wie in einen Mantel gehüllt in Licht.
>
> Du hast den Himmel gespannt wie ein Zelt,
> über den Wassern Dir Deinen Saal erbaut.
>
> Du nimmst Dir die Wolke zum Wagen,
> auf Flügeln des Sturms fährst Du dahin.

> Die Winde machst Du zu Deinen Boten,
> zu Deinem Diener das lodernde Feuer.

Was uns da entgegentritt, ist das frühe Weltbild. Darin ist die Erde ein Festgegründetes, da man ja von den Gesetzen des kosmischen Kreisens noch nichts weiß. Über ihr erhebt sich das, was wir noch heute »das Firmament« nennen: die hohe, allübergreifende, klare Wölbung. Hier heißt sie in der Sprache des Hirtenvolkes »das Zelt«. Noch einmal höher leuchtet Gottes »Saal«; der unzugängliche Ort, in welchem Er thront ... Die Vorstellung ist wissenschaftlich längst überholt. Wir wollen aber nicht vergessen, daß sie das Bild des Augenscheins ist, in dem wir leben, wenn wir einfachhin leben.

Beim Weltbegriff des Alten Testaments müssen wir ein Doppeltes vor Augen haben. Einmal, daß sich in ihm nichts von Pantheismus findet. Pantheismus ist Unreinheit des Geistes; wo der Heilige Gott redet, ist dafür kein Raum. Gott allein ist Gott; die Welt nur Geschöpf. Ebendarin ist sie aber wirklich, hat Wesen und Sinn. Das ist die erste Klarheit, die alles ins Rechte stellt.
Gott ist aber in allem. In allem gibt Er sich kund. Das gläubige Auge sieht in der Weite des Raumes seine Größe; in der Klarheit der Höhe seinen Mantel. Und wie leuchtend ist Er selbst, Licht über alles Licht, wenn die Strahlen von Sonne und Gestirn Ihm »Hülle« bedeuten!
In allem Geschehen waltet Er. Wenn im Gewitter die schweren Wolken dahinjagen – Er ist es, der in ihnen fährt, dunkel donnernd. Dann wieder ist der Sturm ein mächtiger Vogel, auf seinen Flügeln trägt er den Herrn. Und wieder sind die Winde seine Boten, das »lodernde Feuer« des Blitzes sein Diener.

Uns sind die Winde zu bloßen Luftströmungen geworden, in denen sich die Unterschiede von Wärme und Druck ausgleichen; der Blitz eine elektrische Entladung, nur dem Maß nach anders als der Funke im Spielzeug. Die Wissenschaft hat die Vorgänge bestimmt und durchsichtig gemacht; das war richtig und gut. Ist es aber auch alles? Wenn nicht mehr wäre – wäre die Welt dann nicht dünn und arm? Haben nicht die Menschen von je geahnt, daß in allen Erscheinungen das Geheimnis des Gotteswerkes redet?

Und nun erzählt der Psalm vom Werden der Dinge:

> Du hast die Erde auf ihre Festen gegründet,
> in Ewigkeit wankt sie nicht.
>
> Du hast sie mit der Urflut gedeckt wie mit einem Kleid,
> bis über die Berge standen die Wasser;
>
> sie wichen von Deinem Dräun zurück,
> sie flohen bebend vor Deinem Donner.
>
> Nun stiegen die Berge empor, und es fielen die Täler,
> jegliches an den Ort, den Du ihm gewiesen.
>
> Du setztest den Wassern ihre Grenze;
> die dürfen sie nicht überschreiten,
> daß sie nicht wieder das Wohnland bedecken.

Zuerst schafft Gott das Fundament: die Erde. Die Welt des Psalms ist ja nicht die naturhaft-kosmische, sondern die Daseinswelt, in welcher der Mensch lebt, Geschichte sich zuträgt, und Heil sich entscheidet. So gründet der Schöpfer zuerst den festen Ort für dieses Geschehen: die Erde.
Auf ihr ist am Anfang Chaos, Urflut, Feld der Urgewalten. Aber auch sie haben einen Herrn: Ihn. Er »dräut« ihrem Toben, und sie »fürchten« seine Gebärde. Er setzt ihnen Grenze und Ordnung, und es entsteht der Raum für menschliches Leben.
Wieder dringt das Bild des Gewitters durch: die Wasser »fliehen bebend vor seinem Donner«. Erinnerung an lang

Vergangenes hallt nach; vielleicht an die Sintflut; vielleicht an noch Früheres, an Urgeschehen ... In das Bild von Gegenwärtigem, das jeder sehen kann - eines Gewitters, eines Erdbebens - wirkt dunkles Einst herein und erfüllt es mit Schauer. Die Psalmen reden oft so: Gegenwärtiges ist da, dahinter aber, hereinspielend, lang Vergangenes – oder Künftiges. Beides Prophetie, für welche die Zeiten durchsichtig werden.
Dann gliedert sich die Oberfläche der Erde – und wie groß werden ihre Formen in Bewegung übersetzt: die Berge »steigen empor«; »die Täler fallen«; jegliches »findet seinen Ort«. Das Chaos weicht, und die Ordnung entsteht, in welcher der Mensch leben kann.

> Aus Quellen lässest Du Bäche fließen,
> zwischen den Bergen eilen sie hin.
>
> Sie bieten Trank allen Tieren des Feldes,
> die wilden Esel stillen aus ihnen den Durst.
>
> Die Vögel des Himmels wohnen an ihnen
> und lassen in dem Gezweig ihre Stimme erschallen.
>
> Du bist's, der aus Seinen Kammern die Berge benetzt;
> die Erde wird satt von der Frucht Deiner Werke.

Um die Verse recht zu würdigen, müssen wir an den Menschen des heißen Südens denken, für den strömendes Wasser etwas unsäglich Kostbares ist. Das läßt Gott aus den Quellen entspringen, in den Bächen dahinströmen, und alles Lebendige lebt daraus. Bäume wachsen; Getier aller Art gedeiht; vielstimmiger Vogellaut erfüllt das Gezweig.
Aus Gottes Schaffen kommt, was sich auf Erden entfaltet ... Wir erinnern uns an früher Bedachtes. Für das alte Weltbild gibt es nicht Naturenergien, noch Naturgesetze. Alles Geschehen kommt unmittelbar aus Gottes Initiative. Wie auf alten Inschriften der König spricht: »Ich habe die und

die Städte errichtet, so und so viele Schiffe gebaut, den und den Krieg geführt«; die Baumeister aber, die geplant, die Sklaven, welche die Steine bewegt, die Krieger, die gekämpft haben, wegfallen, nur der Herrscher genannt wird und das Werk, das er befohlen hat. So wird auch Gottes Verhältnis zur Welt gedacht. Was immer geschieht, ist sein unmittelbares Werk.

> Gräser heißest Du sprossen den Weidetieren,
> dazu Gewächs, das dem Menschen dient;
>
> auf daß er Brot von der Erde gewinne
> und Wein, der des Menschen Herz erfreut;
>
> daß Öl sein Antlitz erblühen mache,
> und Brot erquicke des Menschen Herz.
>
> die Bäume des Herrn auch trinken sich satt,
> die Zedern des Libanon, die Er gepflanzt.
>
> In ihnen bauen die Vögel ihr Nest,
> die Pinien tragen der Störche Horst.
>
> Dem Steinbock gehören die hohen Berge,
> die Dachse finden Zuflucht im Felsgeröll.

Das Leben auf Erden also im Reichtum seiner Gestalten, der Pflanzen und Tiere.

Eine verlassene Natur aber, die in sich allein kreiste, kennt die Schrift nicht. Immer ist die Natur auf den Menschen bezogen; Naturgeschichte geht in Menschengeschichte über.

> Du schufest den Mond, den Zeiten Gesetz zu geben;
> die Sonne weiß, wann sie untergeht.
>
> Gebietest Du Finsternis, und es wird Nacht,
> dann schweifen in ihr die Tiere des Walds.

> Die jungen Löwen brüllen nach Raub
> und heischen von Gott ihre Speise.
>
> Erhebt sich die Sonne, so schleichen sie heim
> und legen sich nieder auf ihrem Lager.
>
> Nun geht der Mensch an sein Tagewerk,
> an seine Arbeit bis zum Abend.

Da kommt es dem Mann übers Herz. So groß ist alles! So voll von Leben! So viele Gestalten überall!

> Wie sind Deiner Werke, o Herr, so viel!
> In Weisheit hast Du alles gemacht,
>
> von Deinen Geschöpfen ist die Erde erfüllt.
> Siehe das Meer, so groß und weit:
>
> zahllos Gewimmel in ihm,
> kleines und großes Getier.
>
> Die Schiffe ziehn in ihm ihre Bahn;
> den Drachen hast Du geschaffen, daß er drin spiele.

In der früheren lateinischen Übersetzung steht der Redende im Geiste am Ufer des Meeres: *Ecce mare, spatiosum manibus,* sagt er: »sieh da, das Meer, den Händen so weit!« Wir fühlen die Gebärde, die sich ausbreitet, die Weite zu durchgreifen; diese aber ist zu gewaltig, als daß der Mann sie ermessen könnte.

Und im Meer die Fülle der Wesen, Gestalten zahllos. In seiner Tiefe beginnt ja das Leben der Tiere. Im Schöpfungsbericht heißt es: »Dann sprach Gott: ›Es wimmle das Wasser überall von lebenden Wesen, und Vögel sollen über der Erde am Himmelsgewölbe hin fliegen!‹ Da schuf Gott die großen Seetiere und alle Arten der kleinen Lebewesen, die sich regen, von denen die Gewässer wimmeln, dazu alle Arten der mit Flügeln begabten Vögel. Und Gott sah, daß es gut war. Da

segnete Gott sie mit den Worten: ›Seid fruchtbar und mehret euch und füllet das Wasser in den Meeren; und auch die Vögel sollen sich auf der Erde mehren!‹« (Gen 1,20–22)
Dieses Meer ist auch Raum für den Menschen, Bahn für seine Schiffe, Länder und Völker verbindend.
Und in ihm, unheimlich-gewaltig, »der Drache«. Vielleicht ist damit das größte aller lebenden Wesen gemeint, der Walfisch; vielleicht auch ein Geheimnistier, der Leviathan; schwer zu sagen. Jedenfalls wäre aber auch dieser kein Wesen heidnischer Mythenwelt, sondern geschaffen von Dem, für den auch dieses Ungeheuer souveränes Belieben ist. Und welche Großartigkeit des Gedankens: Der hohe Herr da droben hat es geschaffen, daß es »spiele im Meer« – fast ist man versucht, zu denken, so etwas wie Humor wetterleuchte über das Riesenbild hin.

> Die Wesen alle warten auf Dich,
> daß Du ihnen Speise gebest zur rechten Zeit.
>
> Spendest Du ihnen, so lesen sie's auf,
> öffnest Du Deine Hand, sind sie mit Gutem gesättigt.

Wovon das Tier sich nähren mag, von Pflanzen, oder von der ihm gemäßen Beute, immer ist es die Hand Gottes, die ihm die Nahrung reicht.
Versagt sich aber die Gunst: etwa so, daß Dürre kommt und das Wachstum verkümmert; ein Gewitter alles zerschlägt, Krankheit ausbricht – immer bedeutet das in Wahrheit, daß Gott im Groll sein Antlitz verhüllt, und kein Leben mehr bestehen kann. Dann aber kehren sich die Umstände wieder zum Guten; neues Wachstum rührt sich, und junges Getier beginnt zu leben, denn Gott ist freundlich.

> Verbirgst Du aber Dein Antlitz, sind sie verstört;
> nimmst Du ihnen den Odem, vergehen sie
> und kehren wieder in ihren Staub zurück.

Doch sendest Du Deinen Odem aus, sind andere da,
und also erneust Du der Erde Angesicht.

Das Werden und Vergehen und Wieder-Werden des Lebens ist dem Redenden kein naturalistisches Geschehen, sondern ein beständiges Walten Gottes. Seine Macht weckt es und läßt es gedeihen; seine Macht bestimmt ihm das Ende und ruft es neu.
In diesem Zusammenhang wird wieder deutlich, was den Schlüssel zum Verständnis bildet: der »Odem« Gottes, sein schöpferischer Hauch.
Zu Eingang wurde gesagt, der ganze Psalm rede im Grunde vom Heiligen Geist, dem Urheber, dem Herrn der Sinngestalten. Er werde durch die Bewegung fühlbar, die in allen Sätzen schwinge; durch die Erregung des Verwirklichens, das Übermaß von Herrlichkeit. Durch das Wort »Odem« tritt das Gemeinte ins Offene.
Die Geschichte des Wortes zeigt, daß darin mancherlei Bedeutungen ineinander gehen. Einmal die des Atems; jenes Geheimnisvollen, das man nicht sehen kann, aber fühlt; das immerfort in der Brust ein- und ausgeht, Ruf und Sprache ermöglicht und macht, daß Leben sei. Dann der Wind, der Atem der Welt, unsichtbar auch er und doch wirklich, vom Hauch bis zum Sturm; von dem man »nicht weiß, woher er kommt, noch wohin er geht« (Joh 3,8). Weiter die Seele; das Inwendige, nicht zu Greifende und doch so Intensive; das Schmerz und Freude und Begehren fühlt, das weiß und will und im Traum ein rätselhaftes Wesen hat. So geht der Begriff über in den des Geistes; vor allem jenes Geistes, der ahnt und schaut, der in der Inspiration im Propheten erwacht ... Das alles fließt im Begriff von Gottes Geist zusammen. Richtiger gesagt: es wird zum Material, durch das sich die Erfahrung Seiner unendlichen Schöpfermacht ausdrückt. Überwältigend offenbar zu Pfingsten, wie der Eintritt des Pneuma in die Geschichte sich durch die Elementargewalten von Sturm

und Flamme, durch prophetisches Künden und inneres Neuwerden offenbart.
Dieser Gotteshauch ist es, der in allem wirkt. Er ist es, der sich in der inneren Bewegung des Psalms kund tut.

> Ewig währe des Herren Herrlichkeit,
> es freue der Herr sich Seiner Werke!

Wunderbare Verse, innig erfüllt von Ehrerbietung und Nähe zugleich:
»Des Herren Herrlichkeit« ist seine Schöpfung; die »Werke«, von denen Er selbst sagt, sie seien »gut« und »sehr gut«. Nicht nur im Sinne natürlicher Vollendung sind sie es, sondern auch so, daß durch sie Gottes eigene Herrlichkeit hindurchstrahlt.
Der Glaubende des Alten Testaments sieht die Welt nicht naturwissenschaftlich, auch nicht ästhetisch, sondern prophetisch, als Antlitz, aus dem ihn Der anblickt, der an sich im Unzugänglichen wohnt. Wir aber sollten uns fragen, ob wir hier nicht etwas wiedergewinnen müßten. Im Gang der neuzeitlichen Entwicklung sind unsere Augen matt geworden. Nicht die natürlichen – obwohl auch die nicht genug sehen, sonst könnten zum Beispiel über den Menschen nicht so törichte Dinge gesagt werden, wie das geschieht – aber die des Glaubens, siehe Röm 1,18ff. Haben die nicht verlernt, die Welt als »Werk« zu sehen und damit Den, der es getan hat? Als Gestalt, die verhüllt, zugleich aber durchscheinen läßt? Und wäre nicht Anlaß, Gott zu bitten, daß Er sie erleuchte?

Dann aber wünscht der im Psalm Redende Gott zu, Er möge »sich seiner Werke freuen«. Wie tief ist dieser Mensch im Einvernehmen mit Gott, daß er so sprechen kann! Wie nahe rührt er an das Geheimnis, darin der Ewig-Selbstherrliche gewollt hat, die Welt solle Ihn derart angehen, daß Er sich ihrer freuen könne – und ihre Schuld ertragen, ja sie in seine eigene Verantwortung nehmen und sühnen ... Verstehen wir dieses alle Vernunft Übersteigende, vor dem nur die Wahl bleibt, Ärgernis zu nehmen und den Glauben aufzugeben – oder aber gerade aus dem, was unmöglich scheint, die geheimnisvolle Wirklichkeit Gottes zu erkennen und sie größer zu glauben?

Wieder aber werden wir erinnert, daß die Welt aus dem Geiste erschaffen ist, nicht aus stummen Naturnotwendigkeiten. Nie könnte ihre Herrlichkeit einem Menschen so übers Herz kommen, wenn sie nur die Wirkung toter Kausalitäten wäre. Gewiß gibt es Naturkräfte und ihre Gesetze; aber sie sind mehr als nur das, was Wissenschaft und Allgemeinbildung in ihnen sehen. Jede Gestalt der Natur ist eine Geheimnisschrift, dem deutlich, dessen Augen offen sind. Aus jedem Geschehnis der Natur redet den Menschen der Bibel Der an, der alles wirkt:

> Er, der die Erde anblickt, und sie erbebt,
> der an die Berge rührt, und sie rauchen.

Ein Erdbeben, oder der Ausbruch eines Vulkans – alles aber zutiefst Offenbarung Seines Waltens.

> Singen will ich dem Herrn mein Leben hindurch,
> meinem Gott auf der Harfe spielen, solang ich bin.
>
> Möge mein Dichten Ihm wohlgefallen;
> ich aber will mich freuen im Herrn.
>
> Möge es mit den Frevlern ein Ende nehmen auf Erden,
> und die Gottlosen nicht mehr sein!
> Preise den Herrn, meine Seele!

Ein furchtbarer Mißklang ist aber in dieser gottgewirkten Welt: die Existenz der »Frevler« und der »Gottlosen«. »Die Frevler« sind jene, die glauben, tun zu können, was sie wollen: lügen, rauben, zerstören ... Doch ein Mensch, der es erfahren hat, Hagar in der Wüste, hat von Gott gesagt, Er sei »Der, der mich sieht«, und einmal kommt das Gericht. »Die Gottlosen« sind jene, die sprechen: »Es ist kein Gott.« (Ps 13,1) Damals wie heute erklären sie, die Welt stehe in sich; ein Gefüge von Natur-Energien und Natur-Gesetzen. Meinen, damit werde Klarheit geschaffen – in Wahrheit machen sie die Welt kahl und dunkel. In ein so verstandenes Dasein würde der Mensch mit seiner kleinen Geisteskraft vergeblich ein wenig Licht zu bringen suchen. Wären dann die paar Jahrtausende oder -millionen vorbei, und die Erde vereist, dann wäre alles stumm und tot. Wie kann man dieses Bild aufstellen und meinen, es habe den höchsten Rang, den Rang der Wissenschaft?

Das Wort »Wissenschaft« ist gefallen. Der es geschrieben hat, hofft, der Lesende werde aus ihm keine Nichtachtung ihrer Arbeit heraushören. Echte Forschung ist etwas Großes, bemüht, mit natürlicher Erkenntniskraft das ihr Erreichbare zu erkennen: die Gesetze der Natur, den Gang der Geschichte, das Gefüge der Sprache, die Ordnung des Rechts. Alles das ist aber, trotz seines Gewichts und der Fülle seiner Inhalte, immer nur erst ein Vorletztes. Dahinter steht das Geheimnis, und von diesem spricht der Glaube.
Verhängnisvoll wird es aber, wenn die Wissenschaft den Anspruch macht, über das Letzte sprechen zu können; dann tut sie, was sie nicht verantworten kann. Ebenso wie es verhängnisvoll ist, wenn einer, der über Offenbarung und Glaube redet, den Anspruch macht, von daher über die Dinge der natürlichen Wissenschaft urteilen zu dürfen. Das steht ihm nicht zu. Die Ordnungen müssen gewahrt werden. Dann dient alles Gott.

Das Gotteslob der Welt

Psalm 148

Unter den Psalmen gibt es eine Gruppe, die einen besonders freudigen Charakter hat: die sogenannten Lobpsalmen. Ihr Dichter fühlt die Herrlichkeit der Werke Gottes und durch sie hindurch die Größe Dessen, der sie geschaffen hat. Was ihm da übers Herz kommt, spricht er Gott in feierlichen Worten zu.
Die Lobpsalmen ziehen sich durch das ganze Buch hindurch. Im einhundertachtundvierzigsten, also im Ausklang des Buches, faßt sich die ganze Schöpfung, der Dinge und des Menschen, wie zu einem großen Schlußakkord zusammen und steigt zu Gott auf. Er lautet so:

> Lobet den Herrn von den Himmeln,
> lobet Ihn in den Höhn.
>
> Lobet Ihn, all Seine Engel,
> lobet Ihn, Seine Scharen.
>
> Lobet Ihn, Sonne und Mond,
> lobet Ihn, all ihr funkelnden Sterne.
>
> Lobet Ihn, ihr höchsten Himmel
> und ihr Wasser über dem Firmament.
>
> Sie alle sollen den Namen des Herrn loben,
> denn Er befahl, und sie waren da.
>
> Bestand gab Er ihnen für immer und ewig,
> erließ ein Gesetz, das nie vergeht.
>
> Lobet den Herrn von der Erde,
> ihr Ungeheuer und all ihr Tiefen des Meers.

Feuer und Hagel, Nebel und Schnee,
Sturmbraus, der Sein Gebot erfüllt,

Berge und Hügel alle,
fruchtbare Bäume und Zedern alle;

wilde Tiere und Herden zumal,
kriechende Wesen, Vögel im Federkleid;

alle Herrscher und Völker der Erde,
alle Fürsten und Richter der Erde,

Jünglinge ihr und Jungfraun auch,
Greise und Kinder zumal.

Alles lobe den Namen des Herrn,
erhaben ist Sein Name allein.

Es hebt Seine Hoheit sich über Erde und Himmel,
und wachsen läßt Er die Kraft Seines Volks.

All Seinen Frommen ist Lob verliehen, Israels Söhnen,
dem Volke, welches Ihm nahe ist.

Wie würde man es wohl anzugehen haben, wenn man das ganze Dasein so zusammenfassen wollte, daß seine Fülle wie auch seine Einheit deutlich würden, und man alles in einem einigen Lob vor Gott tragen könnte?
Vielleicht so, daß man nach einem äußersten Punkt unserer lebendigen Welt suchte, von dem aus man das Ganze in seinem Zusammenhang durchblicken und durchfühlen könnte. Dazu würde der Gedanke an die Pole der Welt – nicht der astronomisch-physikalischen, sondern der unserer Lebenswelt – helfen können. Diese Pole liegen nicht Oben und Unten, sondern Oben und Innen; im Erhabenen und im Innerlichen. Es sind die »Orte«, an denen der Sinn Gott findet: seine Hoheit und seine Nähe.
So könnte man – um den zweiten Weg zuerst zu nennen – ins Innere hineintauchen; in die Tiefe des Herzens, so wie ein

Augustinus es tut, wenn er im Bericht über seine erste, Vieles entscheidende religiöse Erfahrung sagt: »Und von dorther« – einem Pauluswort – »gemahnt, zu mir selbst zurückzukehren, trat ich, von Dir geführt, in mein Innerstes ein, und vermochte es, weil Du mein Helfer warst.« (Bekenntnisse 7,10) Hinein bis in jenes Letzte, wo, wenn man so sagen darf, unser Sein von Innen her an das Nichts grenzt; wo die Hand Gottes uns hält. Das wäre ein solcher Punkt, von dem man sagen könnte, weiter komme man nicht.

Von dorther könnte man dann hinausdringen, Schicht um Schicht: in die Gesinnungen, Vorstellungen, Gedanken; dann in das Wort, das von innen hinaustritt; weiter in die Beziehungen zu den Menschen, den nächsten, den ferneren, Gruppe um Gruppe hinaus, bis ins Menschengesamt auf Erden. Könnte dann von der Erde weiterdenken in den Weltraum mit seinen Ordnungen – und so eine Ahnung von dem ungeheuren Ganzen gewinnen, das sich aus der inneren Mitte ins All-Weite hinausbaut.

Das wäre ein guter Weg. Man kann aber auch einen anderen einschlagen: sich zur höchsten erreichbaren Höhe erheben, und dann, von dort, zur Menschenwelt, zum eigenen Selbst und dessen täglichem Leben herabsteigen – so macht es unser Psalm.

Gleich der erste Vers schwingt sich empor: »Lobet den Herrn von den Himmeln, lobet Ihn in den Höhn.« Das dürfen keine bloßen Worte bleiben. Wenn wir sie verstehen wollen, müssen wir etwas von dem fühlen, was das »Ganz-Oben« ist. Etwas von der Art jenes Antriebs muß sich erfüllen, der den Menschen aus den Niederungen zu den Bergen drängt, ihre Erhebung hinauf, bis er auf dem Gipfel steht, hinaus- und hinabblickt. Jeder irdische Gipfel ist ja eine Vorbedeutung der Höhe einfachhin, die nie erreicht wird, aber in jeder einzelnen Berghöhe gemeint ist.

Die dort stehen, sollen Gott loben; das aber sind die »Heerscharen Gottes«; die Engel, die Welt der Geistwesen, die

Gott vor den Dingen erschaffen hat, und die seinem Willen dienen.

Im Wort »Heerscharen« klingt aber ein zweiter Sinn mit. Es meint die Engel, aber auch die Gestirne. Der hier redet, lebt im Süden, wo die leuchtenden Gebilde des Himmelsraumes so sehr viel heller und körperhafter sind als bei uns und daher so sehr viel stärker an das Gefühl des Menschen dringen. Wir dürfen auch nicht vergessen, daß die Gestirne für den antiken Menschen nicht nur, wie für uns, astronomische Weltkörper sind, sondern von ihm als Mächte empfunden werden, die geheimnisvolle Majestät haben, walten und lenken. Ihr Blick geht mit dem der Engel zusammen, eine Vorstellung, die ja bis in unsere Neuzeit nachgewirkt hat. Diese funkelnden Mächte werden angerufen: Engel und Gestirne sollen Gott loben.

»Lobt ihn, ihr höchsten Himmel. « Für den Mann, der da redet, ist die Erde eine große flache Scheibe, die feste Basis seiner Welt. Über ihr erhebt sich die himmlische Höhe. Sie gibt dem Hinaufschauenden das Gefühl der Unersteigbarkeit und Unerschöpflichkeit.

Dieses Ungeheure wird seinerseits gegliedert: in der Mitte eine feste Wölbung - die Vorstellung wirkt noch im Wort »Firmament« nach; unter der Wölbung liegt das bewegte Luftmeer; über ihr das Meer der Höhe, aus dem der Regen kommt. Noch einmal höher erhebt sich der Thronsaal Gottes.

Diese höchsten Regionen werden aufgefordert, Gott zu loben.

»Denn Er befahl, und sie waren da« – das entscheidende Wort. Was der Psalm unter »Lob« versteht, ist nur möglich, wenn die Welt Gottes Werk ist. Ist sie »Natur«, so wie die Neuzeit das Wort meint, dann gibt es kein Lob. Dann geht von der Welt nichts zu einem ewig-heiligen Ursprung empor. Dann kündet sie nicht Wahrheit und atmet nicht Freude, und trägt nicht ihr Wesen dankend ihrem Urheber zu. Was Philosophen und Dichter von solcher Art sagen, ist zerronnene Gläubigkeit, oder inhaltslose Rhetorik. In Wahrheit ist alles bloß da; schwer und stumm.

Das Lob entspringt erst aus dem Wissen um das Unsägliche, daß »zuerst« – nicht der Zeit, denn die Zeit selbst wird ja erst, wenn Er die Welt schafft, sondern dem Sinn nach – nichts ist; Er »dann« gebietet; »endlich« Welt wird, und nun, in Geist und Gemüt dessen, der glaubend weiß, das Staunen, der selige Dank die Augen aufschlägt, durch des Schöpfers Großmut sein zu dürfen.

Ist nur Natur, dann kann der redliche Geist nicht »loben«, so wenig er »bitten« oder »danken« kann. Das sind dann zu Unrecht angeeignete und im Halbsinn verwendete Worte. Die Natur erwartet kein Lob, noch vernimmt sie es.

»Bestand gab Er ihnen für immer und ewig.« Gott hat die Welt mit der Fülle ihrer Wesenheiten und im Gefüge ihrer Ordnungen geschaffen. Dadurch ist sie ein Sinnvolles, das wir anschauen und erkennen, in dem wir leben und unser Werk tun können. Das ist gut. Denken wir an das Wort der Genesis: »Gott sah alles an, was Er geschaffen, und siehe, es war gut« und »sehr gut«. Gültig in sich; wert, daß es sei.

Das war der erste Satz der heiligen Symphonie, die sich im Psalm entfaltet: das Lob Gottes von der Höhe her.

Dann steigt sie herab: »Lobet den Herrn von der Erde, ihr Ungeheuer und all ihr Tiefen des Meers.«

Nach dem ersten großen Eindruck, den der Bewohner Palästinas empfangen mußte, dem vom »Übermaß der Sterne«, war der zweite jener, der von der geheimnisvollen Fülle des Meeres ausging. Menschen, die mit dem Meer vertraut waren, ist es immer als Urschoß des Lebens erschienen. Wie die Genesis von der Erschaffung der Tiere spricht, nennt sie zuerst die der Fische – eine Wahrheit, die von der Wissenschaft bestätigt wird. Der Urschoß des Lebens in der Tiefe der See und die Höhe des Himmels, wo die Sterne und die

Engel sind – zwei Unergründlichkeiten, die einander Ruf und Antwort zusenden, beide sollen das Gotteslob sprechen.

Nachdem Höhe und Tiefe aufgerufen sind, geht der Weg des Lobes in den Luftraum hinaus: »Feuer« – der Blitz – »und Hagel, Nebel und Schnee, Sturmbraus, der Sein Gebot erfüllt« – sie alle sollen es sprechen.

Dann sind es »Berge und Hügel«, die gerufen werden; die Gebilde des menschlichen Lebensraumes, in denen die Erde sich hinaufhebt; Anläufe zu dem, was die »Höhe« ist. Und hat sich nicht die Offenbarung des Namens Gottes am Horeb ereignet? Die Schließung des Bundes und die Kundgabe des Gesetzes am gleichen Berg, der ja auch Sinai heißt? Und ist Jesus nicht immer wieder »allein auf einen Berg gestiegen«, zu heiliger Zwiesprache mit dem Vater?

»Fruchtbare Bäume und Zedern alle«: die geheimnisvollen Wesen, so still und doch so lebendig; die aus der Erdentiefe in die Weite des Raumes hinauswachsen, grünen und blühen und fruchten. Unter ihnen jene, die der Mensch pflanzt und pflegt, und von deren Frucht er ißt – aber auch jene, die frei wachsen. Besonders sind die Zedern genannt, herrliche Geschöpfe, die in der Schrift als Gleichnis der Lebenskraft und Schönheit erscheinen. Sie alle sollen Den loben, der sie geschaffen.

Und ebenso das Getier der Erde: das freie, »wilde«, ebenso wie das gezähmte und menschennahe, »die Herden«. Was immer fliegt und kriecht: alles soll Den loben, durch den Jegliches ist.

Endlich geht der Schritt des Liedes zu den Menschen. Als Erstes zu den großen Lebewesen, »Völker« genannt, die sich in ihren »Herrschern« verfassen; den »Richtern«, die Recht sprechen – um dann abzusteigen zu »Jünglingen und Jungfrauen, Greisen und Kindern«. Sie alle, der Mensch in der Mannigfaltigkeit seiner Wesensarten, Ordnungen und Befugnisse, Werke und Schicksale, sollen Gottes Namen loben und lobend ihr Dasein zu dessen Schöpfer zurücktragen.

Wir sind belehrt, daß Gott einen Namen hat. Er selbst hat ihn am Horeb genannt: »Der Ich-bin« (Ex 3,14). Es gibt eine chassidische Geschichte. Da hat ein Schüler ausgelernt und ist von seinem Meister weg ins eigene Leben gegangen. Eines Tages besucht er diesen wieder und klopft abends an den Laden des geschlossenen Fensters. Der Meister fragt: »Wer ist draußen?«, und der Ankömmling antwortet: »Ich bin's.« Da bleibt es lange still; schließlich aber sagt der Meister mit schwerem Ernst: »Wer darf sagen: Ich bin's, außer dem Einen, Gott?«
Niemand darf – wissend, was er tut – einfachhin sagen: »Ich bin«, noch »ich bin der und der«; nur Er, Gott. Zu sein ist sein Wesen, und sein Name ist, in der Form des Wortes, Er selbst – Ihn sollen die Menschen loben, die nur sind, weil Er gewollt hat, sie sollen sein.

»Es hebt Seine Hoheit sich über Erde und Himmel, und wachsen läßt Er die Kraft Seines Volks.« Er ist »über« Allem, dadurch, daß Er mächtiger, weiser, dauernder ist als Alles; Schöpfer und Herr von Allem. Unter den vielen Völkern hat Er eines, das »sein Volk« ist. Er hat es erwählt, gerufen und durch die Treuknüpfung des Bundes sich zu eigen gemacht. Ihm hat Er »Lob verliehen«: das Loben-können und Loben-dürfen als Gnade und besonderes Vorrecht geschenkt.
Was heißt das also: loben? Gehen wir auf die einfachste Wirklichkeit zurück. Wenn wir einen Menschen loben – was sagen wir da? Etwa: »Du hast das gut gemacht«; das geht auf sein Werk. Oder: »Du bist klug«; das geht auf ihn selbst. Loben bedeutet also, daß man das, was tüchtig, gut, schön ist, als solches erkenne und schätze, und es dem, der es geleistet hat, oder dem es zugehört, auch sage. Das ist dann eine Freude für den, der es hört, wie auch für den, der es selbstlosen Herzens ausspricht.
Kann das aber auch Gott gegenüber geschehen? Offenbar wohl. Er selbst hat es ja getan. In der Schöpfungsgeschichte (Gen 1) heißt es ja jedesmal, wenn ein Tag zu Ende ist, und

das Werk genau und groß dasteht: »Gott sah es, und es war gut.« Am Schluß aber: »Und Gott sah alles, was Er geschaffen hatte, und siehe, es war sehr gut.« Damit billigt Er, was aus seinem Schaffen hervorgegangen ist; gibt ihm das Recht, da zu sein. Er erklärt, es ist gut, daß es sei; und es geschaffen zu haben, ist Ehre für Gott. Seine Ehre ist die Herrlichkeit davon, daß Er ist, der Er ist; und geschaffen hat, was Er geschaffen. »Meine Ehre werde ich niemandem geben«, hat Er gesagt (Jes 42,8). Nie darf gesagt werden, jemand anders als Er habe die Welt geschaffen; noch auch, sie sei unerschaffen und bestehe aus eigenem Recht. Nie darf gesagt werden, die Welt sei sinnlos, oder verkehrt in ihrem von Ihm geschaffenen Wesen – wie Gott denn auch Rechenschaft von Jedem fordern wird, der durch Schuld und Lässigkeit sein Werk verdirbt.

Wenn der Mensch lobt, nimmt er diese Ehre Gottes in seine Freiheit auf. Er erkennt die Herrlichkeit von Gottes Werk und trägt sie Ihm im Worte zu. Eigentlich sollte die Welt loben; sie kann es aber nicht; Bäume, Tiere, Meer und Sterne sind stumm. Im Geist und Herzen des Menschen sollen sie gewußt und gefühlt; von seinem Munde sollen sie Gott zugetragen werden.

Fällt es uns Heutigen leicht, diese Gedanken zu denken? Finden wir es »würdig und recht, billig und heilschaffend«, Gott für Himmel und Erde und Meer, für Baum und Tier zu loben? Wohl kaum; aber warum?

Etwas stellt sich dazwischen, das seit einigen Jahrhunderten das Bewußtsein des Menschen der Neuzeit bestimmt: der Begriff der Natur. Diese ist für ihn das einfachhin Gegebene; das Selbstverständliche, In-sich-Gültige und In-sich-Begründete; jenes, für das nicht Anfang noch Ende gedacht werden kann, und nach dessen Grund zu fragen sinnlos ist. Wem diese Anschauung den Geist beherrscht, der kann nur sagen: Wie gewaltig ist die Welt! Er kann ihre Fülle empfinden und sagen: Wie gut, daß es sie gibt! Er kann durch ihre Schönheit in Begeisterung gehoben werden. Das alles ist nicht das Gotteslob der Psalmen, denn die so gedachte Welt erhebt den Anspruch, von eigenen Gnaden zu sein.

Aber die Welt ist nicht »Natur«, sondern »Werk«. In diesem Begriff ist auch alles enthalten, was Philosophie und Dichtung und Wissenschaft je über die Natur sagen können, selbstverständlich, aber es bekommt darin einen anderen Charakter. Der Begriff des Werkes gibt die Welt in Gottes Hand zurück. Wer versucht, ihn wirklich zu denken, erfährt freilich auch, wie schwer das ist. Doch muß es geleistet werden, sonst geraten wir in die Abhängigkeit vom Unglauben; leben in den Vorstellungen einer Allgemeinheit, die von Gott nichts weiß, und setzen nur einige christliche Akzente darauf. Erst in dem Maße, als wir die Welt als Sein Werk denken, können wir den Psalm in seinem richtigen Sinn sprechen.

Noch einmal: Das Gotteslob der Welt

Und der Psalm 148

Den Psalm Einhundertachtundvierzig haben wir schon bedacht. Damit war er nicht erschöpft – wie könnte das auch sein – und wir wollen ihn noch einmal meditieren. Dabei werden manche Gedanken aus der ersten Meditation wiederkehren, aber Im neuen Zusammenhang neue Bedeutung gewinnen.
Wir vergegenwärtigen uns wiederum den Text:

> Lobet den Herrn von den Himmeln,
> lobet Ihn in den Höhn.
>
> Lobet Ihn, all Seine Engel,
> lobet Ihn, Seine Scharen.
>
> Lobet Ihn, Sonne und Mond,
> lobet Ihn, all ihr funkelnden Sterne.
>
> Lobt Ihn, ihr höchsten Himmel
> und ihr Wasser über dem Firmament.
>
> Sie alle sollen den Namen des Herrn loben,
> denn Er befahl, und sie waren da.
>
> Bestand gab Er ihnen für immer und ewig,
> erließ ein Gesetz, das nie vergeht.
>
> Lobet den Herrn von der Erde,
> ihr Ungeheuer und all ihr Tiefen des Meers.
>
> Feuer und Hagel, Nebel und Schnee,
> Sturmbraus, der Sein Gebot erfüllt,
>
> Berge und Hügel alle,
> fruchtbare Bäume und Zedern alle;

wilde Tiere und Herden zumal,
kriechende Wesen, Vögel im Federkleid;

alle Herrscher und Völker der Erde,
alle Fürsten und Richter der Erde,

Jünglinge ihr und Jungfraun auch,
Greise und Kinder zumal.

Alles lobe den Namen des Herrn,
erhaben ist Sein Name allein!

Es hebt Seine Hoheit sich über Erde und Himmel,
und wachsen läßt Er die Kraft Seines Volks.

All Seinen Frommen ist Lob verliehen, Israels Söhnen,
dem Volke, welches Ihm nahe ist.

Im Psalm entfaltet sich ein Grundakt des religiösen Lebens, das Lob Gottes. Was ist das aber, das Lob?
Solange wir in unbestimmter Weise fragen, wird das Gemeinte bald klar: Es ist etwas Wissendes, Hohes, Festliches. Es erhebt sich angesichts der Dinge und richtet sich an Den, der sie geschaffen hat. Aber wir wollen genauer fragen: der Mensch dieses Psalms, der aus der Atmosphäre des Alten Testaments heraus redet – was meint er, wenn er vom Lob spricht?
Nun, zuerst denken wir uns, daß ihm die Schönheit und Größe der Welt ans Herz gekommen ist. Wir haben vielleicht selbst schon Ähnliches erlebt; etwa nach einer Zeit der Krankheit, in der wir lange abgeschieden im Krankenzimmer gelebt hatten. Da hatten sich die Sinne verfeinert, das Gefühl war lebendiger geworden. Und nun kamen wir zum ersten Mal hinaus; da konnte die Schönheit eines Blattes, einer Blüte, eines Baumes uns förmlich überstürzen und suchte Ausdruck im Wort.
Noch etwas anderes spricht aus dem Psalm: das Gefühl, daß hinter diesem Werk der Welt eine Freiheit steht. Was not-

wendig geschieht; was sich nach irgendwelchen Gesetzen abspielt, erweckt dieses Gefühl nicht. Das Herrliche aber, vor dem sich der Psalm erhebt, muß nicht sein. Gott »hat geboten, und es war da«. Die Gesinnung, die da waltete, war Großmut. Die Großmut Gottes; seine herrscherliche Freigebigkeit.

Was der Mann da sieht und erlebt, ist also nicht »natürliche« Natur; nichts, was mit den einfachen Sinnen oder dem bloßen Verstande erfaßt werden kann, sondern daraus redet Gott. Er bezeugt sich darin. Den Mann, der diese Worte geschrieben hat, hat es aus der Welt her angeweht. In diesen großen Erscheinungen – dem Meer, der Sonne, den Gestirnen, dem Wachstum – hat er Gott empfunden. Alles war vom Geheimnis Gottes durchwaltet; das ist über ihn gekommen, hat ihn mit Staunen, mit Dank erfüllt, und er zieht alles in das Wort zusammen: Gelobt sei, der das gewirkt hat.

Wenn wir genauer zusehen, dann bemerken wir aber ein Weiteres. Der Text sagt nicht: Gott, ich lobe Dich, weil Du das alles geschaffen hast, sondern: Du Sonne, du Mond, du Himmel, du Meer, lobet Gott! Die Geschöpfe werden aufgefordert, das Lob zu sprechen.

Der eigentlich Zuständige, den Schöpfer zu loben, ist für jeden Menschen er selbst: jeweils der, der da redet. Ich soll loben. Und nun stelle ich mir einen Augenblick vor, ich wäre jetzt geschaffen ... Ich fühlte, durch Gottes Allmacht bin ich seiend geworden ... Sage ich es richtiger: darf ich sein; bin ich ins Sein, ins Leben, ins Denken und Fühlen und Sprechen freigegeben. Das alles kann und darf ich jetzt ... Wenn ich das fühlen könnte, die selige Neuheit dieses Sein-Dürfens, dann würde elementar das Lob ausbrechen: »Herr, sei gelobt dafür« – und es wäre der Grundlaut meines Wesens, der da spräche.

Hier aber werden Himmel und Erde und Sterne gerufen – sie sind es, die loben sollen! Nun können sie das aber nicht; sie haben nicht Bewußtsein, noch Freiheit, noch Wort. Das Lob

ist in ihnen gebunden; es schläft. Da kommt der Mensch, nimmt alles in sein Herz auf und macht das, was bis jetzt stumm war, sprechend. Er sagt. Sonne, du solltest den Herrn loben. Aber du kannst es nicht; so trete ich für dich ein; bin in diesem Augenblick für dich »Sonne« und trage das Lob deines Seins mit meinem Wort zu Gott.
Das ist Menschenamt, das in allen Dingen liegende Seinslob zum Lobeswort zu machen. Freilich kann man das nicht zu jeder Zeit; so ist es für den Dichter des Psalms sicher ein Augenblick großer Erhebung gewesen, als er es vermochte, und sein Wort ist unserem Alltag gegeben, daß er in es eintreten und es sprechen könne.

Gleich der erste Vers setzt mächtig ein: »Lobet den Herrn von den Himmeln, lobet Ihn in den Höhn« – die Engel sind gemeint, sie sollen Gott preisen. Nachdem der Gedanke sich sofort zur höchsten Höhe erhoben hat, steigt er nun langsam Stufe um Stufe herab.
»Sonne und Mond sollen Ihn loben«, die »funkelnden Sterne«, die »höchsten Himmel« ... Das Alte Testament hat den Himmel in Stufen gesehen. Danach gibt es das Firmament, eine kristallene Wölbung, an welcher die Gestirne haften. Über ihm liegt das obere Meer; unter ihm der Bereich von Wolken und Wetter. Höher als alles Gottes Saal, in dem Er thront, umgeben von seinen Engeln. Alle diese mächtigen Dinge sollen den Namen des Herrn loben, »denn Er befahl, und sie waren da«: die für alles den Grund legende Offenbarung, daß nichts ewig ist, nichts selbstverständlich; alles Werk, Werk Gottes.

Das Werk der Weltschöpfung – welch letztere wir unsererseits so denken, wie die Erkenntnisse der Wissenschaft es uns nahelegen – ist so vollendet, daß es als autonome Natur mißverstanden werden kann. Die Tatsache, daß etwas gemacht ist, drängt sich um so heftiger auf, je schlechter es gemacht ist. Je vollkommener es aber ist, desto mehr wird es, wenn man so sagen darf, aus der Bindung an den machenden Menschen entlassen und erscheint als sich selbst genügend. Diese geheimnisvolle Eigenschaft hat die Welt, und das ist es, was wir mißverstehen, wenn wir von »der Natur« reden.

»Er hat allem Bestand gegeben.« Es ist nicht wie Menschen-Werk, das heute gemacht wird und morgen zerfällt; es bleibt. Damit ist nicht der Wandel gemeint, der ebenfalls zu dem gehört, was »Natur« heißt: die Rhythmen des Lichtes, die Bewegungen der Gestirne, die Gezeiten des Lebens, das Werden und Vergehen der einzelnen Wesen. Alles das steht in einer Ordnung, die ihrerseits bleibt. Gemeint ist der Bau des Ganzen, der Eindruck des Gegründeten, Echten, Verlässigen, den jedes Element der Schöpfung macht. Noch tiefer wohl, daß keine mythisch-dämonische Macht der Zerstörung über das Sein der Welt die Oberhand gewinnt.

Firmament und Gestirne befinden sich schon unter dem Bereich der Engel, die unmittelbar den Thron Gottes umgeben; nun steigt der Gedanke zum Bereich unseres Lebens herab.

Da ist die Erde ... Da ist das Meer mit seiner Tiefe; der alte Geheimnisbereich, aus dem alles Leben kommt ... Da sind Blitz-Feuer und Hagel, Nebel und Schnee, Sturmbraus, Berge und Hügel ... Sind fruchtbare Bäume und Zedern, die Gewaltigen des Libanon ... Wilde Tiere und dem Menschen gehörige Herden ... kriechendes Getier und Vögel ...

Das Lied langt beim Menschen an: die Völker der Erde werden aufgerufen und die Herrscher, in denen sie verfaßt sind. Fürsten und Richter, die sie regieren ... Jünglinge und Jungfrauen, Greise und Kinder – »alles lobe den Namen des Herrn«. Der »Name des Herrn« ist Er selbst; Er in der Erscheinungsform des Wortes. Die »Hoheit« Gottes aber ist das, was das Lob ruft: die Tatsache, daß Größe und Herrlichkeit in Ihm Person sind, daher das Lob annehmen und würdigen können. Diese Hoheit ist größer als »Erde« und »Himmel«. Sie ist nicht das Geschaffene, sondern wird nur an diesem offenbar als das, was alles Geschaffene übersteigt.

Schließlich der letzte Bereich; jener, durch den das Lob vollzogen wird, das Volk Gottes, das Ihm »nahe« ist; durch den Bund mit Ihm verknüpft; durch Gottes Einwohnung Sein geschichtlicher Ort.
Ein gewaltiger Niederstieg, und auf jeder Stufe eine neue Kraft des Lobes.

Hat nun, nachdem die Psalmen gedichtet worden, dieses Lob aufgehört?
Gewiß nicht. Die Psalmen sind im Alten Testament im Gottesdienst gesungen und im religiösen Leben des Einzelnen gebetet worden, ja haben diesem persönlichen Beten die Form gegeben. Jesus hat sie gebetet; wir vernehmen ihren Klang aus seinen Worten am Kreuz (Mt 27,46); und das Magnificat (Lk 1,46 ff) ist ein Widerhall von ihnen. Sie bilden noch heute den Hauptbestandteil, man möchte sagen, den Grundstoff des Gebetes der Kirche, der Liturgie.

Diese Form des Gotteslobes, das sich zur Stimme der stummen Schöpfung macht und deren »seiendes Lob« zum »redenden« macht, ist aber auch später erwacht. In der christlichen Dichtung vernehmen wir es an manchen Orten. Am reinsten vielleicht im »Sonnengesang« des heiligen Franziskus. Der hebt so an:

> Du höchster, allvermögender und guter Herr,
> Dein sind die Preisungen, die Glorie
> und die Ehre und alle Benedeiungen.

Und weiter heißt es:

> Gelobet seist Du, Herre mein,
> mit all Deinen Geschöpfen
> vornehmlich durch die Herrin, die Schwester Sonne,
> die uns zieret und uns erhellt durch ihr Licht,
> und schön ist sie
> und strahlend mit großem Glanz ...

Wieder geht der Blick des Dichters durch die verschiedenen Bereiche der Schöpfung. Auch die Erde wird gerufen:

> Gelobet seist Du, Herre mein,
> durch ... die Mutter Erde.

Wir vernehmen den alten Klang aus dem Mythos, aber aus dem Glauben wiedergeboren.

Doch dann ein Ton, von dem das Alte Testament noch nichts wußte:

> Gelobet seist Du ...
> durch Jene, die verzeihen
> aus Liebe zu Dir und ertragen
> Gebrest und Trübsal.

Hier redet die Durchglühung des Herzens, die sogar das, was schwer ist, zum Gegenstand des Lobes machen kann.

> Selig Jene, die es ertragen in Frieden

– als ob es über ihn käme: Wie wunderbar ist der Mensch, der so tut ...

Zuletzt tut der Lobpreis einen Schritt von großer Kühnheit:

> Gelobet seist Du, Herre mein,
> durch unsern Bruder
> den leiblichen Tod ...

An sich ist ja – trotz aller idealistischen wie materialistischen Deklamationen – der Tod für den Lebenden das Schrecknis einfachhin; hier aber ist die Verbundenheit mit Gott so grenzenlos, daß sie sein Bild zu verwandeln und ihn »Bruder« zu nennen vermag.

Der Mensch, der solches Lob spricht, ist allen Dingen nahe. Nicht pantheistisch; auch für ihn gilt das Wort: »Du hast geboten, und sie waren da.« Keine Vermengung von Gott und Welt geschieht, sondern die Nähe, die er erfährt, ist die der Mit-Geschöpflichkeit. Darin sind alle Dinge »Brüder und Schwestern«. Aus dieser Innigkeit heraus kann er das in ihnen gebundene Wort freimachen und emporheben. Gott empfängt gleichsam die Herrlichkeit des Werkes, das Er in ihr Sein hinausgegeben hat, aus dem Munde des Menschen zurück, der an Ihn glaubt und Ihn liebt.

Das Wort des Lobes ist aus unserem Mund weithin verschwunden – ebenso wie heute die Freude am Schönen zu verschwinden scheint und die Dichter sich an Ausdrücken der Zerrissenheit und der Angst überbieten. Nur selten kommt Einer, der, wie der Spanier Jorge Guillén, vom Licht und der Freude redet.
Aber wir müssen uns das Loben-können wieder erobern. Nichts künstlich machen, gewiß nicht; aber wir können doch, etwa wenn wir draußen in der Natur sind, uns in den Gedanken hineintasten: Das hat Gott geschaffen ... Der heutige Mensch ist der Meinung, ein religiöser Akt müsse von selbst aus dem Inneren kommen, sonst sei er nicht ehrlich. Wer so sagt, weiß nicht, was beten heißt. Es gibt das Gebet, das elementar hervordringt, und wohl Jenen, denen es gewährt wird. Es gibt aber auch das Gebet des Dienstes, der Übung, und das ist die Regel. Der Gedanke: Die Welt ist geschaffen; der Himmel, der Glanz der Sonne, der Berg, der Baum, sie alle sind geschaffen, und Lob sei Dem, der sie geschaffen hat - das alles ist Gebet, und wir müssen es uns wieder erwerben.

Gottes Erkennen

Psalm 138 (139)

Der große Psalm Einhundertachtunddreißig ist das Lied von Gottes Wissen. Bevor wir ihn aber lesen, wollen wir, wie wir das in unseren Betrachtungen oft tun, einen Anlauf aus der eigenen Erfahrung gewinnen. Und zwar durch die Frage, wie für den heutigen Menschen die Welt zum Erkanntsein, zur Wahrheit stehe.
Die Natur enthält eine unabsehliche Fülle von Gestalten; Dinge und Geschehnisse in nicht zu messender Zahl und Mannigfaltigkeit. Sie steigen ins Unerreichbar-Große; sie ziehen sich ins Ununterscheidbar-Kleine zurück; sie stehen in Beziehungen und Ordnungen verschiedenster Art, sind bestimmt von Gesetzen, gesättigt mit Sinn. Das alles – ist das erkannt? Die Frage kommt dem heute Lebenden vielleicht sonderbar vor. Für ihn ist die Welt seiend, hat aber selbst kein Wissen von sich, noch steht sie von vornherein in einem Bewußtsein. Sie hat wesentlich und ursprünglich mit Wahrheit nichts zu tun, nur mit Wirklichkeit. Von Wahrheit kann erst gesprochen werden, wenn der Mensch die Welt erkennt; er erst bringt Wahrheit in sie hinein.

Wie lange gibt es aber den Menschen? Die Wissenschaft sagt: Etwa seit einer Million von Jahren. Und wie lange wird er da sein? Die gleiche Wissenschaft kann eine Schätzung versuchen: So lange, als die Abkühlung der Erde sie noch nicht hat vereisen lassen ... Oder, wie wir heute nach dem Gang der Geschichte sagen müssen: So lange, als der Machtwille der Politik, der Wissenshunger der Forschung und der Arbeitstrieb der Technik die Bedingungen des Lebens noch nicht zerstört haben ...
Während dieser Frist – wie kurz im Vergleich zur Dauer des Weltalls! – leuchtet das Licht des Wahrheit findenden Erken-

nens auf und reicht so weit, als die Existenz des Menschen reicht. Aber was ist das gegen das Geistesdunkei, das vorher war und nachher sein wird?
Und wo sind Menschen? Auf dem kleinen, im Welt-All verschwindenden Erdkörperchen, und auch da nur in den bewohnbaren und bewohnten Teilen seiner Oberfläche. Aber auf den anderen Himmelskörpern? In den unvorstellbar großen und leeren Räumen zwischen den Gestirnen?
Und wie schwach ist die Erkenntnis dort, wo sie erkannt zu haben behauptet! Wenn Einer redlich im Dienst der Wahrheit gearbeitet hat und fähig geworden ist, ein Urteil zu bilden – sich dann umhört, wieviel an wirklich Wesentlichem in den Gesprächen der Leute, in den Artikeln der Zeitung, in Reden, Vorträgen und Gutachten enthalten sei: was findet er? Wer tut so, und ist nicht schließlich entmutigt, beleidigt, ja angewidert durch die Leichtfertigkeit, mit der Wahrheit behauptet wird, wo keine ist?

Was weiß der Mensch von dem, was ihm doch vor allem bekannt sein müßte, von ihm selbst? Zunächst scheint es sehr viel zu sein. Die Anthropologie, das Wort im weitesten Sinn genommen, dringt unaufhörlich vor, und die Menge des Gefundenen wird unübersehbar. Ist ihr aber klar, was »der Mensch« ist? Manchmal möchte man meinen. je mehr anthropologische Wissenschaft, desto weniger Einsicht in das wirkliche Menschenwesen.
Was wissen wir, jeder von uns, über die Anderen? Gerade so viel, daß wir mit ihnen umgehen können, auf der Straße, im Leben des Berufes und der Gesellschaft, obenhin, annähernd, und wie oft nicht einmal das, sonst ginge es anders zu. Darüber hinaus aber: Wissen wir tiefer, was mit denen ist, die da auf der Straße gehen, mit denen wir in den Werkstätten, in den Büros, in den Ämtern zusammen sind? Wissen wir von ihrem inneren Leben? Von Ihrem Schicksal? Ein wenig Oberfläche, einige Charakterzüge, einige Gewohnheiten – darunter liegt Dunkel.

Wer einem Anderen näher verbunden ist, sieht mehr, sicher: der Vater, die Mutter, der Liebende, der Freund. Geht aber sein Blick bis ins wirklich Innere? In die Meinung des Herzens? In die Tiefe der Gesinnung? In die verborgene Not? Und ist es nicht so, daß manchmal gerade die Liebe falsch sieht, weil sie selbstsüchtig ist und den Anderen so haben will, wie es ihr richtig erscheint? Weil sie empfindlich ist, träge, feige, und nicht sehen will? Ins Allertiefste vollends, dahin, wo der Mensch Person ist, und wo sich sein Schicksal knüpft, dringt überhaupt kein Blick.
Wenn das alles so ist, dann bildet »Erkenntnis« in der Welt ein Inselchen von geistiger Helligkeit; um es herum aber liegt unabsehliches Dunkel.

Denkt die Offenbarung so? Daß die Welt eine endlose Finsternis des Nicht-Erkanntseins sei, in der sich dort, wo ein Mensch lebt, ein wenig Licht bilde, mühsam und schwankend; es aber nach kurzer Zeit erlösche, und wieder alles dunkel und stumm sei?
Nein, sondern sie sagt: Die Welt ist erkannt. Alles in ihr ist erkannt. Jedes Einzelne, jeder Zusammenhang und ebenso das Ganze. Erkannt ihre Wesens- wie ihre Wertfülle, ihr Sein wie ihr Sinn, ihr Werden und ihr Bestehen. Jene Welt, von welcher der Unglaube redet und die im Dunkel des bloßen Seins läge, gibt es nicht. Der Begriff von ihr ist ein Begriff der Empörung. Sondern: die Welt ist erkannt von Anfang her und von Grund auf, denn sie ist geschaffen. Erkannt von Dem, der sie erschaffen hat. Seine Erkenntnis kommt nicht erst zum Sein hinzu, so, daß da zuerst die Welt wäre, und dann Gottes Blick sich auf sie richtete, sondern sie ist erkannt, noch bevor sie ist. Mehr: Als sie wurde, war der Akt der All-Macht, der sie schuf, zugleich Akt des All-Wissens, der sie im Licht hielt. Nur aus Gottes schöpferischer Erkenntnis heraus ist sie überhaupt seiend.
Im ersten Kapitel des Johannesevangeliums heißt es: »Im Anfang war das Wort.« Nicht »die Tat«, wie der revoltie-

rende Faust meint; nicht der dunkle Drang, von welchem der Idealismus spricht, sondern die im Wort sich öffnende Wahrheit. »Wort« aber, logos, ist nur ein anderer Name für Gottes ewigen Sohn. Er ist wesenhafte Wahrheit, denn in Ihm wird der Vater sich selbst offenbar. »Und das Wort war auf Gott hin«, der ewige Sohn ist dem Vater zugewendet, als Wahrheit geboren und als Wahrheit antwortend. »Und das Wort war [selbst] Gott«, seiend in Ewigkeit. »Alles ist geworden durch das Wort; und ohne das Wort ist nichts geworden von dem, was geworden ist.«

Gewaltige Sätze, unergründbar, unausschöpfbar; aber jeder Funke, den wir aus ihnen empfangen, erhellt den Geist und belehrt das Herz. In ihnen ist gesagt, daß es vom »Anfang«, von der ersten Wirklichkeit der Welt her, keine Finsternis gibt, weil alles im Licht von Gottes Erkenntnis steht. Und daß es am Menschen liegt, ob er dieses Licht ins Bewußtsein nimmt, oder es vergißt. Das aber kann geschehen, so ganz und gar, daß aus dem Werk des Logos die dunkle Undurchdringlichkeit der neuzeitlichen »Natur« wird.

Auch wir selbst sind im Licht, denn auch wir sind geschaffen von Gottes Macht, die eins ist mit seiner Wahrheit. Auch wir durchdrungen von Gottes Erkenntnis, vom Grund unserer Geschaffenheit her, ob wir es wissen, oder es vergessen haben; es wollen, oder uns dagegen empören.

Welch ein Gedanke! Alles, was ist, ist erkannt. Alles bewegt sich im Raum von Gottes Licht. Alles spricht durch Wesen und Bestand das Wahrheitsbild aus, das Gott erschaffend in es hineingedacht hat.

Unser eigenes Erkennen aber bildet keine selbstherrliche Welterhellung, sondern ist bemüht, den Sinn-Linien nachzuwandern, die Gottes Erkennen denkend und schaffend gezogen hat. Ebenso wie unsere Selbsterkenntnis das Bemühen ist, nachzudenken, was Gott von uns weiß. Meine Wahrheit ist in seinem Wissen; und so viel weiß ich wirklich von mir, als ich aus Ihm heraus weiß.

Ein Gedanke, der Frieden gibt. Frieden und Weite. Wie wunderbar, daß alles in der Wahrheit steht! Daß die Unwahrheit nur eine Schattenschicht ist zwischen mir und dem Seienden. Daß eigentlich und vom Wesen her alles in der Wahrheit steht: die Dinge und auch ich. Mein Geist und mein Leib, meine Kräfte und meine Eigenschaften, mein Werk und mein Schicksal – alles in Gottes Licht.
Dann aber kann das Gefühl umschlagen: Alles von mir erkannt? Alles gewußt, was ich bin und tue und meine – ist das nicht zum Fürchten?

Aus diesem Kampf der Gefühle kommt der Psalm Einhundertachtunddreißig, der uns beschäftigen soll. Er ist lang, wir können ihn nicht ganz und nicht in allen Einzelheiten durchdenken. Hören wir seinen ersten Teil:

> Herr, Du prüfest und kennest mich;
> wo ich sitze und stehe, weißt Du um mich.
>
> Meine Gedanken erkennst Du von fern;
> mag ich gehn oder liegen, es ist Dir vor Augen,
> all meine Wege sind Dir kund.
>
> Und ist mir ein Wort noch nicht auf die Zunge gelangt:
> sieh, o Herr, schon kennst Du es ganz.
>
> Vom Rücken, von vorn umschließest Du mich,
> und Deine Hand hast Du auf mich gelegt.
>
> Allzu wunderbar ist für mich dies Wissen,
> allzu hoch, ich fasse es nicht.
>
> Wohin könnte ich gehn, von Deinem Geiste fort?
> wohin fliehn vor Deinem Angesicht?
>
> Steig ich zum Himmel hinauf, so bist Du dort;
> bette ich mich in die Unterwelt: siehe, auch da bist Du.
>
> Nehm ich die Flügel der Morgenröte,
> laß ich mich nieder am Ende des Meers,

> wird auch dort Deine Hand mich führen,
> Deine Rechte mich halten.
>
> Spreche ich aber: »So soll die Finsternis mich überdecken,
> Nacht mich umgeben an Stelle des Lichts« –
>
> noch die Finsternis wird Dir nicht dunkel sein;
> wie der Tag wird die Nacht Dir erstrahlen,
> und die Finsternis ist Dir wie Licht.
>
> Denn Du hast mein Innres gebildet,
> mich gewoben in meiner Mutter Schoß.
>
> Ich preise Dich, daß ich so wunderbar bin gestaltet worden,
> daß Deine Werke so würdig des Staunens sind!
>
> Du kennst meine Seele bis auf den Grund;
> mein Wesen war nicht verborgen vor Dir,
>
> als ich im Dunkeln gebildet ward,
> gewoben ward in der Erde Schoß.
>
> Deine Augen haben schon damals meine Taten geschaut;
> alle sind sie in Deinem Buche verzeichnet,
> alle Tage bestimmt, ehe noch einer war.

Wenn wir den Worten aufmerksam gelauscht haben, dann haben wir eine Macht gespürt. Eine Lichtmacht, die alles durchdrang.

Wir verstehen die Frömmigkeit des Alten Testamentes nur, wenn wir uns gegenwärtig halten, daß darin alles durch die Erfahrung von Gottes Wirklichkeit durchdrungen ist. Jenen Menschen war Er nicht nur eine Idee, ein unbestimmtes Wesen, gar nur ein Erlebnis – Er war ihnen wirklicher als der Boden, auf dem sie standen. Und wirklich nicht nur im Allgemeinen, sondern jeweils hier, jetzt, in der gelebten

Stunde, weil ihre ganze Geschichte nur Geschichte aus Gottes handelnder Gegenwärtigkeit sein sollte. Diese Gegenwart aber bedeutet Erkanntwerden.

In der Genesis ist eine wunderbare Stelle, die erzählt, wie Hagar, Saras Magd, vor ihrer Herrin In die Wüste geflohen ist. Dort hat sie sich an einem Brunnen niedergesetzt, ratlos, was sie tun solle. Da erscheint ihr Gott und sagt, sie solle zurückgehen, wohin sie gehöre, und dann heißt es: »Sie rief den Namen des Herrn an, der mit ihr geredet hatte: ›Du bist der Gott des Sehens!‹ Denn sie sprach: ›Wahrlich, hier habe ich Den gesehen, der mich angeblickt hat!‹ Darum nennt man die Stätte ›Brunnen des Lebendigen, der mich sieht‹. Er liegt zwischen Kades und Bared.« (Gen 16,13-14) Wir fühlen die Macht in den Worten: »Er hat mich angeblickt.« Die Wahrheitsmacht, die durch nichts aufgehalten werden kann. Sie ist es, wovon unser Psalm spricht.

In der Stille einer guten Stunde wollen wir seine Worte bedenken. Uns mit dem Mann einssetzen, der da redet – vielleicht wird uns geschenkt, den Blick der großen, stillen Augen zu ahnen.

Dem Dichter ist zu Bewußtsein gekommen, daß Gott ihn erkennt, und der Gedanke entfaltet sich immer mächtiger. Ob es nicht möglich wäre, dieses Erkennen abzuwehren? Aber es durchdringt alles ... Oder möglich, Ihm zu entfliehen? Etwa zur Höhe des Himmels hinauf: aber da ist ja Gott von je! Oder in die Tiefe der Unterwelt: »Siehe, auch da bist Du!« ... Oder er »nähme die Flügel der Morgenröte«. Wenn in der klaren Luft des Orients die Sonne aufgeht, dann fährt die Helligkeit wie mit einem Ruck über das Land – wenn er so schnell fliehen könnte, wie morgens das Licht über das Land schießt, fliehen könnte, weit weg, »ans Ende des Meeres« – nicht jenes Meeres, das an Palästina grenzt, sondern des Weltmeeres, das gar kein anderes Ufer hat – auch da »würde Seine Hand ihn führen«. Keinen Schritt könnte er gehen, wenn sie ihn nicht hielte. Ins Ortlose würde er fallen, wenn das nicht geschähe, denn ein Gehen gibt es nur, weil Gott den Weg gibt und den Schritt.

Dann sucht der Sinnende zu ermessen, wie tief Gottes Erkennen reiche, und muß sich sagen, Er sehe nicht nur den Körper, sondern auch die Seele; und in der Seele den Lauf der Gedanken; und diese Gedanken schon »von fern«, das heißt, wenn sie noch unterwegs sind vom Grund der Seele herauf zur Helle des Bewußtseins, und auf diesem Wege noch weit weg – schon dann sind sie von Gott erkannt.

Noch einmal kühner: Wie er noch nicht geboren war; noch »gewoben ward in der Erde Schoß« – das Bild der Mutter dieses Menschen, und das der Mutter alles Lebendigen, der Erde, gehen ineinander – schon damals haben Seine Augen geschaut, was der Werdende später, in seinem Leben, tun würde.

Keine Entfernung im Raum, keine Entlegenheit des Geistes, kein Verhülltsein im Noch-nicht-Geschehenen ist fähig, etwas dem Blick Gottes zu entziehen.

Je nach dem, wie Einer sich zu Gott stellt, wird die Wahrheit von Seinem Wissen zum Trost – aber auch zur Furchtbarkeit, denn dieses Wissen ist durch sich selbst Gericht. Wenn Gott alles weiß, weiß er auch mein Tun, das gute wie das böse. Und nicht nur, was ich tue, sondern auch warum: aus welchen Motiven und zu welchen Zwecken, offenbaren und verborgenen. Er weiß das alles aber nicht nur, sondern Er beurteilt es, stellt es in sein Maß, und das Maß gilt, ohne Fehler und Unsicherheit. So stehe ich nicht nur im Licht seines Blickes, sondern auch im Urteil seines Gerichts. Darin wird deutlich, was mit mir ist, wie immer die Menschen sich zu mir stellen mögen, was immer ich selbst von mir denken mag. Darin liegt der letzte Ernst des Daseins – und wie schwer kann der auf das Gemüt fallen!

Doch gibt es nicht nur das bittere Versagen vor dem unbeeinflußbaren Richter, sondern auch das Einvernehmen mit dem Allgütigen. Darin spricht der Mensch: Herr, ich weiß, daß ich vor Dir nicht bestehe. Wo immer Du in mich blickst, findest Du Schlimmes. Schon ich selbst sehe es ja; wie erst Du, dem »offen sind der Menschen Herzen«. Und dennoch! Ich bin einverstanden, daß Du mich sehest. Ich will im Licht Deines Blickes stehen. Alles, was ich bin, tue ich hinein in Deine Wahrheit.

Es gibt ein Wissen, das nur Wissen ist, nur Feststellung von Sachverhalten und Sinngefügen. Das ist unbarmherzig. Denken wir an die Weise, wie ein Forscher seine Apparate auf den Gegenstand richtet, den er untersucht; oder wie ein mitleidloser Richter herausbringt, was der Angeklagte getan hat. Das Erkennen Gottes ist nicht so. Es ist eins mit seiner Liebe. Worauf es sich richtet, das hat Er ja selbst geschaffen, und hält es immerfort im Sein. Gottes Wahrheit ist Gedanke, aber auch Herz; sie ist Licht, aber auch Glut.
Und der Mensch, der sich mit Gott verbindet, der glaubt – und »glauben« heißt ja doch, sich Ihm »angeloben« – wer so tut, der spricht: Du sollst alles wissen. Mein Wesen und mein Tun und meinen Sinn. Meine Freude und mein Leid. Das Gelungene und das Mißratene. Was ich habe, wie das, was mir verloren ist. Das Gute und das Edle, aber auch das Böse, Häßliche, Niedrige und Beschämende. Alles soll hinein in Dein Licht! Da ist es dann aufgehoben; alles, auch das Schlimmste.
Sein Licht ist Liebe und Erlösung. Es wird alles zum Rechten führen.

Gottes Hirtensorge

Psalm 22 (23)

Manche unter den Psalmen wachsen aus der Geschichte des berufenen Volkes heraus; andere wieder aus dem persönlichen Leben eines Einzelnen. Unter diesen ist der zweiundzwanzigste besonders eindrucksvoll. Bevor wir uns ihm zuwenden, wollen wir uns aber den Lebenskreis nahebringen, aus dem er kommt, den des Hirten.
Er ist uns fremd geworden. Wir wissen nichts mehr von der Welt, in welcher der Mensch mit seinen Tieren zusammenlebt, die er kennt und liebt, von denen er Nahrung und Kleidung hat. Meistens in der Einsamkeit, mit ihren Gefahren und ihrem Geheimnis. Von ihm zu seiner Herde geht wie ein Strom ein immer waches Wissen und Sorgen. Er führt sie zu Weide und Tränke; pflegt sie, wenn sich Krankheiten einstellen; schützt sie gegen Räuber und wilde Tiere. Das Verhältnis zwischen Gott und dem Menschen mit dem zwischen Hirt und Herde zu vergleichen, hat für jene Zeit nichts, was sein Würdegefühl verletzen könnte ...
Aus dieser Zeit redet unser Psalm. Er ist der Überlieferung nach von David selbst verfaßt, der ja als junger Hirt von den Herden seines Vaters zum Heere des Königs Saul kam, die Schleuder in der Tasche und den Stab in der Hand.
Das berufene Volk war ein Volk von Hirten. Die Genesis berichtet, wie Gottes Befehl Abraham, seinen Ahnen, in Mesopotamien erreicht; er, dem Ruf gehorsam, mit seiner Sippe und seinen Herden ins verheißene Land zieht, und die Familie zu stattlicher Zahl heranwächst; wie sie sich, zur Zeit einer harten Hungersnot, nach Ägypten flüchtet, dort in lange, harte Knechtschaft gerät und schließlich durch Moses befreit wird; wie das Volk sich, von ihm geführt, mit seinen Herden durch die Wüste kämpft, und endlich, unter Josue, vom verheißenen Land Besitz nimmt.

Der Hirt mit seiner Herde sind diesem Volk ein altvertrautes Bild, und was zwischen ihnen geschieht, wird ihm ohne weiteres zum Gleichnis für die Dinge des Lebens.

Der Psalm lautet so:

> Der Herr ist mein Hirt, nichts kann mir fehlen;
> Er läßt mich rasten auf grüner Au.
>
> Er führt mich zur Ruh an lebendige Wasser,
> gewährt meiner Seele Erquickung.
>
> Auf rechten Wegen leitet Er mich,
> um Seines Namens willen.
>
> Und müßte ich gehn in dunkler Schlucht,
> ich fürchte kein Unheil: Du bist bei mir.
>
> Dein Stock und Dein Stab,
> sie geben mir Zuversicht.
>
> Den Tisch bereitest Du mir
> ins Angesicht denen, die mich bedrängen.
>
> Du salbest mit Öl mein Haupt,
> und übervoll ist mein Becher.
>
> Die Huld und die Gnade gehen mir nach
> durch all meines Lebens Tage,
>
> und wohnen darf ich im Hause des Herrn
> durch lange und lange Zeit.

Eine große Innigkeit durchzieht das Gedicht. Der Mann, der da redet, fühlt sich als Glied von Gottes Herde, und er hat sicheres Vertrauen zu seinem Hirten. Dieser ist der Herr – »nichts kann ihm da fehlen«.

Denn wie leicht »fehlt« etwas in einem Lande, das zum großen Teil aus steiniger Steppe besteht! Die ist spärlich bewachsen, und oft muß die Herde lange suchen, bis sie

Graswuchs findet. Findet sich wirklich eine »grüne Au« – wie kostbar ist sie dann! Wem Gott Hirt ist, dem wird diese grüne Fülle, Gleichnis aller guten Gaben, immer gewährt.

»Er führt mich zur Ruh an lebendige Wasser.« Im Land der Bibel ist das Wasser selten; so wird es zum Bild des Lebens und der Kostbarkeit. Gar »lebendiges Wasser«, im Unterschied zur Zisterne, in der sich nur Regenwasser sammelt, das bald brackig schmeckt; Quelle, die immer fließt und köstlich den Durst löscht. Um zu sagen, wie wunderbar das Paradies war, erzählt die Genesis von seinen Flüssen, deren vier, strömend von kühler Fülle, das Land fruchtbar machen.

Wer sich Gottes Sorge anvertraut, der wird zu einem Reichtum geführt, dessen Unerschöpflichkeit nicht nur hin und wieder einmal stillt, sondern beruhigende Sicherheit gibt, reichen Trank spendet, Überfluß des Lebens. Dort findet »seine Seele« – und das Wort meint sein ganzes lebendiges Menschenwesen – »Erquickung«.

»Auf rechten Wegen leitet Er mich.« Denken wir an das heilige Land zurück, das zum großen Teil Einöde war, und in dem es nicht viel gebahnte Straßen gab. Wie leicht kann da ein Hirt fehlgehen; in wasserlose Gegenden kommen, wo die Herde verdurstet, oder in gefährliche, wo Räuber sie überfallen. Gott »leitet auf rechten Wegen«.

Das aber tut Er »um Seines Namens willen«. Der »Name« ist die Offenbarung, in welcher Gott kundgetan hat, wer Er ist: der Mächtige, aber auch der Gütige und Sorgende. Jener, der sich in heiligem Bund diesem Volk verpflichtet hat. Nicht, weil Er, wie die heidnischen Numina, die mythische Verdichtung eines Volkslebens wäre, sondern weil Er in freier Gnade dieses Volk erwählt und zum Träger der erlösenden Geschichte gemacht hat.

»Und müßte ich gehn in dunkler Schlucht« – nach anderer Übersetzung: »in der Schlucht des Todes« – »ich fürchte kein Unheil; Du bist bei mir.« Im Gebirge kann es ja geschehen, daß die Sonne untergeht, rasch, fast plötzlich, wie das im

Süden die Regel ist, und der Hirt mit seiner Herde durch eine Talenge ziehen muß. Darin ist es unheimlich. Raubtiere können anspringen, Wegelagerer vorbrechen. Die Herde geht dichtgedrängt dem Hirten nach; sie hat aber keine Angst, denn »sein Stock und sein Stab, sie geben ihr Zuversicht«.
Mit dem »Stab« ist der Hirtenstab gemeint, Ausdruck für die Wachsamkeit, die Erfahrung und ruhige Sicherheit des Mannes, der mit seiner Herde verwachsen ist und die Anzeichen kennt. Darauf verläßt sich die Herde. Vielleicht dürfen wir auch daran denken, daß der Gehende bei jedem zweiten Schritt mit dem hohen Stab an den Boden stößt, so daß seine Tiere den Aufprall hören und auch im Dunkel der führenden Gegenwart gewiß bleiben. Was aber den »Stock« angeht, so ist mit ihm die Keule gemeint, die der Hirt zur Verteidigung führt, und mit der er seine Herde schützt.
So sagt der Betende zu Gott: »Bei Dir bin ich geborgen!«

An das Bild des Hirten schließt sich ein anderes, ebenfalls aus der Wirklichkeit dieser Welt genommen: das der Gastfreundschaft.
»Den Tisch bereitest Du mir.« Der Wanderer ist einen langen Weg gegangen; nun kommt er in das Haus seines Freundes und wird wohl versorgt, denn der Gast ist heilig, und der Gastfreund steht mit allem, was er hat, für ihn ein.
Den Tisch aber bereitet er dem Wanderer »ins Angesicht denen, die ihn bedrängen«. Der Wanderer hat Feinde; vielleicht haben sie ihn verfolgt; nun ist er geborgen, und der Gastfreund, seiner Macht sicher, bietet allen Übelwollenden stolzen Trotz. Sie mögen zusehen, wie sein Schützling es sich wohl sein läßt, und ohnmächtig fühlen, daß sie ihm nicht schaden können.
»Du salbest mit Öl mein Haupt.« Eine alte Sitte, der wir auch im Leben Jesu begegnen, zum Beispiel dort, wo berichtet wird, wie Er im Hause des Pharisäers eingeladen ist und diesem seine Unhöflichkeit vorhält: »Ich bin in dein Haus

gekommen ... Du hast mir das Haupt nicht mit Öl gesalbt, sie aber« – Maria von Magdala – »hat mir die Füße mit Salbe gesalbt.« (Lk 7,44–46)
Das Öl glättet das langgetragene Haar. Es ist mit Spezereien gemischt und verbreitet festlichen Duft. Dem Ankömmling diese Erfreulichkeit zu bereiten, gehört zu den Bräuchen der Gastfreundschaft.
»Und übervoll ist mein Becher.« Nicht kärglich zugemessen, halbvoll geschenkt, sondern so, daß er überfließt. »Alles gönne ich dir«, sagt der Gastfreund, der so tut.

»Die Huld und die Gnade gehen mir nach durch all meines Lebens Tage.« Für gewöhnlich steht es so, daß der Mensch dem Glück nachläuft und es zu haschen sucht, dieses aber flieht, und er bleibt mit leeren Händen stehen. Hier ist es in glückseliger Weise anders. »Huld und Gnade« selbst sind es, die dem von Gott Geliebten »nachgehen«, ihn förmlich verfolgen und so eine unerschöpfliche Güte offenbaren.
»Und wohnen darf ich im Hause des Herrn.« Damit ist hier wohl nicht der Tempel gemeint; sondern »Haus des Herrn« ist das ganze Land, das ja Gott gehört, und in welchem Jener, der Ihm vertraut, Sein Gast ist. Wo immer der Glaubende wellt, ist er in Gottes Haus, gastfreundlich aufgenommen, geschützt und mit reichen Gaben bedacht.

Eine innige Nähe waltet hier. Unbedingtes Vertrauen, das sich dem Heilig-Mächtigen in die Hände gibt. Um das zu verstehen, müssen wir auf die religiöse Grunderfahrung des berufenen Volkes zurückgehen: daß Gott es in einer ausdrücklichen Weise mit sich verbunden hat.
Damit ist nicht die Vorsehung gemeint, die Gott allem zuwendet, was Er geschaffen, sondern jenes Geschehnis, von dem uns die ersten Kapitel des Buches Exodus sprechen: Gott ist zu diesem Volk gekommen und hat es in einer geheimnisvollen Weise an sich gezogen. Er, welcher der Welt nicht bedarf – auch dieses Volkes nicht, hält Er doch immerfort

über es Gericht – hat gesprochen und, was Er gesprochen, in Freiheit verwirklicht, in Treue befestigt: »Ich will in eurer Mitte wandeln und euer Gott sein, und ihr sollt mein Volk sein.« (Lev 26,12) Aus dieser Verbindung geht das Bewußtsein hervor, das sich im Bild vom Hirten und seiner Herde ausdrückt. Aus ihr kommt jenes Vertrauen, das keine Zweifel kennt.

Die Bücher des Alten Testamentes sind voll von Geschehnissen, die zeigen, wie die Geschichte dieses Volkes sich aus der Kraft der Bundesschließung heraus verwirklicht. Nicht aus der Regierungskunst seiner Könige, nicht aus der Tapferkeit seiner Krieger, nicht aus dem Fleiß seiner Arbeitenden hat es existiert – so wichtig das alles natürlich sein mag –, sondern aus dem beständigen gnädigen Handeln Gottes heraus.
Dafür nur ein Beispiel aus dem Buch der Richter. Da wird erzählt, wie Gideon gegen die Midianiter zieht, die räuberischen Araberstämme, die immer wieder von der Wüste her eindringen: »In der Frühe des andern Morgens bezogen Jerubbaal« – das ist Gideon – »und alle Leute mit ihm Lager an der Charodquelle ... Da sprach der Herr zu Gideon: ›Zu zahlreich ist das Kriegsvolk bei dir, als daß ich Midian in ihre Gewalt geben könnte. Sonst rühmt sich Israel wider Mich und spricht: Meine eigene Hand hat mich gerettet. Verkünde also jetzt dem Kriegsvolk: Wer verzagt ist und sich fürchtet, kehre um ...‹ Da zogen von den Kriegsleuten zweiundzwanzigtausend Mann ab, nur zehntausend blieben. Der Herr aber sprach zu Gideon: ›Noch ist das Kriegsvolk zu zahlreich. Führe sie hinab ans Wasser; dort will ich sie dir sichten.‹ ... Er führte sie ans Wasser hinab. Der Herr sprach zu Gideon: ›Wer mit der Zunge Wasser leckt, wie die Hunde tun, den stelle besonders, und ebenso jeden, der seine Knie beugt, um [aus der Hand] zu trinken.‹ Es belief sich die Zahl derer, die das Wasser leckten, auf dreihundert Mann, alle übrigen Kriegsleute beugten ihr Knie, um Wasser aus der Hand zu trinken ... Da sprach der Herr zu Gideon: ›Mit diesen drei-

hundert Mann, die das Wasser leckten, will Ich euch erretten und die Midianiter in deine Gewalt geben ...‹« (Ri 7,1–17)
Nicht das natürliche Volk ist es, das hier die eigene Geschichte führt, sondern Gott. Er handelt, und handelnd offenbart Er sich.

Ein wunderbares Echo findet das Bild des Psalms im Neuen Testament. Da erscheint Jesus als der eigentliche Hirt. Etwa dort, wo es heißt: »Und Jesus zog umher in allen Städten und Dörfern, und lehrte in ihren Synagogen, und verkündete das Evangelium vom Reich, und hellte alle Krankheiten und Gebrechen. Da Er aber die Vielen sah, erbarmte es Ihn, daß sie mißhandelt und preisgegeben waren wie Schafe, die keinen Hirten haben.« (Mt 9,35f) Oder im Gleichnis von dem Tier, das sich aus der Herde verloren hat, und dem Er in die Wüste nachgeht, bis Er es findet, und das Ermattete auf seinen Schultern zur Herde trägt (Mt 12,11 f). Und so noch öfter.
Besonders eindringlich spricht Er bei Johannes im 10. Kapitel. Da sagt Jesus: »Der Dieb« – wie er etwa in der Todesschlucht hätte lauern können – »kommt nur zum Stehlen und Schlachten und Verderben. Ich bin gekommen, damit [die Schafe] Leben haben und Oberfluß. Ich bin der gute Hirt.« Und wieder: »Der gute Hirt setzt sein Leben ein für die Schafe. Der Mietling, der nicht Hirte ist, dem die Schafe nicht gehören, sieht, wie der Wolf kommt und verläßt die Schafe und flieht ... weil er ein Mietling ist, und ihm an den Schafen nichts liegt. Ich bin der gute Hirt und kenne die Meinen. Und die Meinen kennen mich, so wie mich der Vater kennt, und ich den Vater kenne. Und ich gebe mein Leben für meine Schafe.« (Joh 10,10–15)
Welche Tiefe gewinnt hier das Bild! Christus ist in der Freiheit der Liebe »gekommen«, um sie zum Leben zu führen; zur Fülle des Lebens, reich wie das strömende Wasser. Er »kennt« sie, die an Ihn glauben, und sie kennen Ihn. Es ist das Kennen aus jenem Innersten, das zwischen

dem Erlöser und dem Erlösten waltet; eng, ja vielleicht, der Liebe wegen, die da »geliebt worden ist bis ans Ende« (Joh 13, 1), enger noch, als das zwischen Schöpfer und Geschöpf. Sie gehen Ihn an, denn sie »sind sein«, in der Einssetzung der Sühne sein geworden.

Und nun ein unerhörter Satz: Er »kennt« seine Schafe »so, wie der ewige Vater den Sohn, und wie der Sohn den Vater kennt«. Sehen wir, wie hier die Beziehung zwischen Hirt und Herde hineingezogen wird in den Abgrund Gottes? Unausdenkbar ist das, was hier aus der Innigkeit von Gottes Leben zum Menschen ausstrahlt, der sich glaubend mit Ihm verbindet.
Ja noch mehr sagt Er: »Ich lasse mein Leben für meine Schafe.« Die Verbundenheit Jesu mit den Seinen geht durch das Letzte, durch den Tod. Es ist ein Todesbund; so wie denn auch die Selbstschenkung Jesu, die Eucharistie, ein Sakrament ist, das aus Jesu Tod hervorgeht. Am Abend vor seinem Leiden ist es gestiftet; als sein »Leib, der für uns dahingegeben ... sein Blut, das für uns vergossen« worden (Mt 26,26 ff). Paulus aber sagt: »So oft ihr also dieses Brot esset und diesen Becher trinket, verkündet ihr den Tod des Herrn.« (1 Kor 11,26) Die Einheit, die hier waltet, ist so tief, wie die zwischen dem, der für den Anderen stirbt, und dem, für den er stirbt, wenn Jener, der das tut, der Allmächtige Gott ist.

Aber die Beziehung geht, wie alle echten Beziehungen, auch in umgekehrter Richtung – und nun erreicht das Bild vom Wandern in der dunklen Schlucht erst seinen letzten Sinn, denn die Todesschlucht ist unser Sterben. Da ist niemand mehr bei uns, nicht Vater, noch Mutter, noch Geschwister, nicht Liebender noch Freund. Da gilt auch Wissenschaft nicht mehr, nicht Kunst und nicht Kultur. Allein gehen wir durch die dunkle Schlucht. Aber Christus ist da; nur Er, deshalb, weil Er für uns gestorben ist, nachdem Er vorher für uns gelebt und nachher, vom Grabe erstehend, den Tod überwunden hat. Da hat Er eine geheimnisvolle Einssetzung zwischen sich und uns vollzogen. Er ist so gottgewaltig in unser Schicksal eingegangen, daß in jedem Glaubenden Er dessen Leben lebt, wie Paulus sagt: »Ich lebe, doch nicht mehr ich, sondern Christus lebt in mir.« (Gal 2,20) Wo immer ein Glaubender »Ich« sagt, sagt Christus »Ich« in ihm. Wo immer ein Glaubender Schicksal erfährt, ist Er es, der es in ihm erfährt.

Ebenso wie, nun abermals in heiliger Umkehrung, der Vater schenkt, was Paulus den Seinen erbittet: »daß Christus wohne durch den Glauben in euren Herzen, und ihr in Liebe gewurzelt und gegründet seiet, damit ihr in vollen Stand kommt, mit allen Heiligen zu fassen, welches die Breite, die Länge, die Tiefe, die Höhe sei; und die alle Erkenntnis übersteigende Liebe des Christus zu erkennen, damit ihr erfüllt werdet zur ganzen Gottesfülle.« (Eph 3,17–19)

Vielleicht haben wir schon einmal den eigenen Tod vorausgeahnt. Haben die Stunde vorausgefühlt, in welcher absolute Einsamkeit sein wird, da alles wegfällt, alles zurückbleibt. Und je größer die Wörter waren, die vorher gesprochen worden, desto wesenloser verfliegt, was sie verheißen haben: Wohlstand, Fortschritt, Kultur.

Nur ein einziges Vertrauen behält recht, das auf Christus. Er bleibt. Er geht mit. Er stirbt den Tod jedes Menschen mit, der an Ihn glaubt. Und Er »wird ihn auferwecken am Jüngsten Tage« (Joh 6,39).

Die Stimme des Herrn

Psalm 28 (29)

In den Psalmen tritt das Menschenleben mit seinen Freuden und Nöten hervor, aber auch die Natur. Doch müssen wir sofort unterscheiden: das geschieht nicht in der Weise, wie unsere Lyrik von ihr spricht. Um ihrer selbst willen hat sie im Alten Testament keinen Raum; sie trägt stets religiösen Charakter. Richtiger gesagt: sie steht immer in Beziehung zum personalen Gott, wie zum Schicksal des von Ihm angerufenen Menschen, und erreicht erst so ihren vollen Sinn.
Die Natur ist Werk von Gottes Schöpferschaft, Offenbarung seiner Herrlichkeit, Werkzeug seiner Macht. In allem waltet sein Wort. Noch fehlt alles das, was wir Naturgesetz nennen. Davon weiß das Alte Testament noch nicht. Das Wissen von den Gesetzen der Natur bildet sich erst zu Beginn der Neuzeit. Alles, was geschieht, ist unmittelbar von Gott gewirkt. Fast möchte man sagen, dort, wo für den modernen Menschen das Naturgesetz steht, stehe für den Glaubenden des Alten Testaments Gottes Wort; sein Werdebefehl, sein ordnender, spendender und strafender Wille. Wenn es regnet, ist Er es, der regnen läßt; wenn das Meer in Bewegung kommt, ist Er es, der die Wasser aufrührt; wenn die Bäume wachsen, treibt seine Macht sie empor; wenn das Getreide reift, gibt Er dem Menschen Brot. Gewiß, im Letzten ist es ja wirklich Gott, der alles wirkt; aber Er tut es durch Mittel-Ursachen hindurch: die Energien der Natur, die Wachstumskraft der Samen, die Organe des Lebens. Diese Mittel-Ursachen fallen aber für die Anschauung des Alten Testamentes weg, und Gott wirkt unmittelbar alles, bis ins letzte Ergebnis. Daher die religiöse Intensität des Sprechens; daher aber auch manche Schwierigkeit, zum Beispiel die Frage: Wie

ist es mit dem Bösen? Wirkt Gott auch das? Mit ihr ist das Alte Testament nie richtig fertig geworden.
Aber, anders als im Mythos, ist alles Gottes voll, doch nie ist Er die Natur selbst; auch nicht ihre Ordnung, noch ihre Seele. Die Nähe Gottes zur Welt ist groß, aber nie geschieht Verschmelzung.
Immer ist Er der Herr; Herr der Natur, weil Herr seiner selbst. Seine Hand liegt an allem Sein, sein Wort wirkt in allem Geschehen; nie aber bedarf Er der Natur, noch wirkt sie in Ihn hinein. Niemals gelangt sie dahin, Er zu sein, wird sie in irgendeinem Sinne Teil von Ihm. Immer hebt Er sich über sie hinaus, nein, ist Er ihr enthoben; sich selbst genügend, unantastbar in seiner Majestät.

Der Weise, wie in den Psalmen Gott zur Natur steht, entspricht auch das Verhältnis des gläubigen Menschen zu ihr. Er bedarf ihrer, wird durch sie seelisch berührt, bewundert sie, fühlt ihre Bedrohungen - nie aber versinkt er in ihr, oder wird er mit ihr eins. Auch in der stärksten Ergriffenheit ist nichts Dionysisches.
Der Mensch ist Herr der Natur, oder doch bestimmt, es zu werden. Freilich Herr von Gnaden, während Gott es von Wesen ist. Der Mensch erlebt sein Herrentum eben dadurch, daß er im personalen Gegenüber zu Gott steht; das hebt ihn aus aller Verwobenheit in die Natur heraus. Auch in den Stunden, in denen er sie am stärksten fühlt, ist nie sie es, an die seine Stimme sich richtet; wenn er seine Anrede erhebt, ist es immer der Ur-Herr der Welt, den er meint.
Das ist das Geheimnis der Naturpsalmen. Durch die Weise, wie sie vom strahlenden Himmel und vom stürmenden Gewitter, vom Berg und vom Acker, von Fruchtbarkeit und von Dürre reden, reden sie immer vom Gott der Offenbarung, der am Horeb gesagt hat: »Ich bin der Ich-bin.« (Ex 3,14)
Einen von ihnen wollen wir nun durchdenken, den achtundzwanzigsten.

Erweiset dem Herrn, ihr Gottessöhne,
erweiset dem Herren Ehre, und Huldigung Seiner
Macht.

Erweiset dem Herrn Seines Namens Ehre,
im heiligen Schmuck fallt nieder vor Ihm.

Die Stimme des Herrn über den Wassern!
Der Herr der Herrlichkeit läßt Seinen Donner erdröhnen,
der Herr über den großen Wassern!

Die Stimme des Herrn in Macht,
die Stimme des Herrn in Herrlichkeit!

Die Stimme des Herrn bricht Zedern,
der Herr zerbricht die Zedern des Libanon.

Er macht wie ein Kalb den Libanon hüpfen,
und wie ein Büffeljunges das Sariongebirg.

Die Stimme des Herrn schlägt Feuerflammen hervor,
die Stimme des Herrn erschüttert die Wüste,
die Wüste von Kades erschüttert der Herr.

Die Stimme des Herrn dreht Eichen von ihren Wurzeln;
sie öffnet das Innre der Wälder,
und alle in Seinem Tempel rufen: »O Herrlichkeit!«

Der Herr thront über den Fluten,
es thront der Herr als König der Ewigkeit.

Der Herr wird Kraft Seinem Volk verleihn,
der Herr wird Sein Volk mit Frieden segnen!

Gehen wir den Gedanken des Psalms nach.
Er beginnt mit dem Anruf: »Erweiset dem Herrn, ihr Gottes-
söhne, erweiset dem Herren Ehre, und Huldigung ...«. Diese
»Gottessöhne« sind die hohen Wesen im Himmel, die Engel.

Sie schauen Gottes Herrlichkeit; sehen und verstehen, was Er in der Welt wirkt.
Hier den gewaltigen Vorgang eines Gewitters. Die Engelwesen sehen ihn; schauen das Gotteswerk darin; sind erschüttert und wandeln ihre Ergriffenheit in einen Akt der Anbetung. Wir sind versucht, von einer Weltliturgie zu reden, die sich da vollziehe. In den Höhen, um Gottes Thron, sind die Engel. Sie erleben, was »unten« auf Erden geschieht; werfen sich nieder vor Gott und preisen Ihn. Sie tun es »im heiligen Schmuck«, in hieratischen Gewändern, himmlische Liturgen – ein Bild, das sich dann im letzten Buch des Neuen Testaments, in der Apokalypse entfaltet.

Nun beginnt das Erlebnis. Der den Psalm gedichtet hat, ist vielleicht auf dem Feld – manche denken an David, wie er bei den Herden weilt – und dann bricht es los: »Die Stimme des Herrn« – das Wort geht wie ein Grundton durch den ganzen Psalm.
Es meint zunächst den Donner mit seiner Urkraft, der die Welt durchdröhnt. Dann aber, darüber hinaus, alles, was da an Gewaltigem geschieht: den Sturm, den Blitz. »Stimme des Herrn« ist die Macht Gottes einfachhin, insofern sie nicht schafft und baut, sondern bedroht; fühlen läßt, daß Er zerbrechen, ja vernichten könnte, daher alles in seiner Gnade besteht.

»Die Stimme des Herrn über den Wassern!« Zunächst könnte das Wort die fallenden Wasser des Regens meinen. Dann kehrt es aber wieder: »Der Herr der Herrlichkeit läßt seinen Donner erdröhnen, der Herr über den großen Wassern.« Da dringt im Bilde Mächtigeres durch: jener Regen, von dem es in der Genesis heißt: »An diesem Tage brachen alle Quellen der großen Flut auf, und die Fenster des Himmels öffneten sich. Und es ergoß sich ein Regen auf die Erde vierzig Tage und vierzig Nächte lang.« (7,11-12) Gemeint sind die Wasser, die einst die Erde überflutet haben, als die Frevel der

Menschen so groß wurden, daß Gott sie und alles Leben »vom Angesicht der Erde vertilgen« wollte (Gen 6,5–7). Die Sintflut also; zunächst ein Ereignis der Erdgeschichte.
Dahinter aber scheint ein anderer Gedanke zu drohen: Die Welt muß nicht sein. Sie ist nicht »naturnotwendig«; sie hängt im freien Willen Gottes. Der Mensch ist der letzte Ausdruck der Welt. Sein Verhalten entscheidet über den Sinn ihres Seins. Wenn er schuldig wird, drängt die Möglichkeit heran, daß Gott den Ratschluß seines Schaffens widerrufe – »es reute Ihn, den Menschen gemacht zu haben auf Erden, und Er bekam Kummer in seinem Herzen« heißt es ja in der Genesis (6,6) – und die gleiche Macht, die schuf, das verratene Werk ins Nichts stürze. Das dringt apokalyptisch im Bild des Gewitters vor.

»Die Stimme des Herrn bricht Zedern« – jene gewaltigen Bäume des Libanon, die bis zu vier Metern im Durchmesser haben und durch die Gewinngier der Menschen fast ausgerottet worden sind. Daß die »Stimme des Herrn« sie zerbricht, ist höchster Erweis seiner Macht.
Die Stimme des Herrn »macht wie ein Kalb den Libanon hüpfen«: das Dröhnen des Donners bringt das Gebirge zum Beben – seine ragende Festigkeit löst sich in das Bild eines jungen, spielenden Tieres. »Die Stimme des Herrn schlägt Feuerflammen hervor« – der Donner, in welchem Gott redet und droht, schlägt den Blitz heraus, so wie der Mensch, der auf den Kiesel schlägt, die Funken herausholt.
»Die Stimme des Herrn dreht Eichen von ihren Wurzeln« – als sei da eine gewaltige Hand, die um die Bäume herumgreift und sie windet, wie man einen Weidenzweig windet. »Sie öffnet das Innere der Wälder«: der Blitz führt hinunter und schält die Rinde ab, und der weiße Splint wird sichtbar.
»Und alle in Seinem Tempel« – nicht unten die auf Erden, sondern die Engel-Liturgen im oberen Tempel, im Himmel, »rufen in jubelnder Anbetung: O Herrlichkeit!« »Der Herr thront über den Fluten« – wohl denen der großen Flut, einst –

»es thront der Herr als König der Ewigkeit.« Dann aber kehrt der Gedanke auf die Erde zurück: »Der Herr wird Kraft Seinem Volk verleihn, der Herr wird Sein Volk mit Frieden segnen.«
Es ist wunderbar, wie die Räume ineinander gehen. Gesehen ist das Ganze von der Höhe, wo die Engel sind. Es geschieht auf Erden; wird aber in das hineingenommen, was die Engel tun: Gott erkennen und Gott ehren.

Was im Psalm geschieht: daß die Geschöpfe Gottes, die Engel, aber auch der betende und dichtende Mensch, das Geschehen der Welt sehen und es in die Anbetung hineintragen – sind wir Heutige dazu noch im Stande? Eine Frage, die uns wohl beunruhigen mag.
Noch für den mittelalterlichen Menschen war das nicht schwer. Er sah die Welt so, wie auch die Antike sie gesehen hatte: als einen Kosmos. Wenn wir etwa Dantes »Göttliche Komödie« aufschlagen, so finden wir darin ihr vollkommenstes Bild. Sie erscheint als eine ungeheure Kugel, ganz durchflutet und durchformt von den Mächten Gottes. Sie war Gottes Werk und wäre – nach einigen Umgestaltungen – in ein Gebet, wie unseren Psalm, ohne weiteres eingegangen; denken wir nur an den Lobgesang des heiligen Franziskus.
Dann aber drang die exakt-wissenschaftliche Arbeit durch und schuf die moderne Vorstellung der »Natur«. Was diese meint, hätte der mittelalterliche Mensch nie verstanden. Ihm ging alles ins Symbolische; alles offenbarte Gott. Die mittelalterliche Kathedrale drückt diese in jedem Ding und jeder Beziehung liegende Symbolik des Göttlichen aus. Die Wissenschaft hingegen fragt nach dem natürlichen Wie und Warum. Überall findet sie die Tatsache, die ist, wie sie ist; unaufhebbar festliegend, bewiesen durch das Experiment und ausgedrückt im Gesetz, welches sagt, was geschehen muß und wie und warum. Zugleich wird die Welt im Gefühl des Menschen nicht nur groß, sondern unendlich. Wo bleibt

da Gott? Er hat für die Vorstellung von Ihm sozusagen keinen eigenen Raum mehr. So sucht er Ihn in die Welt hineinzuziehen, und der moderne Pantheismus entsteht, der Gott als die Seele der Welt auffaßt.

In unserer Zeit verfliegt zwar der Unendlichkeitsrausch; die Welt wird wieder als etwas Endliches gesehen. Sie empfängt aber aus der Wissenschaft immer mehr den Charakter kühler Exaktheit; eines ungeheuren Zusammenhangs von Energien und Gesetzen – während die Technik in ihr den Stoff für ihre immer gewaltigeren Werke sieht.

So steht es heute, und dieses Weltgefühl drängt sich auch dem Glaubenden auf. Da wird es schwer, die Welt in den auf Gott gerichteten Akt, ins Gebet hineinzunehmen. Aber es ist Menschenaufgabe, das zu tun. Wie soll das geschehen?

Wir haben diese Frage wohl schon empfunden. Wenn wir etwa Naturgedichte Goethes lasen, die von pantheistischer Göttlichkeit erfüllt sind, haben wir gemerkt, daß wir sie nicht mitvollziehen konnten. Dazu waren wir zu nüchtern geworden - nüchtern in einem großen, freilich auch in einem schlimmen Sinn. Diesen Weg können wir nicht gehen. Vielleicht müssen wir ihn über den Gedanken suchen, daß Gott »Der ist, der Er ist«, einfachhin; der durch sich selbst Seiende.

Und nun möchte ich etwas sagen, das an sich unsinnig ist. Vielleicht hilft es aber, etwas vor die inneren Augen, in's Gefühl zu bringen, für das die »vernünftige« Aussage nicht zu Gebote steht.

Die heilige Theresia von Avila hat einmal gesagt: »Gott allein genügt.« Damit meinte sie, Gott allein könne das tiefste und ganze Verlangen des Menschen stillen. Das ist wahr. Ich möchte aber den Satz anders beziehen und sagen: Wenn Gott ist, dann ist das »genug«. Nehmen wir an – und das ist das »Unsinnige« – es gäbe die absolute Forderung, alles an Sein und Sinn, an Leben und Wert, an Werk und Glück Mögliche müsse wirklich werden, weil sonst die Leere schreien würde.

Diese Forderung wäre dadurch erfüllt, daß Gott ist. Er wäre genug. Nichts anderes wäre nötig.
Dieser Gott aber hat die Welt, die Menschen – für jeden jeweils ihn – geschaffen. Nicht durch irgendein Müssen gedrängt, sondern in reiner Freiheit. Er hat es gewollt, weil Er es gewollt hat. Wir sagen: aus Liebe. Was das aber bedeutet, wenn Gott, der in sich selbst die unendliche Liebe und Fruchtbarkeit hat, »Liebe« zum Endlichen, zum Menschen haben soll, das überschreitet alle Vernunft. Nicht Gott ist das Problem: ob Er sei, und wer Er sei, und wie Er sei, sondern das Endliche: wie es sein könne, und warum, und um welchen Sinnes willen. Nicht Gott ist frag-würdig, sondern der Mensch – er und die Welt.
Damit kehrt – in einer Bekehrung, einer *metanoia* des Denkens, die wir aus dem reinen Sinn der Offenbarung heraus vollziehen müssen - die Frage, die wir gestellt haben, sich um, und ebenso die Antwort. Der immer weiter um sich greifende und immer entschiedener sich verwirklichende Atheismus sagt das Gegenteil: Der Mensch, die Natur, das Menschenwerk aus Stoffen der Natur, sind das Einzig-Seiende und jener Forderung Genügende. »Gott« ist ein Erzeugnis des Menschen, nötig und sinnvoll, solange dieser noch unmündig ist. Jetzt ist er mündig geworden, beziehungsweise tut den endgültigen Schritt der Mündig-Werdung. Nun bedarf er »Gottes« nicht mehr. Der Mensch und seine Welt sind alles. Das bestätigt in Manchem das Selbstgefühl des heutigen Menschen – in Wirklichkeit ist es die Revolte gegen die Wahrheit einfachhin.
Glauben bedeutet, sich für die Wahrheit zu entscheiden. Der Glaubende sieht die Größe der Welt, überwindet ihre scheinbare und behauptete Eigenständigkeit, und gibt sie, glaubend und betend, in Gottes Hand zurück.

Das Verlangen nach Gott

Psalm 62 (63)

Es gibt ein religiöses Gefühl, das sehr selten zu sein scheint, obwohl es doch eigentlich mit Urkraft aus dem Grunde des Menschenwesens hervorgehen müßte: das Verlangen nach Gott. Eigentlich müßte es unser ganzes inneres Leben beherrschen; denn die Geschaffenheit ist ja nicht etwas, das nur »einst« von Bedeutung gewesen wäre, am Anfang der Dinge, sondern der Grundcharakter, der alles Menschliche bestimmt. Was immer der Mensch ist, ist er als Geschaffener; was immer er tut, tut er aus dem Grund des Geschaffenseins heraus. So müßte jenes Verlangen der elementare Ausdruck dieser Tatsache sein. Daß es nicht so ist, offenbart dem Nachdenkenden viel von unserer tiefsten Geschichte.
Gewiß, schaffend hat Gott den Menschen freigegeben. Er hat ihn in echte Wirklichkeit und eigenen Schritt gestellt, obwohl es ein Geheimnis ist, wie Endlich-Bedingtes überhaupt möglich sei; wie es »neben« dem Unendlich-Absoluten Raum und Seinskraft haben könne. Wir nehmen es als selbstverständlich, daß Endliches sei; jeder von uns nimmt es als das vollends Selbstverständliche, daß er selbst sei, der sich als die Mitte alles Seienden empfindet. So sehr, daß der heutige Mensch am Werk ist, ein Daseinsbild und Daseinsgefühl zu erzeugen, in dem es überhaupt nur den Menschen und die Welt gibt. Eine metaphysische Groteske, da doch das Umgekehrte wahr ist: Gott der Selbstverständliche, schlechthin »Genügende« – hingegen reine Gnade, ja ein Wunder gnädigen Schöpferwillens, daß die Welt, der Mensch, jeweils ich und die Welt seien. So ist es; und es offenbart die Wesensart von Gottes Absolutheit, daß Er nicht despotisch ist, sondern großmütig; nicht erdrückend, sondern schöpferisch. Die Tatsache des Geschaffenseins ist ein Band zwischen Gott und

mir, wirklicher als das zwischen dem Kinde und dem mütterlichen Schoß. Also müßte dieses Band sich zu Gefühl bringen, und nicht nur in Augenblicken der Not, sondern immer wieder – um so stärker, je intensiver das Dasein empfunden wird. Aber Gott schafft in derart vollkommener, derart großmütiger Weise, daß der Mensch die Tatsache vergessen und denken kann, er stehe in sich selbst; allenfalls noch, er komme aus dem Ganzen der Welt, aus der »Natur«.
In manchen Psalmen aber dringt das Verlangen nach Gott mächtig hervor, am stärksten vielleicht im zweiundsechzigsten. Er ist alt; manche schreiben ihn noch dem König David zu. In ihm spricht eine Kraft des Gefühls, die uns das Herz berührt. Er lautet:

> O Gott, mein Gott bist Du,
> in Sehnsucht suche ich Dich.
>
> Meine Seele dürstet nach Dir,
> mein Leib verlangt nach Dir,
> wie dürres, dürstendes Land, das des Wassers entbehrt.
>
> So schau ich im Heiligtum nach Dir aus,
> Deine Macht zu sehn und Deine Herrlichkeit.
>
> Denn Deine Gnade ist besser als Leben –
> rühmen sollen Dich meine Lippen.
>
> Ich will Dich preisen mein Leben lang,
> in Deinem Namen die Hände erheben.
>
> Satt wie an üppiger Nahrung soll meine Seele werden,
> und mein Mund Dich loben mit jubelnden Lippen,
>
> wenn ich auf meinem Lager Deiner gedenke,
> in durchwachten Nächten mein Sinnen Dich sucht.
>
> Mein Helfer bist Du geworden,
> und jubeln darf ich in Deiner Flügel Schatten.
>
> Es klammert sich meine Seele an Dich,
> und Deine Rechte hält mich fest.

Doch sie, die mir nach dem Leben trachten –
zur Unterwelt sollen sie fahren!

Sie sollen dem Schwert verfallen,
zum Fraß der Wölfe werden.

Der König aber freut sich in Gott.
Rühmen wird sich jeder, der bei Seinem Namen schwört,
denn geschlossen wird allen der Mund, die ruchlos reden.

Der aufmerksam Lesende spürt die Kraft dieser Worte. Uralte Zeit redet aus ihnen; mehr als zweieinhalb Jahrtausende sind vergangen, seit der Psalm gedichtet wurde.
Wie er gleich einsetzt: »Gott, mein Gott bist Du!« Nicht ein Gott, der allgemein vorgeschrieben wäre, sondern »seiner«; jener, den er erfahren hat; der der Sinn seines Lebens ist, und so, wie des seinigen, keines Anderen ...
»In Sehnsucht suche ich Dich«; er redet nicht äußerlich, einem Brauch nach, so, daß er es auch anders tun oder es auch lassen könnte, sondern aus innerstem Drang. Er bedarf seines Gottes. Aber muß er Ihn denn »suchen«? Gott ist doch da, überall, in uns selbst! Gewiß, aber die Dinge stehen da, eine Wand zwischen Ihm und uns. Nicht durch ihr eigenes Wesen, denn Er hat sie geschaffen; aber daß Aufmerksamkeit und Begehren sich an sie binden, das macht sie dazu. Auch der Mensch ist Wand, zwischen dem Gott in ihm und dem eigenen Leben, weil er sich im Eigenwillen in sich selbst verschließt. So muß der Mensch »suchen«, sich durch alles das, was dazwischensteht, hindurchmühen.
Und nun der wunderbare Vers: »Meine Seele dürstet nach Dir.« Mißverstehen wir die Worte nicht! »Seele« ist nicht abstrakte Geistigkeit, sondern das Lebendigste in uns, das Wachsende, Atmende, Fühlende. Die nächsten Worte machen es ganz deutlich. »Mein Leib verlangt nach Dir« – wie herrlich konkret reden die Sätze! »Wie dürres, dürstendes

Land, das des Wassers entbehrt«, so fühlt sich der Mann, der da spricht. Er weiß, wie das ist, wenn die Brunnen ausgetrocknet sind, und alles Land von der Sonne verbrannt da liegt. So bin ich, sagt er. Mein Leib, meine Seele, mein ganzes Wesen dürstet nach Dir, o Gott!
Seliger Mann, denken wir, daß du Ihn so brauchst, wie die Erde den Regen!

»So schau ich im Heiligtum nach Dir aus«, spricht er weiter: »Deine Macht zu sehn und Deine Herrlichkeit«. Der Mann weilt im Tempel und wartet, daß ihm das zu Teil werde, wofür dieser dasteht. Denn der Tempel ist Gottes Haus, von Ihm erfüllt, und wer über die heilige Schwelle tritt, kann erfahren, wie die Gottesherrlichkeit auf ihn eindringt.
Damit wir fühlen, worum es hier geht, wollen wir die Verse aus Isaias hören, die von der großen Theophanie reden: »Im Todesjahr des Königs Ussia sah ich den Herrn. Er saß auf einem hohen und erhabenen Throne, seines Gewandes Schleppen füllten den Tempel. Seraphim schwebten über Ihm ... Einer rief dem andern zu und sprach: ›Heilig, heilig, heilig Ist der Heerscharen Herr, die ganze Erde ist seiner Herrlichkeit voll.‹ Vor der Stimme der lauten Rufer erbebten die Zapfen der Schwellen und der Tempelraum füllte sich mit Rauch. « U es 6,1-4) Das ist die Vision, die den Propheten zu seinem schweren Werk stärken soll; aber auch der einfache Glaube konnte erfahren, was nach dieser Richtung ging, die Epiphanie: daß ihm Gottes Herrlichkeit schaubar wurde, aufleuchtend im Geheimnis des Tempelraums; daß sie sich ihm in Gnade zuwendete und, »besser«, als der Trank den Verdurstenden wieder »aufleben« macht, ihm Leib und Seele erquickte. Ohne solche Erfahrungen wäre das religiöse Leben des Alten Testaments nicht zu verstehen.
»Satt wie an üppiger Nahrung soll meine Seele werden«, wenn ich Dir nahe – wieder die wunderbare Wirklichkeitsdichte! Nicht nur blasse Gedanken suchen hier Gott; nicht nur dünne Gefühle, sondern elementares Verlangen, dem der

Lebendig-Heilige so wirklich ist, wie die leibliche Speise, wenn Er beim Opfermahl am Tisch sitzt und seinen Hunger stillt.
Ganz real ist diesem Menschen die Berührung Gottes, auch wenn er sich außerhalb des Tempels Gott zuwendet; »wenn ich auf meinem Lager Deiner gedenke, in durchwachten Nächten mein Sinnen Dich sucht«. Er kann nachts nicht schlafen; kommt ins Denken; wie angezogen von einer inneren Macht richtet sich sein Sinn auf Gott; da strömt es über ihn und stillt das Verlangen: »Mein Helfer bist Du geworden, und jubeln darf ich in deiner Flügel Schatten« – das alte Bild vom Adler, der mit seinen gewaltigen Flügeln die Jungen deckt.
Und abermals ein Vers, voll von leibhaftiger Bildlichkeit: »Es klammert sich meine Seele an Dich, und Deine Rechte hält mich fest«: er greift nach Gott, und der hält ihn mit mächtigen Händen fest, daß nichts die Einheit sprengen kann.

»Doch sie, die mir nach dem Leben trachten – zur Unterwelt sollen sie fahren!« Was hier redet, ist Altes, nicht Neues Testament. Jenes hat den Haß nicht ausgelöscht, war nur bemüht, ihn vom Bloß-Persönlichen zu lösen und mit dem Schicksal des Volkes zu verbinden. Wer zum berufenen Volk gehörte und für dessen Sache kämpfte, empfand die seinige als dadurch geheiligt; wenn einer diese angriff, griff er Gottes Volk an.
Das mag uns die Heftigkeit auch dieses Affekts im Zusammenhang des Gebetes verständlicher machen: die Feinde »sollen dem Schwert verfallen, zum Fraß der Wölfe werden«. Es ist die Kehrseite jenes starken Gefühls, das sich vorher auf Gott gerichtet hat.

Das Verlangen nach Gott will nicht bloß Ihn erkennen, nicht bloß seine Gebote erfüllen, sondern an Ihm selbst Anteil haben.
Ist das Pantheismus? Was wäre denn mit dem Namen zu

bezeichnen? Eine Verwirrung der Gefühle und der Gedanken. Darin breitet das Fühlen sich aus, unterscheidet nicht mehr zwischen Geist und Stoff, zwischen Ich und Du, zwischen Gott und Geschöpf. Alles geht ihm in einer unbestimmten Einheit unter, die nicht echt noch erlaubt ist, weil sie Dinge vermischt, die nicht vermischt werden können. Der Psalm hingegen steht unter der Majestät Gottes, der allein sagen darf: »Ich bin der Ich-bin«; der der Welt nicht bedarf, sie aber ins Sein gerufen hat, weil Er so wollte. Mit Ihm will dieser Mensch hier Gemeinschaft haben; nicht im Urgrund der Welt versinken, nicht sich in den Fluten des Daseins auflösen, sondern Gemeinschaft haben in der Würde der freien Person. Vor dem ewigen Du bleibt das Ich; aber es drängt gewaltig zu Ihm hin, um an Ihm Anteil zu haben.

Der Leser wird vielleicht fragen: Was redest Du von diesen Gesinnungen und Gefühlen, wenn wir sie nicht mehr haben? Wenn sie uns wohl wie etwas Großes vorschweben, wir sie aber nicht verwirklichen können? Aber sehen wir genauer zu: Der Ur-Affekt des Menschen, der aus seiner Geschaffenheit hervorbricht, ist das Verlangen, an Gott Anteil zu haben. Augustinus hat im ersten Kapitel seiner »Bekenntnisse« gesagt: »Zu Dir hin hast Du uns geschaffen, o Herr, und ruhelos ist unser Herz, bis es ruhet in Dir.« Achten wir in die Worte hinein: »Zu Dir hin« hat Er uns geschaffen ... Uns nicht wie einen Brocken verlassener Wirklichkeit hingestellt, sondern uns so geschaffen, daß das Geschaffensein ein Hintrieb zu Ihm ist. Er hat uns in ein Geschehen hineingeschaffen: in die Bewegung zu Gott.
Wenn das so ist, dann ist dieses Hinstreben auch in jedem von uns; nur oft durch Kritik eingeschüchtert, vom Alltag zugeschüttet. Wir sind ein Teil der Welt; sie greift nach uns; zieht unsere Aufmerksamkeit an sich, unser Fühlen und Begehren. Das überdeckt die Tiefe, übertönt die Grundstimme. So müssen wir aus dem Glauben heraus sagen: Er ist; ist für mich da, und ich muß mich um Ihn mühen. Muß mich frei machen,

damit das Innere vordringen könne. Schweigen um mich schaffen, damit ich die leise Stimme vernehme.

Vom natürlichen Leben wissen wir, ein Organ, das nicht geübt wird, verkümmert. In uns ist die Möglichkeit, Gott nahe zu sein, an Ihm Anteil zu haben. Augustinus hat die menschliche Seele dadurch bestimmt, daß er gesagt hat: *capax est Dei;* sie ist »fähig, Gott zu fassen«. Lassen wir doch diese Fähigkeit nicht verkommen.
Wozu gibt es die Kirchen, die hohen Räume, in denen etwas waltet, das sonst überall zerstört wird, die Stille, wenn nicht dafür, daß man hineingeht, sich niedersetzt, sich sammelt – und nach einiger Zeit sitzt man nicht mehr, sondern kniet, denn Seine Gegenwart ist deutlich geworden ...
Oder auch zu Hause, wie es im Psalm heißt: zur Nacht, wenn man nicht schlafen kann. Ringsum schweigt alles; wenn man dann nicht nach dem Buch greift, oder dem Schlafmittel, sondern sich der Stille anvertraut, sich sammelt, aufmerksam wird, dann kann es geschehen, daß in einem das Bewußtsein wach wird: Er ist hier. Ich bin vor Ihm. Ich verlange nach Ihm - und das Verlangen wird gestillt. Wird gestillt und wächst zugleich. Denn das ist das Wunderbare, daß das Verlangen nach Gott, je tiefer es gestillt wird, um so stärker sich erhebt.

Freilich darf etwas nicht vergessen werden, das den schwierigsten Punkt in der christlichen Existenz des heutigen Menschen bildet: daß nämlich das religiöse Gefühl, die unmittelbar auf das Dasein antwortende religiöse Empfindung immer schwächer wird. Das ist ja einer der Gründe, die so viele Menschen dazu veranlassen, das Göttliche für einen Schein-Wert, den Glauben für unnötig anzusehen.
Bei dieser Abnahme religiöser Fühligkeit handelt es sich um eine geschichtliche Erscheinung, über die der Einzelne keine Macht hat. So wird er auch nicht versuchen, ein Gefühl des Verlangens nach Gott zu haben, das er in echter Weise nicht haben kann, sondern den Willen zur »Teilhabe an Gott« so

vollziehen, wie es ihm gegeben ist, nämlich in den geistigen Akten der Aufmerksamkeit, des sittlichen Gehorsams, des Vertrauens, der Treue, der Selbstüberwindung um Gottes willen.

Die Furcht des Herrn

Psalm 110 (111)

Feiern will ich den Herrn aus ganzem Herzen,
in der Gerechten Versammlung, in ihrer Gemeinde.

Groß sind die Werke des Herrn,
des Sinnens wert für alle, welche sie lieben.

Hoheit und Herrlichkeit ist Sein Werk,
ewig währet Seine Gerechtigkeit.

Zu stetem Gedächtnis hat Er Seine Wunder vollbracht:
barmherzig ist und milde der Herr.

Speise hat Er denen gegeben, welche Ihn fürchten,
in Ewigkeit bleibt Er Seines Bundes gedenk.

Er hat seinem Volk die Macht seiner Werke
kund getan,
und der Helden Besitz ihnen zu eigen gegeben.

Treu und gerecht sind Seiner Hände Werke,
zuverlässig Seine Gebote alle.

Sie sind gegründet für ewige Zeiten,
geschaffen in Festigkeit und in Gerechtigkeit.

Er hat Seinem Volk Erlösung gesandt
und Seinen Bund gesetzt für ewige Zeiten:
heilig ist und verehrungswürdig Sein Name.

Die Furcht des Herrn ist der Weisheit Beginn,
und weise sind alle, welche sie üben.
In ewige Zeiten währt Sein Lob.

Um die Gedanken des Psalms besser zu verstehen, wollen wir zuerst auf etwas aufmerksam machen: Wenn der Gläubige des Alten Testamentes der Wahrheit der Offenbarung, der göttlichen, an ihn gelangten Botschaft inne zu werden sucht, dann blickt er auf die Geschichte seines Volkes zurück. Glauben bedeutet im Alten Testament nicht, eine für sich verständliche Lehre oder Lebensordnung als wahr anzunehmen, sondern in einer Geschichte zu stehen, die Gott wirkt. Der Mittelpunkt dieser Geschichte wird im Psalm genannt: die Bundesschließung auf dem Sinai. In ihr hat Gott versprochen, Er will diesem Volke sein Gott, und das Volk soll Ihm Sein Volk sein. Mit dem Volk führt Er Geschichte. Glauben heißt, in dieser Geschichte zu leben, sich der Taten bewußt zu sein, die Gott darin vollbracht hat und auf das zu vertrauen, was Er noch tun wird. Selbst die Erschaffung der Welt gehört dazu. Sie ist der erste Beginn dieser Geschichte; die früheste Seiner Taten, auf die nachher die Reihe der anderen, innerhalb der Welt geschehenen folgt.

Von hierher müssen wir den Psalm verstehen. Wenn zum Beispiel in ihm von »Gerechtigkeit« die Rede ist, dann meint das keine allgemeine Weise des Handelns, etwa so zu beschreiben, daß Gott jedem Menschen gegenüber tut, oder ihm gibt, was nach sittlichen Maßstäben recht ist; sondern Gerechtigkeit ist das, was aus dem Bundesschluß am Sinai, aus Gottes Geboten und Verheißungen folgt. Die »Werke« und »Taten« Gottes, von denen gesprochen wird, sind nicht nur die alle Menschen angehenden Werke der Erschaffung und Erhaltung der Welt, sondern auch und vor allem das, was Gott mit diesem Volk von der Berufung des Abraham an durch die Jahrhunderte hindurch bis zu dem Augenblick getan hat, in welchem der Mensch steht, der da redet. Unter dem »Gerechten« endlich, der in den Psalmen immer wieder erscheint, ist nicht der Mensch verstanden, der nach dem für alle gültigen Sittengesetz lebt und auf Grund einer allgemein zugänglichen religiösen Erfahrung Gott gegenübertritt, sondern jener, der im Gehorsam gegen das Gesetz des heiligen Bundes lebt.

Der Christ kann nicht mehr so denken. Sein glaubendes

Dasein ruht nicht mehr auf der Grundlage eines bestimmten Volkes, das, von Gott geführt, seinen Weg durch die Geschichte geht. Wenn er vom Menschen spricht, meint er die Bewohner der Erde; und wenn er, nachdem der Erlöser gekommen ist, vom Volk Gottes spricht, dann versteht er darunter alle jene, die an Ihn glauben. Bei uns bekommt der Glaubensinhalt leicht den Charakter eines Systems allgemeingültiger Sätze, von denen man überzeugt ist; dem System der Philosophie ähnlich, nur höher, umfassender, vom Charakter des Heiligen und Heilbringenden ausgezeichnet. Wir vergessen leicht, daß Glauben eben doch und nach wie vor bedeutet, wissend und vertrauend in den Werken und Taten des personalen, handelnden Gottes zu stehen – nur daß diese Werke und Taten sich nun im Lebensraum der Menschheit vollziehen, wie ja denn auch das Credo, das Glaubensbekenntnis, recht betrachtet, weniger eine Anordnung gültiger Wahrheiten, als einen Bericht der »großen Gottestaten« bildet.

Glauben heißt auch für uns, gewiß zu sein, daß Gott handelt, durch den Gang aller Zeiten hin, von der Erschaffung der Welt bis an das Ende dieser Welt; heißt, in der jeweils gegenwärtigen Stunde dieses Handelns das von ihr Geforderte zu tun, und im Fortgang des göttlichen Tuns mitzugehen, auf dessen Ziel zu, nämlich auf die Wiederkunft Christi und den Sieg des Gottesreiches. So tun wir gut, immer wieder den Schein des bloßen Lehrsystems zu durchbrechen und zu sagen: Es geschieht etwas von Gott her, auch heute, auch hier, auch mit mir; ich stelle mich in diesen Zusammenhang hinein, gehe mit, handle und kämpfe – wie denn in diesem Zusammenhang erst ganz deutlich und lebendig wird, was »Hoffnung« heißt, nämlich die Zuversicht, daß trotz alledem, was der Widerstand des Unglaubens und des Ungehorsams wirkt, und trotz der scheinbaren Unmöglichkeit die Verheißung der Botschaft sich erfüllen, die Wiedergeburt zum neuen Leben in mir und in der alten Schöpfung sich verwirklichen werde.

Der ganze Psalm ist eine Vergegenwärtigung des einst Geschehenen; der »großen Taten Gottes«, die, der äußeren Zeit nach, Vergangenheit, aber im Gedächtnis des Glaubenden gegenwärtig sind: Bericht, Dank und Preis; Mahnung und Unterweisung; Zeichen von Gottes Gesinnung, und Unterpfand für die Zukunft.

Vielleicht darf man aber, behutsam vortastend, noch mehr sagen: Jene Taten hat Gott damals vollbracht, als jeweils, nach seinem Ratschluß, für sie die Stunde gekommen war. Aber Gott, der hier in der Zeit wirkt, ist zugleich jenseits allen Ortes und aller Zeit. So geht das, was Er in der heiligen Geschichte tut, nicht in der Zeit auf, sondern übersteigt sie und steht in lebendiger Ewigkeit. Von daher, darf man wohl sagen, wirkt das einst Geschehene in jeden Augenblick der späteren Zeit hinein, sobald der Glaubende seiner gedenkt. Die heilige Geschichte hat für den Menschen des Alten Testaments eine Art von sakramentalem Charakter: durch das betende Gedenken wird sie im Gedenkenden lebendig und wirksam, segnet den Augenblick, erleuchtet und gibt Kraft und wirkt im Fortgang des Heilsgeschehens auf die verheißene Zukunft hin. Die Weise, wie der Glaube – der Gemeinde in der liturgischen Feier des Tempels, der Familie in ihrem gemeinschaftlichen, des Einzelnen in seinem persönlichen Beten – die vergangenen Taten Gottes vergegenwärtigt, deutet, so darf man vielleicht sagen, auf jenes Gedenken voraus, das der Erlöser stiften wird, wenn Er sagt und setzt: »So oft ihr dieses tut, tut es zu meinem Gedächtnis« (Mt 26,26–28; 1 Kor 11,23–25).

So ruft der Psalm die Werke des Herrn auf; seine »Wunder«, mit denen besonders die Taten auf dem Sinai und während des langen Zuges durch die Wüste gemeint sind: wie Er seinen Bund mit dem Volke geschlossen, ja es durch seinen Bund überhaupt erst zum Volke gemacht, ihm Selbstbewußtsein, Gesetz und Ordnung gegeben hat; wie Er es in der Wolkensäule führte, es durch das Wort des Moses und später seiner

Propheten belehrte, im Kampf es stärkte und ihm das verheißene Land schenkte.
Immer wieder geschieht in den Psalmen dieses Gedenken, durch welches das Einst-Vergangene wieder in die gegenwärtige Stunde hineingerufen wird, und der Zusammenhang des Heilsgeschehens sich knüpft.

Ein Vers aus diesem Psalm soll uns aber besonders beschäftigen, der zehnte, der lautet: »Die Furcht des Herrn ist der Weisheit Beginn.«
Was ist das, die »Furcht des Herrn«? Wir müssen wohl mit der Erinnerung beginnen, daß der Begriff uns fremd geworden ist. Wer spricht heute noch davon? Und wenn es geschieht – die moderne Autonomie-Ethik hat ihn für das heutige Empfinden zu etwas Minderwertigem gemacht. Nachdem vollends Nietzsche die Botschaft vom Reich des Menschen verkündet; nachdem die Führung von fast der Hälfte der Erde Gott wegzutun und den Staat als Gottheit aufzustellen sucht – was ist da noch die Furcht des Herrn?

Vor allem müssen wir daran erinnern, was sie nicht ist: keine Furcht »vor« Gott, keine Angst »vor« Ihm. Die gibt es. Es gibt sie einmal in krankhafter Form, dann, wenn Gott zum dunklen »Anderen«, und das Gefühl von Ihm zu einem Druck auf das unfreie Gemüt, oder zu einer Bannung des ängstlichen Gewissens wird.
Darüber hinaus gibt es aber auch die »Furcht vor Gott«, wenn sich ein Bild vom menschlichen Dasein gebildet hat, in das Er sozusagen nicht mehr hineinpaßt, weil Seine Wirklichkeit es sprengen würde, und aus dem Er daher weggetan wird. Denken wir daran, wie – es wurde gerade gesagt – ein Nietzsche erklärt hat, wenn der Mensch sich selbst verwirklichen und sein Werk vollbringen wolle, könne Gott nicht sein, und wie viele reden es ihm nach! Denken wir an den politischen Atheismus unserer Zeit, dessen Staats- und Kulturwille Gott ausschließt. Hier wird aus Gott ein fremdes,

Gewalt übendes Wesen gemacht, das sich dem Menschen aufzwingt, und dessen dieser glaubt sich erwehren zu müssen, um Freiheit für sich selbst zu gewinnen.
Und gibt es endlich nicht auch im Glaubenden, oder von der heiligen Botschaft Angerührten, jene Furcht aus dem Gedanken, zu was es führen werde, wenn er sich mit Gott, seinem Willen und seiner Liebe wirklich einließe?

Das alles – und anderes mehr – ist Furcht vor Gott und im Grunde töricht. Denn Furcht haben kann ich doch nur vor einem »Anderen«, der sich gegen mich stellt und will, was mir schadet. Aber Gott ist gar nicht »der Andere«; der Konkurrent im Dasein, als den jene Philosophie Ihn sieht. Alles ist ja durch Ihn, denn Er hat es geschaffen. Ich bin nur deshalb, weil Er mich ins Sein gerufen hat und im Sein hält. Ich bin und spreche »Ich«, weil Er zu mir »Du« sagt und mich im Du hält. Wenn ich denken kann, planen, in Freiheit entscheiden, handeln und schaffen, dann deshalb, weil Er mir gibt, daß ich Ebenbild seiner souveränen Herrschaft sei in seiner Welt.
Hier redet die alte Empörung, die nicht bereit ist, zu sagen: Ich durch Gott – sondern behauptet: entweder Er oder ich. Da ich aber ich sein will, darf Gott nicht sein! Das ist die tiefste Furcht »vor« Gott!
Die »Furcht Gottes« meint etwas ganz anderes. Vor allem das klare Bewußtsein, daß Gott wirklich ist. Keine bloße Idee, kein bloßes Gefühl, sondern Wirklichkeit. Mehr als das: wenn wir fragen, was wirklich sei, Dann lautet die eigentliche Antwort: Er. Nachher erst, durch Ihn und vor Ihm: ich. Er allein konnte sagen: »Ich bin der Ich-bin«! (Ex 3,14) Der Mensch soll wissen und bekennen: »Ich bin sein Geschöpf.« Das in sein Herz aufzunehmen und durch die Größe dieses Gottes erschüttert zu werden, das ist die Furcht des Herrn.
Doch noch einmal mehr: Er ist nicht nur der durch sich selbst Wirkliche, sondern Er ist der Heilige. Der wesenhaft Reine und Gute. Jener, in dem keine Lüge ist, keine Gewalt, kein

Neid. Nichts, was unrecht wäre, ist in Ihm. Was immer wir gut nennen; worum wir uns bemühen, wenn wir sittlich streben, das ist ein Abglanz von Ihm – und das alles getragen, durchwirkt, bestimmt durch jenes Unaussprechbare, Ihm allein Eigene, sich durch das eigene Wesen Bezeugende, das eben »heilig« heißt, und vor dem wir niederknien. Zu glauben, zu fühlen, im Bewußtsein zu leben, daß Er der vom Grunde her Einzig-Heilige ist, daß wir unter seinem Blick und Urteil stehen und davor nicht bestehen – das ist die Furcht Gottes.

Unser Vers sagt: »Die Furcht des Herrn ist der Weisheit Beginn.« Was bedeutet das? Die Heilige Schrift spricht oft von der »Torheit« des Menschen. Worin besteht sie? Woher kommt sie? Alles das Böse, Verwirrte, Zerstörende im Leben des Einzelnen und in der Geschichte?
Zutiefst daher, daß der Mensch sich in eine Haltung gleiten läßt, die nur sein könnte, wenn er Gott wäre. Selbstherrlich über Gut und Böse zu entscheiden, seine Zwecke nach eigenem Willen und ohne Rücksicht auf Gottes Gebot zu setzen – um das zu können, müßte er selbst Gott sein. Er ist es aber nicht; so ist sein Tun »töricht«, unsinnig, scheinhaft und mündet ins Leere. Wer aber weiß, daß Gott allein der Heilige und Ewige ist; der Mensch hingegen geschaffen und unter Seinem Gericht stehend, bekommt ein Maß. Er lernt, Wahr von Falsch, Gut von Böse zu unterscheiden.
Wir haben ja die furchtbare Lektion bekommen, zwölf Jahre lang, was aus dem Dasein wird, wenn keine Furcht des Herrn ist. Niemand von denen, die damals Macht hatten, hat sich vor Gott geneigt – was immer sie auch dem Volk von »Vorsehung« und »positivem Christentum« vorgeredet haben, um es willfährig zu machen. So konnte man sagen, recht sei, was dem Volke nütze; das »Volk« aber war ein Deckbegriff für die eigene Machtgier und im übrigen ein Wahn. Das Verbrechen war Herr in unserem Land, und alles ist im Grauen untergegangen.

Wer die Furcht des Herrn im Herzen hat, unterscheidet zwischen dem Wertvollen und dem Wertlosen, dem Bleibenden und dem Vergänglichen; dem, was gilt, und dem, was nichtig ist. So oft er sich auf den Unterschied schlechthin – dem zwischen dem ewigen Gott und dem vergehenden Geschöpf - besinnt, schwinden die Nebel. So manche Philosophie, so mancher Staatsgedanke, manche Kulturvorstellung, mancher Begriff von Erziehung und Bildung enthüllen sich als Unwahrheit, als Täuschung, als ein »Drehendwerden im Geiste«, wie Einer gesagt hat. Das Bewußtsein vom Lebendigen Gott wirkt wie ein Scheidewasser, das Wesen von Unwesen trennt.

Weisheit ist etwas anderes als Wissen. Einer kann das Wissen aller Bibliotheken haben und dabei ein Tor sein. Weisheit bedeutet, unterscheiden zu können zwischen dem, was Leben schafft, und jenem, das – wenn auch durch noch so viele Schritte hindurch – Tod bringt.

Die Art, wie einer sein Leben führt, hängt auf's tiefste damit zusammen, ob er weiß, wer Gott ist, und Ihn »fürchtet«. Aber wo hört man heute die Mahnung des Psalms? Liest man sie in einem philosophischen Buch? Lebt sie in der Dichtung unserer Gegenwart? Verträgt die Atmosphäre der Öffentlichkeit es, daß sie ausgesprochen werde? Ist es nicht so, daß der heutige Mensch sich beleidigt fühlt, wenn ihm so etwas wie die Furcht Gottes zugemutet wird? Furcht – antwortet er – wieso? Der Mensch ist wirklich; »Gott« ist ein Priesterwort, um den Menschen gefügig zu machen; eine Hypothese, die überflüssig geworden ist; ein Nebel, der sich bald von der Erde verziehen wird.

Wir wollen den Gedanken der Furcht Gottes an uns heranlassen. Er ist die Gewähr dafür, daß wir nicht Wissen und Macht gewinnen, dabei aber die Wahrheit des Daseins vergessen.

Aus dem Bewußtsein solcher Geschichte ist dem Gläubigen des Alten Testaments immer neu die Furcht des Herrn erwacht. Wenn er bedachte, wie Gott alles geschaffen; wie Er den Menschen trotz seiner Empörung im Paradies nicht dem Unheil überlassen, sondern ihn in den Ratschluß der Gnade aufgenommen hatte; wie Er Israel aus der ägyptischen Not befreit und durch die Bundesschließung am Sinai zu seinem Volk gemacht, es durch die Wüste geführt und ihm das verheißene Land gegeben, ihm trotz unaufhörlicher Untreue Seine göttliche Treue gewahrt und es immer aufs neue durch seine Boten zur Umkehr gerufen und in seinem heiligen Willen unterwiesen hatte – dann wuchs ihm die Wirklichkeit Gottes gewaltig empor. Im sechsundsiebzigsten Psalm heißt es:

> Ich denke der Taten des Herrn,
> ja, ich gedenke Deiner Wunder in alten Zeiten;
>
> all Deinen Werken sinne ich nach
> und wäge, was Du vollbracht.

Der Gläubige erkannte sich als Gottes Geschöpf und gewann aus der Erfahrung von seiner Größe die Klarheit, in der Umgebung so riesenhafter heidnischer Mächte die Nichtigkeit ihrer Götter zu durchschauen, und die Kraft, im Gehorsam gegen den einen Herrn zu verharren.

Auch wir tun wohl, immer wieder das Bewußtsein von der Geschichte unseres Daseins zu erneuern. Es bewirkt einen großen Unterschied, wie der Mensch seine Herkunft sieht: ob er meint, er komme aus den stummen Notwendigkeiten einer rein natürlich gesehenen Entwicklung, oder aber sich bewußt ist, durch Gottes Weisheit gedacht, durch seine Majestät gerufen und im heiligen Du gehalten zu sein. Damit soll gewiß nichts von dem übersehen werden, was die Wissenschaft an echten Ergebnissen zu Tage fördert. Es muß aber in die große Aussage eingeordnet sein, die den Menschen zum Menschen bestimmt: daß Gott ihn geschaffen und ihn in sein Ebenbild begründet hat. Auch der glaubende Christ ist berechtigt, in der Geschichte des Alten Testaments die

Geschichte seines Heils zu erblicken, nur daß er sie fortgeführt sieht im Kommen des von den Propheten geweissagten Erlösers, im Leben Christi, seinem Lehren, Sterben und Auferstehen, und in der Gründung der Kirche durch den Heiligen Geist.

Daraus erwächst ihm das Bewußtsein, gewiß nur Mensch, aber Ebenbild Gottes zu sein. Sein Leben unter seines Schöpfers Augen zu führen und zu wissen, daß er durch den Gang der Zeiten auf die Wiederkunft Christi, das Gericht und das Werden der neuen Schöpfung zugeht. Auch ihm wird daraus Gott groß, und er selbst, der Mensch, nur Geschöpf, aber auch wirklich Geschöpf, Sohn und Tochter des Vaters, Geschwister Christi und Geführter des Heiligen Geistes; und die Furcht Gottes, die im Grunde nichts ist als gelebte Wahrheit, bewahrt ihn davor, dem ebenso feinen wie gewalttätigen Trug des Selbst und der Natur zu verfallen.

Vergänglichkeit

Psalm 89 (90)

Durch die alte Welt geht wie ein dunkler Strom das Gefühl der Vergänglichkeit: Das Leben ist kurz; alles vergeht; selbst die reichsten Güter und freudevollsten Erfahrungen heben es nicht auf. Dieses Gefühl durchzieht auch das Alte Testament. Um besser zu verstehen, wie mächtig es da ist, müssen wir uns noch dazu gegenwärtig halten, daß der Gedanke an ein ewiges Leben im Alten Testament lange Zeit keine Rolle spielt. Erst spät, in den letzten Jahrhunderten vor Christus dringt er ins Bewußtsein.
Das hatte aber eine besondere Wirkung. Das Alte Testament will Gott die Erde unmittelbar in die Hand geben, sie zu seinem Reiche machen; so soll der Blick ganz in dieses Leben gesammelt sein. Eine eigentümliche Gesinnung; man würde sie mißverstehen, wenn man von Diesseitigkeit sprechen wollte. Der Glaubende wendet sich der Erde zu, um sie zum Eigentum Gottes zu machen, damit Er ihr König sei. So darf der Gedanke an ein ewiges Leben nach dem Tode den Blick nicht ablenken.
Nun verstehen wir das Lied in seinem schwermütigen Ernst besser.

> Herr, eine Zuflucht warst Du uns
> von einem zum andern Geschlecht.
>
> Ehe die Berge geboren wurden,
> hervorgebracht Erde und Welt,
> von Ewigkeit her zu Ewigkeit hin, o Gott, bist Du!
>
> Du heißest die Menschen zum Staube kehren;
> dann sprichst Du: »Kommet nun neu, ihr Menschenkinder!«

Denn vor Deinen Augen sind tausend Jahr
wie der Tag von gestern, der schon vergangen,
wie eine Wache während der Nacht.

Du schwemmst sie hinweg.
Dem Traum am Morgen werden sie gleich;
dem grünenden Kraut:

In der Frühe grünt es und blüht;
am Abend wird es geschnitten und welkt.

Wahrlich, durch Deinen Zorn sind wir dahingeschwunden,
sind erschüttert durch Deinen Grimm.

Du hast unsere Sünde vor Deine Augen gestellt,
unsere heimliche Schuld vor Dein Angesicht.

Unter der Glut Deines Zorns sind all unsre Tage vergangen,
und einem Seufzer gleich haben wir unsere Jahre verbracht.

Denn unseres Lebens Summe sind siebzig Jahr,
und sind wir rüstig, können es achtzig sein.

Und all ihr Prangen ist Mühsal und Nichtigkeit,
denn flüchtig gehn sie vorbei, und wir fliegen dahin.

Wer wägt Deines Zornes Gewalt,
beherzigt in frommer Furcht Deinen Grimm?

Unsere Tage zu zählen, lehre uns,
daß wir zur Weisheit des Herzens gelangen.

Kehre Dich zu uns, Herr! Wie lange wartest Du noch?
Sei Deinen Knechten gnädig.

Eilends sättige uns mit Deiner Huld,
daß wir uns freuen mögen und jubeln in unseren Tagen.

Laß so viel Tage uns fröhlich sein, als Du uns geprüft,
so viel Jahre, als wir Unheil gesehn.

Laß Deine Werke Deinen Knechten offenbar werden,
Deine Herrlichkeit ihren Kindern.

Die Güte des Herrn, unseres Gottes, sei über uns,
und das Werk unserer Hände fördere uns,
ja fördre das Werk unserer Hände.

Das Lied ist eines der schönsten im Buch der Psalmen. Ganz erfüllt vom Erlebnis, daß alles vergeht; vor allem vergeht unser Menschenleben. Aber wir wollen sofort darauf aufmerksam werden, wie diese Vergänglichkeit gesehen wird. Nicht so, daß gesagt würde: Alles vergeht, wir Menschen müssen sterben, und was ist dann mit uns? – sondern der Psalm beginnt mit einem Blick auf Gott.
Zu Ihm sagt er: Du warst immer da. Für jedes Geschlecht warst Du da. Und warst immer da als seine Zuflucht. Immer war unser Dasein vor Dir und auf Dich hin. Ja Du warst schon da, ehe noch das Festeste, Mächtigste da war: die Berge; ja die ganze Erde; überhaupt die Welt. »Von Ewigkeit her« – das ist die Unabsehlichkeit des Vergangenen, in der Gott immer schon war – »zur Ewigkeit hin« – die Unabsehlichkeit des Zukünftigen, in der Er immer sein wird. Und nun: »o Gott, bist Du.«
Wie mit einem Ruck reißt dieses »bist« den Begriff von Gott aus allem heraus, was »Zeit« heißt. Einfachhin »ist« Gott. Wie Er zu Moses auf dem Horeb gesprochen hat: »Der ›Ichbin‹, das ist mein Name.« (Ex 3,14) Das Wort unterscheidet Ihn von allen Mythengöttern; von jeder Bindung an Berg und Meer, an Erde und Welt. Er ist und lebt in seiner nur Ihm eigenen, von allem Geschaffenen unterschiedenen Weise.

Vor dieser Ewigkeit wird die Zeithaftigkeit des Menschen unerbittlich klar – aber anders, als wenn der Mythos Mensch und Welt und Götter in das Vergehen hineingibt. Daß der vergehende Mensch auf den ewigen Gott blickt, bringt in einer geheimnisvollen Weise eine Ahnung von Ewigem auch in das Menschenleben.

Dieser Gott ist Person, ewiges Ich. So verschwindet die Vergänglichkeit des Mythos, der alles verfallen ist; das Verzweifelte darin, die tödliche Schwermut. Hier ist die Vergänglichkeit vom Lebendigen Gott her gesehen. Von Ihm gewollt, eben damit aber auch göttlichen Sinnes versichert und von einer Hoffnung durchweht, die noch nicht ausgedrückt werden kann, aber geahnt wird. Im glaubenden Gegenüber zu diesem Gott ist im Vergehen selbst schon etwas von Ewigkeit.
Der Ewige hat gesetzt, daß die Menschen sterben müssen. Er will aber auch, daß neue geboren werden; so geschieht dieses Gehen und Kommen nicht aus stummem Naturgesetz noch mythischer Todesverschlossenheit, sondern von Ihm gewußt, gewollt und verantwortet.
Das geht durch die Zeiten hin. Auch deren längste Strecken wiegen nichts vor dem Ewigen; so ganz und gar nichts, wie das Gestrige, also schon Nicht-mehr-Seiende. Vor der Ewigkeitsmacht Gottes sind sie wie etwas, über das eine Sturzwelle hingeht und es hinwegspült; wie ein Traum vor dem Erwachen, der im Husch weg ist; wie ein Kraut, das in der Frühe grünt und blüht und am Abend geschnitten ist und welkt.

Dann aber ein neuer Ton: »Wahrlich, durch Deinen Zorn sind wir dahingeschwunden.« Hinter dem Erlebnis des Vergehens steht das Bewußtsein einer Schuld. Vielleicht mahnt die Erinnerung an ein geschichtliches Ereignis: einen Ungehorsam gegen die göttliche Führung, der eine Katastrophe nach sich gezogen; einen Frevel, der Gottes Zorn geweckt hat. Unser Innerstes weiß, daß Tod und Schuld zusammenhängen; daß der Tod des Menschen nicht wäre, wenn die Menschen nicht gesündigt hätten, siehe das Urgebot im Paradies: »Gott der Herr gebot dem Menschen: ›Von allen Bäumen des Gartens darfst du essen, nur von dem Baum der Erkenntnis von Gut und Böse darfst du nicht essen; denn am Tage, da du davon issest, mußt du sterben.‹« (Gen 2,16–17) Zu dieser ersten Schuld ist aber wohl noch eine andere gekommen: »Du hast unsere Sünde vor Deine Augen gestellt, unsere heimliche Schuld vor Dein Angesicht.« Der Zorn Gottes hat gemacht, daß die Tage so leer und flüchtig vergangen sind. »Einem Seufzer gleich haben wir unsere Jahre verbracht«: nicht wie ein Windhauch waren sie, sondern wie ein Seufzer aus bedrängter Brust.

»Denn unseres Lebens Summe sind siebzig Jahre« – das Wort vom Lebensmaß des Menschen, das durch alle Sprachen geht – »und sind wir rüstig, können es achtzig sein. Und all ihr Prangen ist Mühsal und Nichtigkeit.« So scheint es dem, der auf ein langes Leben zurückblickt. »Denn flüchtig gehn sie vorbei und wir fliegen dahin« – wie aufgeschreckte Vögel; im Husch ist alles fort.

»Wer wägt Deines Zornes Gewalt?« Wer läßt sich das alles nahekommen? Die Meisten sind ohne Gedanken, leben nur dahin, und dadurch wird alles noch schattenhafter.

Dann aber ein wunderbarer Vers, auf den wir nachher noch näher eingehen wollen: »Unsere Tage zu zählen, lehre uns« – zu wägen, zu fühlen, was mit ihnen ist –, »daß wir zur Weisheit des Herzens gelangen«. Aus dem Gefühl der Vergänglichkeit, das dem Glaubenslosen nur Schwermut bringt, soll Weisheit hervorgehen, und zwar Weisheit »des Herzens«.

Die folgenden Verse bitten Gott, man möchte sagen, mit kindlicher Inständigkeit, Er möge doch für all das Schwere, das erlebt worden ist, wieder gnädig Freude schenken; soviel gute Tage, als schlimme gewesen, damit die Waage des Lebens ins Gleiche komme.

Am Schluß aber der schöne Ausklang, der sich wie eine Wölbung über dem Ganzen erhebt: »Die Güte des Herrn, unseres Gottes, sei über uns, und das Werk unserer Hände fördere uns, ja fördre das Werk unserer Hände.«

Ein wunderbarer Psalm. Über ihn wäre vieles zu sagen; wir wollen uns aber an den zwölften Vers halten. »Unsere Tage

zu zählen, lehre uns.« Nicht ängstlich zu rechnen, wieviel noch übrig sei; auch nicht, um pessimistisch am Sinn des Lebens zu verzweifeln, sondern damit aus dem »Wägen«, dem Sinnen und Vergleichen »Weisheit« komme.
Woraus erwächst die Weisheit, die »des Herzens«? Aus der Gegenüberstellung unseres Menschenlebens mit jenem, das Gott lebt. Er, von dem uns geoffenbart ist, daß Er einfachhin ist. Nicht kurz, oder lang, oder endlos lang, sondern einfachhin. Das eigentliche Sein, das ist Er. Zu sein und Er selbst zu sein, ist sein Name. Diesem Ungeheuren, von dem es nicht heißt: es währt tausend Jahre, oder alle Jahre der Astronomie, sondern »es ist«, einfachhin – stellt der Glaubende das kurze Menschenleben gegenüber.
Daraus wird Weisheit kommen. Gabe der Unterscheidung. Gabe des Wägens. Verständnis dafür, was Sinn hat und was nicht.

Weisheit ist Erkenntnis. Es gibt aber verschiedene Arten von Erkenntnis. Einmal die des Verstandes. Der stellt einen Sachverhalt fest, untersucht ihn, forscht nach den Zusammenhängen, nach Ursachen und Wirkungen, bis er sagen kann: So ist das; so ist es gegangen. Vielleicht sogar, wenn es sich um Dinge handelt, in denen das Gesetz der Natur mitspricht: So muß es gehen. Wissenschaft also. Eine große Sache - aber ist das Weisheit? Gewiß nicht. Jemand kann alle Formeln der Welt wissen, ein großer Gelehrter sein, und ein großer Tor dazu. Weisheit ist etwas anderes.
Es gibt die Erkenntnisform der Klugheit, die dem Menschen zuwächst, wenn er mit offenen Augen lebt und sich klar zu machen sucht, warum die Dinge des Lebens gehen, wie sie es tun. Klugheit bedeutet das Wissen, wie man sich dem Anderen gegenüber verhalten muß, wenn man den Wunsch hat, ohne Mißton oder Schaden aneinander vorbeizukommen; wie man es anfangen muß, um bei diesem oder jenem oder bei einem wie immer Gearteten etwas zu erreichen. An einen empfindlichen, gar eitlen Menschen kann man nicht mit einer

einfachen sittlichen Forderung herantreten; man muß sein Selbstgefühl interessieren; einen, der Verstandeserkenntnis fordert, kann man nicht am Gefühl fassen; er will Gründe, und so fort. Das ist Klugheit. Noch nicht Weisheit. Einer kann ein erfahrener Politiker sein, mit einem Geschick, das nie fehlgeht, und doch vor Gott ein Narr.

Was ist also Weisheit? Ihr geht es darum, wie das Leben seinen Sinn gewinne, Anteil an dem, was dauert. Weisheit sorgt sich darum, daß am Ende der Mensch nicht mit leeren Händen dastehe. Sie ruht auf der Gabe, unterscheiden zu können zwischen dem, was wertvoll ist, und dem, was wohlfeil; dem Dauernden und dem Vergänglichen; dem Echten und dem Schein. So sagt der Psalm: Der Unterschied, der alles Unterscheiden begründet, ist dieser: Gott allein ist »Gott«, ewig seiend, heilig-lebendig, – der Mensch nur Mensch, geschaffen und vergänglich; aber fähig, Wahrheit zu erkennen und Wert zu erfahren; verpflichtet, das Gute zu tun, und Gott verantwortlich für den Gebrauch seines Lebens.

Wer die Gotteswahrheit angreift, verurteilt die Menschen zur Torheit; daher das Furchtbare des Experiments, das heute gemacht wird: Menschen ohne Gott, Völker ohne Gott zu bilden. Zum ersten Mal in der Welt wird es unternommen. Wie es gehen wird, weiß niemand. Eins aber ist sicher: es wird die Gabe der Unterscheidung, die Weisheit zerstören, und der innerste Kern des Menschen, der Stand in der eigenen Person wird erkranken.

Wenn wir die Verse des Psalms lesen, fühlen wir die Vergänglichkeit aller Dinge, und die Frage erwacht: Was tue ich gegen sie? Wie bringe ich den unheimlichen Strom zum Stehen – oder doch zum stilleren Fließen?

Etwa sagt Einer: Ich muß Geschehnisse hineintun, die packen: Interessantes, Erregendes, muß erleben, sehen, genießen, an mich raffen ... Darauf antwortet die Weisheit: Du Tor:

dadurch fließt der Strom ja um so schneller! Je mehr du in dein Leben hineinpackst, mit je stärkeren Erregungen du es füllst, desto dünner gleitet es weg!
Eine andere Antwort meint: Ich muß gewichtige Dinge in mein Leben bringen: Geschäfte gründen, in der Politik mittun, Ämter übernehmen, Verantwortung tragen. Er arbeitet, organisiert, redet, kämpft. Und die Wirkung? Folgen dann die Termine einander nicht um so rascher? Werden die immer höher beladenen Tage nicht immer kürzer? Stehst du am Ende nicht da und greifst dir an die Stirn: Wo ist all die Mühe geblieben?

Wenn wir aber fragen: Was soll ich also tun? Du Weisheit, rate! – dann antwortet sie: Du mußt unterscheiden lernen. Du mußt Dinge in dein Leben bringen, die von der Art Gottes sind. Die nicht nur sich häufen, die nicht nur erregen, sondern gültig sind.
Und was ist gültig? Die Weisheit erwidert: Das Gute! Wenn ich eine Pflicht erfüllt habe, obwohl sie mir unangenehm war – die Situation vergeht, die Handlung ist vorbei, aber etwas bleibt: das getane Gute. Das ist von der Art Gottes.
Oder wenn ich einem Menschen, den ich vielleicht nicht mag, mit Liebe begegne, ihn zu verstehen suche, ihm helfe – in diesem Erfüllen des göttlichen Gebotes geschieht etwas, das bleibt. Darumher zerfällt vieles: die Begegnung geht vorüber, die Aufregung klingt ab, der Mensch – ich ebenso wie der andere – werden einmal sterben; daß aber in diesem Augenblick Liebe geübt worden ist, das bleibt, denn das ist von der Art Gottes.
Oder: ich habe einen Freund, der ist wie jeder Mensch; hat gute Eigenschaften und schlimme; manches in ihm erfreut, anderes stößt ab. Es läge nahe, zu denken: das Erfreuliche will ich, das andere nicht. Die Weisheit sagt: Das kannst du nicht! Du kannst an einem Menschen nicht aussuchen, denn in ihm hängt alles zusammen; noch in seine beste Eigenschaft wächst seine tiefste Schwäche hinüber. Wenn du den Men-

schen nicht ganz annimmst, verlierst du ihn. Diese Annahme ist Geduld. Sie ist von Gottes Art; Er tut so mit dir und mit jedem. Auch du mußt so tun; erst dann kommt Dauer in deine Freundschaft. Du magst auf den Freund einzuwirken suchen; das eine zu betonen, das andere abzuschwächen suchen – aber zuerst das ja zum Ganzen.

Das Schönste, was auf der Welt möglich ist, verwirklicht sich, wenn ein Mensch den Anderen liebt. Damit ist nicht die Leidenschaft gemeint, obwohl die ihren guten Sinn hat; gemeint ist das Wunderbare, daß ein Mensch, der doch von Natur vor allem an sich selbst denkt, nun sich öffnet und den Anderen in sein Herz nimmt. Daß der Andere ihm so wichtig wird, wie er sich selbst, vielleicht noch wichtiger, und so Jeder sich im Anderen geborgen weiß.
Die Weisheit sagt aber: Töricht, diese Liebe erzwingen zu wollen. Zu fordern, daß sie entstehe; zu verlangen, daß sie fortdauere; zu drängen, wenn der Andere zögert; sie mit Leistungen und Gefälligkeiten kaufen zu wollen ... Das alles wäre Torheit, denn die Liebe kann nur in Freiheit leben. Sie muß geschenkt werden, und immer aufs neue geschenkt; und daß sie durch zehn Jahre lang geschenkt worden ist, bedeutet nicht, daß es noch durch ein elftes Jahr geschehen werde. Es ist das Ziel, daß es geschehe, denn zum Wesen der Liebe gehört die Ewigkeit; aber eine, die nicht aus Sicherungen, sondern immer neu aus der Freiheit des Herzens hervorgeht. Deshalb stirbt die Liebe, wenn sie nicht in der Ehre der Freiheit gehalten wird; wenn das Gefühl entsteht, sie werde für selbstverständlich angesehen, und man brauche sich nicht um sie zu bemühen. Man kann sie nicht erzwingen, aber man kann um sie dienen, sie mit Rücksicht, mit Höflichkeit umgeben – dann gedeiht sie. Das zu verstehen, ist Weisheit.
So wäre manches zu sagen – auch noch dieses, und es wäre sicher nicht unwesentlich: daß zur Weisheit gehört, mit der eigenen Weisheit vorsichtig umzugehen. Sie ist eine Tugend,

die leicht verdirbt. Wenn man sich ihrer zu sehr bewußt ist, gar sie betont, dann wird sie selbst zur Torheit, und zwar zu einer von schlimmerer Art als jene, die sie überwinden wollte.

Das Dunkle im Menschenherzen

Psalm 136 (137)

Unter den einhundertundfünfzig Psalmen sind einige, die dem christlichen Leser Schwierigkeiten machen, ja die ihn zum Protest herauszufordern scheinen. Dazu gehören vor allem jene, die man die Rache- und Fluchpsalmen nennt. Einen von ihnen, den einhundertsechsunddreißigsten, wollen wir durchdenken und dabei den Schwierigkeiten nicht ausweichen, die er dem christlichen Gefühl bereitet. Wir werden sehen, daß er auch für uns wichtig ist.

> Wir saßen an Babylons Flüssen und weinten,
> da unsre Gedanken nach Sion gingen.
>
> An den Weiden in jenem Land
> hingen wir unsere Harfen auf,
>
> denn Lieder verlangten sie dort von uns, die uns davongeführt,
> und die uns quälten, forderten Fröhlichkeit:
> ›Singt uns von Sions Gesängen!‹
>
> Wie sollen wir singen des Herren Lied
> im fremden Land?
>
> Vergeß ich dich je, Jerusalem,
> soll meine Rechte ihres Dienstes vergessen.
>
> Am Gaumen soll mir die Zunge haften,
> denke ich nicht mehr dein;
>
> setze ich nicht mehr Jerusalem
> über all meine Freude.

Gedenke wider die Söhne Edoms, Herr,
des Tages von Jerusalem,

wie sie da schrien: ›Zerstört!
noch in der Erde die Mauern sollt ihr zerstören!‹

Babylon, Verwüsterin du:
selig, der dir vergelten darf
das Böse, das du uns angetan!

Selig, der deine Kinder packt
und sie am Fels zerschlägt!

Bringen wir uns zuerst die Situation vor Augen, aus welcher der Psalm redet.
Vom Jahre 597 bis 587 vor Christus herrschte im Südbereich mit der Hauptstadt Jerusalem der König Zedekias. Infolge vorausgehender Kriege war er ein Vasall von Babylon; geriet aber in das Ränkespiel der damaligen Großmächte und ließ sich – wider die Warnungen des Propheten Jeremias – durch Ägypten überreden, von Babylon abzufallen. Ein großes babylonisches Heer drang darauf in das Land, verwüstete es und belagerte Jerusalem zwei Jahre lang. 587 wurde die Stadt erobert und furchtbar zerstört. Das Volk wurde nach Babylon verschleppt und konnte erst nach siebzig Jahren, nachdem die Perser das babylonische Reich unterworfen hatten, in die Heimat zurückkehren.
Aus der Zeit dieses Exils stammt das Erlebnis, das sich im Psalm ausdrückt. Der Dichter hat die Zerstörung Jerusalems selbst erlebt, oder sie ist ihm von Augenzeugen erzählt worden. Er ist dann auch in Babylon gewesen, wellt aber in dem Augenblick, aus dem heraus der Psalm redet, nicht mehr dort.
Nun erinnert er sich eines Begegnisses, das er im Exil erlebt hat; wie einmal gefangene Israeliten – vielleicht Tempelsänger, Leute also, die bei den Gottesdiensten die Festlieder vortrugen und den Gesang mit Harfen begleiteten – von

Babyloniern zum Hohn aufgefordert wurden: »Ihr Sänger, singt uns doch die Lieder, die ihr im Tempel gesungen habt!« Da kommt es über ihn: ein Gefühl, so heftig, daß das Lied mit einem furchtbaren Mißton abreißt.

»Wir saßen an Babylons Flüssen«, beginnt er. Vielleicht haben die Gefangenen an einem solchen Fluß ein Lager gehabt; vielleicht an ihm, wo sie die rituellen Waschungen vornehmen konnten, eine Art Gottesdienst gehalten. Nun sitzen sie am Ufer; ihre Gedanken gehen nach Sion, und sie weinen in bitterer Trauer. Da kommen Babylonier vorbei, sehen die Besiegten und spotten: Singt uns doch! Ihr seid doch so große Künstler! Singt uns doch die Lieder, die ihr im Tempel gesungen habt! Sie aber nehmen ihre Harfen und hängen sie an die Bäume; das ist ihr Nein.
»Wie sollen wir singen des Herren Lied im fremden Land?« Der Glaube Israels, der Dienst des Gottes, der sich ihm geoffenbart hat, ist aufs engste mit dem Land verbunden, in das Moses und Josue sie einst geführt haben. Gott, Jerusalem, Tempel, Palästina, Glaube, Heil – das ist ein Ganzes. Nun ist es zerrissen; sie begreifen nicht, wie das geschehen konnte, und bitterer Schmerz kommt über sie.

> Vergeß ich dich je, Jerusalem,
> soll meine Rechte ihres Dienstes vergessen.
>
> Am Gaumen soll mir die Zunge haften,
> denke ich nicht mehr dein;
>
> setze ich nicht mehr Jerusalem
> über all meine Freude ...

Hätten wir von dieser Inbrunst nur einen Funken! Wäre uns Gott und sein Reich nur ein Zehntel so wichtig, wie diesen Männern die Heilige Stadt!

Dann aber steigen Erinnerungen auf; die furchtbaren Bilder der Zerstörung, mit welcher die Eroberung geendet hatte. Da

hatte sich der Triumph des Sieges, der Rausch des Tötens ausgetobt. Denn eine Stadt war ja für das alte Empfinden mehr, als nur menschliche Wohnung, Sicherheit und Reichtum; sie war göttliche Gründung und Ordnung; bildhafter Ausdruck des Daseins des Volkes und seiner Götter. Wahrscheinlich hatten die Belagerer auch etwas von dem Anspruch Israels gehört, das den Herrn nicht, wie jedes Volk das tat, als seinen Wesensgott ansah, sondern als den Einen, Einzig-Seienden, so daß in ihre Zerstörungswut auch die Feindschaft der Helden gegen den Gott der Offenbarung hineinschlug. Das alles steigt auf, und aus Sehnsucht und Schmerz wird Haß.
Der aber richtet sich vor allem gegen die alten Nachbarn, die Edomiter:

> Gedenke wider die Söhne Edoms, Herr,
> des Tages von Jerusalem.

Diese waren Semiten; aber zwischen ihnen und den Israeliten herrschte tiefe Abneigung – wie es ja manchmal geschieht, daß verwandte Völker, ebenso wie verwandte Menschen einander tiefer hassen als fremde. Für sie war der Untergang Jerusalems ein wilder Triumph; sie haben die Babylonier als Vollstrecker ihrer eigenen, ohnmächtigen Feindschaft empfunden.

»Gedenke wider sie« – das ist ein Fluch! – »wie sie da schrien: ›Zerstört!‹«

Die Babylonier wüten in der heiligen Stadt, töten, plündern, zerschlagen. Mit der äußersten Wildheit toben sie im Tempel, dem leibhaftigen Inbegriff alles dessen, was für sie »das besiegte Volk« war. Es gibt einen Psalm, der ganz um dieses furchtbare Geheimnis kreist, der dreiundsiebzigste. Da heißt es:

> Lenke den Schritt zu den ewigen Trümmern:
> alles haben die Feinde verwüstet im Heiligtum!

> Der Widersacher Gebrüll ist am Ort Deiner Feier erschallt,
> und ihre Zeichen haben sie aufgerichtet als Siegesmale.
>
> Wie solche waren sie, die im dichten Wald ihre Äxte schwingen;
> mit Hammer und Beil zerschlugen sie all seine Tore.
>
> Sie übergaben den Flammen Dein Heiligtum,
> und schändeten bis auf den Grund Deines Namens Wohnung.
>
> Sie sprachen in ihrem Herzen: »Wir wollen sie alle vernichten;
> zu Boden brennen die heiligen Stätten Gottes im Land!« (3-8)

Neben all dem Grauen aber stehen die Edomiter und hetzen: Mehr, noch mehr, ganz, bis in die Fundamente hinunter sollt ihr alles zerstören!
Das Bild erhebt sich vor den Erinnernden mit seiner brennenden Schrecklichkeit, und nun wendet sich der Haß gegen die Vollstrecker des Unheils: »Babylon, Verwüsterin du!«, und der Durst nach Rache steigt auf: »Selig, der dir vergelten darf das Böse, das du uns angetan!«
Das Wesen »Babylon« erscheint als Weib, als Volks-Mutter. Der Rachedurst richtet sich auf deren Lebendigstes, ihre Kinder, und verkostet die Lust, diese zu vernichten: »Selig, der deine Kinder packt und sie am Fels zerschlägt!«

Wenn wir die Verse lesen, und nicht ästhetisch, sondern im Ernst; uns gar, wie das ja durch jeden Psalm geschieht, aufgefordert fühlen, sie zu beten, dann fragen wir: Was ist das? Wie kann Gottes Wort uns auffordern, diese Worte im Gebet als die unseren zu vollziehen?
Man hat viel darüber gerätselt, wie das zu verstehen sei. Hat gemeint, die Edomiter und Babylonier – wie überhaupt in

den Rachepsalmen diejenigen, gegen die sich das Gefühl des Textes richtet, seien symbolisch zu nehmen, für die Feinde Gottes. Genauer gesagt, für die Gesinnung der Feinde Gottes, und diese Gesinnung sei es, die gehaßt werde ... Es ist aber wohl schlichter und entspricht dem Text besser, wenn man ihn so nimmt, wie er dasteht.

Die Schrift sagt nicht: Was der Mann da redet, ist gut, sondern: Der Mensch ist so, daß er dergleichen sagt. Wenn dann der Hörer sich verwahrt, dann antwortet die Schrift: Jawohl, auch du bist so! Auch in dir ist, was im Dichter des Psalms sich mit dem Eifer für Gott vermischt; wenngleich nach geschichtlicher Epoche und Erlebnisform verschieden. Und auch bei dir kommt es nur auf die Gelegenheit an, daß es ausbreche.

Der Einwand kann aber weitergehen und sagen: Der da redet, war doch Einer, der glaubte, auf den Messias wartete; ein solcher konnte doch nicht derartige Gefühle im Herzen haben! Der Einwand ist ernst, und wir müssen ihm standhalten.

Wie geht denn das aber zu, wenn ein Mensch von der Gnade erfaßt wird und glaubt? Dann wird er nicht umgezaubert. Dann kommt keine magische Kraft des Guten über ihn, er wird nicht auf einmal zu einem anderen Wesen, sondern Gottes Ruf zu hören und im Gehorsam des Bundes zu stehen – aber sprechen wir von uns selbst: Christi Wort zu vernehmen und sich zur Nachfolge zu entschließen, heißt nicht, mit einem Mal geändert zu werden, sondern das Neue kommt als ein Keim in den Menschen, und dieser ist, wie er ist. Ein Wort, eine Wahrheit, eine Szene aus dem Leben des Herrn fällt in den Geist, in den Willen, in das Gemüt und fängt an zu treiben. Darunter ist aber noch das, was vorher war.

Paulus hat aus eigenstem Erfahren darüber gesprochen: In der Erlösung zu stehen, Christus anzuhangen, bedeutet, daß im »alten« Menschen der Anfang eines »neuen« aufgegangen ist. Der alte aber ist noch da mit all seinen Antrieben und

Neigungen, guten wie schlimmen. Zwei Mittelpunkte wirken nun; zwei Menschen kämpfen miteinander: oft wird der neue vom alten besiegt, oder doch verdeckt und Lügen gestraft, so daß man gar nicht merkt, daß er überhaupt da ist. Langsam nur dringt das Neue vor, wird stärker und, durch alles Versagen hindurch, wächst der neue Mensch.

Streng genommen dürfte keiner sagen: Ich bin ein Christ, sondern: Ich will einer werden. Ja, es wäre wohl im Sinne des Apostels, wenn man sagte: Derart verhüllt ist der neue Mensch, daß man sein Dasein nicht wissen kann, sondern auf das Wort der Verheißung hin an es glauben muß.

Die großen Gestalten der Schrift legen uns das selbst nahe. Denken wir etwa an den Mann aus der Reihe der Patriarchen, der Kardinal Newman so teuer war, Jakob, den Enkel Abrahams. Er muß ein Mensch von einer Macht religiösen Erfahrens gewesen sein, die einen ganz sehnsüchtig werden läßt – erinnern wir uns an seine Vision in Bethel oder an seinen Kampf mit dem Engel des Herrn am Fluß Jabbok (Gen 28,10ff und 32,22ff). Dieser selbe Mann hat aber seinem Bruder das Erstgeburtsrecht abgelistet und seinen Vater auf dem Sterbebett getäuscht (Gen 25,29ff und 27,1ff). Wer wagt es, zu richten und zu sagen, einer, der solches tue, könne kein Patriarch, das heißt, kein Träger der Verheißungen Gottes sein? Jakob war das eine und das andere. Er war ein von Gott Ergriffener und war zugleich ein Mann, der schwer an seinem Menschentum zu tragen hatte.

Oder denken wir an die andere große Gestalt im Alten Testament, den König David, dem Gott selber Zeugnis gibt, indem Er ihn nennt: »Mein Knecht David.« Wenn wir aber lesen, welch erbarmungslose Kriege er führt, und wieviel Blut an seinen Händen klebt, so daß ihm Gott verwehrt, den Tempel zu bauen (2 Sam 7,1ff); oder lesen, wie er seinem Unterfeldherrn, Uria, die Ehe zerstört und ihm verräterisch den Tod anordnet (2 Sam 11), – dennoch ist er David, und der Messias nennt sich sein Sohn. Das bedeutet nicht, was er tut, sei recht; oder wer sich zu Gott bekenne, könne sich zur Seite

Böses erlauben. Wohl aber, man solle vom Menschen des Glaubens keine starre, moralistische Anschauung haben, sondern ihn als das sehen, was er ist: ein lebendiger Mensch – und daß man Christ nicht »ist«, sondern »wird«.

Man darf sagen: Ich vertraue, daß Gott mir gibt, Christ zu werden, und das mag einen mit tiefstem Glück berühren. Nicht darf man sagen: Ich bin Christ, und es steht mir zu, über das Christsein Anderer zu urteilen. Immer sind wir unterwegs.

So dürfen wir auch an uns selbst nicht verzweifeln. Manchmal möchte man den Mut verlieren, wenn man immer das gleiche Versagen sieht: den Zorn, die Lieblosigkeit, die Trägheit, die Lüge ... Kommt man je hinaus? Darauf gibt es nur eine Antwort: Du mußt weitergehen, Tag um Tag, Stunde um Stunde, denn Christ bist du nicht, sondern, wenn du es redlich meinst, wirst du ein solcher.

Geborgenheit in Gott

Psalm 90 (91)

Der neunzigste Psalm ist einer der schönsten – wenn es überhaupt einen Sinn hat, bei Worten, in denen Gott redet, von mehr oder weniger schön zu sprechen. Tritt der Leser in den Psalm ein, dann öffnet sich ihm ein Raum, und darin wird eine stille Gegenwart fühlbar, die ganz Macht ist und ganz Güte. Er wird an die Hand genommen und gelehrt, wie er mit der gütigen Macht in ein Einvernehmen kommen könne; und geht er mit, dann ist er geborgen. Wir werden den Text gleich vernehmen. Vorher aber noch zwei kurze Hinweise, die das Verständnis erleichtern sollen.

Im Psalm erscheinen drei Personen – wenn man schon so zählen darf; wir werden gleich sehen, warum die Verwahrung. Da ist einmal Jener, der ihn spricht. Er hat eine tiefe Erfahrung gemacht und redet von ihr her mit Autorität über das Leben, dessen Not und Gefährdung; auch darüber, was geschieht, wenn der Mensch sich in lebendigem Vertrauen mit Gott verbindet.
Dann ist da ein Zweiter; der redet nicht, sondern lauscht. Aber wir wissen ja, wie das Wort, das Einer spricht, sich erst aus dem Herzen und dem Geiste dessen vollendet, der es vernimmt. So müßte hier wohl ein gutes und tiefes Hören sein, aus welchem das Wort jenes Ersten voll würde. Und lesen wir den Psalm richtig, dann sagen wir – sagt jeweils der, der liest: Der Hörende bin ja ich! Und er bemüht sich, das, was er hört, tief ins Herz zu nehmen.
Endlich aber, in den drei letzten Versen, redet ein abermals Anderer, und das ist überhaupt der Eigentliche – Jener, der von Wesen das Recht hat, zu reden: Gott. Er bestätigt, daß das, was der Erste gesagt hat, richtig war.

Noch etwas muß bemerkt werden. Der Psalm besteht aus lauter Bildern. Eines folgt immer auf das andere; die vielen sagen aber alle das Gleiche. Alle sprechen sie von der Bedrängnis des Lebens, vom Vertrauen dessen, der wirklich glaubt, und von der nie versagenden Güte des mächtigen Gottes.
Bilder aber versteht man nicht dadurch, daß man aus ihnen Begriffe macht. Sie wollen als das genommen sein, was sie sind, nämlich eben als Bilder. Man muß sie vor dem inneren Auge aufrufen, in sie hineingehen, sie durchfühlen; dann erfährt man ihre Botschaft. Das ist aber nicht möglich, wenn der Lesende oder Sprechende schnell durch sie hinläuft. So muß er langsam gehen; immer wieder innehalten; die eigenen Bedrängnisse in die Bilder hineintun und die Worte, die so trostmächtig daherkommen, auch wirklich aufnehmen, als hier und zu dieser Stunde an ihn selbst gerichtet.

Und nun der Text:

> Der du wohnst in des Höchsten Schutz,
> in des Allmächtigen Schatten lebst,
>
> sprich du zum Herrn: »Meine Zuflucht
> und meine Burg,
> mein Gott, auf den ich vertraue!«
>
> Er rettet dich vor der Schlinge des Jägers
> und vor der Pest, die Verderben bringt.
>
> Mit Seinen Flügeln beschirmt Er dich,
> in die Hut Seiner Fittiche birgst du dich,
> Seine Treue ist Schild dir und Schutz.
>
> Dann fürchtest du nicht den Schrecken der Nacht,
> und nicht den Pfeil, der am Tage fliegt;
>
> auch nicht die Pest, die im Finstern schleicht,
> und nicht das Unheil, das mittags schlägt.

Es fallen Tausende neben dir,
und zehnmal tausend zu deiner Rechten,
dir aber nahet es nicht.

Doch schauen sollst du mit eigenen Augen
und sehn, wie den Frevlern vergolten wird.

Denn deine Zuflucht ist der Herr,
den Höchsten hast du zur Burg erwählt.

Es fällt dich kein Unheil mehr an,
und keine Plage naht sich deinem Zelt.

Er entbietet für dich Seine Engel,
daß sie dich schützen auf all deinen Wegen.

Sie tragen dich auf ihren Händen,
damit sich dein Fuß an keinem Steine stoße.

Du gehst über Schlangen und Nattern,
trittst Löwen nieder und Drachen.

»Er war Mir treu, so mach Ich ihn frei;
Ich schütze ihn, denn er kennt Meinen Namen.

Wenn er Mich anruft, so hör Ich ihn;
Ich bin bei ihm in seiner Bedrängnis;
Ich rette und ehre ihn.

Mit langem Leben mach Ich ihn satt,
und laß ihn schauen Mein Heil.«

Wir haben gesehen: Ein Bild nach dem anderen; immer neue und neue. Jedes bringt die gleiche Botschaft. Jedes empfängt sie vom vorausgehenden, verstärkt und vertieft sie, und gibt sie an das nächste weiter.
Gott ist so weise, wie Er wissend ist; so gütig, wie Er mächtig ist; so treu, wie kein Mensch es zu sein vermag. Darum ist wahrlich geborgen, wer sich Ihm anvertraut.

Der Psalm beginnt – und sofort erscheint ein Bild: »Der du wohnst in des Höchsten Schutz, in des Allmächtigen Schatten lebst.« Da geht ein Wanderer in Palästina, einem Lande, das weithin Wüste war, dessen Sonne brannte, und auf dessen Wegen Gefahren lauerten. Wir entsinnen uns, wie Jesus in seinem Gleichnis über die wahre Nächstenschaft von der Straße erzählt, die von Jerusalem nach Jericho führt, und an der die Räuber ihr Unwesen treiben (Lk 10,30ff). In diesem Land war also der Mann unterwegs, hat viel Beschwerden ertragen und manche Angst ausgestanden. Nun kommt er in das Haus eines Gastfreundes und atmet auf. Der Schatten von dessen Dach erquickt ihn, und der Schutz seiner Mauern macht, daß er ruhig einschlafen kann ...Wer in Gott Den erkannt hat, der ihm wohlwill und, was Er will, auch vermag, der erfährt nicht nur hin und wieder seinen Schutz, sondern »wohnt« darin, als wie in Haus und Heimat, und spricht mit tiefer Gewißheit: »meine Zuflucht und meine Burg!« Im ersten Bild erscheint aber ein zweites, rasch durch ein einzelnes Wort aufgerufen. In einem Lande, das von räuberischen Nomaden heimgesucht wird, gibt es befestigte Plätze, auf einer Anhöhe, von Mauern umgeben, durch starke Tore verschlossen, in die man sich flüchten kann: »Du bist meine Burg!« Er, Gott selbst, ist die Burg; »in« Ihm wohnt, wer vertraut.

»Er rettet dich vor der Schlinge des Jägers.« Der legt Schlingen aus und versieht sie mit Ködern, um Vögel und kleines Wild zu fangen: so sind jedem Menschen Fallen gelegt: lauernde Verführung, Möglichkeiten des Abgleitens, Anlaß zu Irrtum und Torheit, Unmaß und Haß, eingelassen in die verschiedenen Situationen des Lebens.
Sofort wird eine weitere Gefahr genannt, dem Menschen der heißen Länder besonders furchtbar: die »Pest, die Verderben bringt«. Die schreckliche Seuche, die so schnell über ein Volk kommen kann, und gegen die frühe Zeiten nur so schwache Mittel wußten.

»Mit Seinen Flügeln beschirmt Er dich.« Das Bild des Vogels, der mit starken Flügeln seine Jungen beschützt, ist der Schrift wohl vertraut – denken wir an den Adler, der über seinem Nest schwebt (Dtn 32, 11); und wieder an das Bild, das Jesus braucht, wie Er auf der Höhe von Jerusalem steht, die Stadt vor sich sieht: »Jerusalem, Jerusalem ... wie oft habe ich deine Kinder um mich sammeln wollen, wie die Henne ihre Küchlein sammelt unter ihre Flügel!« (Mt 23,37f) Dieses Bild erscheint hier für Gott selbst: »Mit Seinen Flügeln beschirmt Er dich, in die Hut Seiner Fittiche birgst du dich.«
In das Bild spielt aber wieder ein anderes hinein: Ein Kampf ist im Gang; einer droht zu unterliegen, ist vielleicht verwundet, da kommt ein Freund und hält den Schild vor ihn. So tut Gott: »Seine Treue ist Schild dir und Schutz.«

»Dann fürchtest du nicht den Schrecken der Nacht, und nicht den Pfeil, der am Tage fliegt.« Schrecken der Nacht kann alles sein, was im Dunkel droht. Er kann auch die Unheimlichkeit der Finsternis selbst bedeuten, die dem Menschen das Herz lähmt.
Aber wir müssen zur genaueren Deutung die Weise beachten, wie die Psalmen dichten. Ihre Verse bestehen nämlich aus je zwei Zeilen, deren jede das Gleiche sagt, nur anders gewendet, mit einer anderen Betonung, einem anderen Bild: der sogenannte Parallelismus, die Gleichsinnigkeit der Zeilen. Daraus kommt das Ruhige, Schwebende, wie auch das Eindringlich-Überredende der Psalmensprache. Auf Grund dieser Gleichsinnigkeit kann man unter Umständen, wenn die Bedeutung einer Zeile unklar ist, aus der anderen heraus verstehen, was sie meint. Hier heißt es nun: »Dann fürchtest du nicht ... den Pfeil, der am Tage fliegt«, den feindlichen Angriff also, der am Tag erfolgt; und ebensowenig »den Schrecken der Nacht«, den Überfall, der im Dunkel einbricht, und da um so gefährlicher ist.
»Auch nicht die Pest, die im Finstern schleicht.« Wieder erscheint der furchtbare Feind, der im Alten Testament

immer droht, und im Volk schon solche Verwüstungen angerichtet hat; den Gott durch Moses und die Propheten den Abtrünnigen verheißt.
»Und nicht das Unheil, das mittags schlägt.« Vielleicht ist damit wieder die Pest gemeint, die mit steigender Hitze gefährlicher wird; vielleicht aber auch die Strahlen der Sonne, die den Menschen in der Tageszeit tödlich treffen können.

»Es fallen Tausende neben dir, und zehnmal tausend zu deiner Rechten.« Beide Male wird die rechte Seite genannt, weil sie die im Kampf ungeschützte ist. Den Schild trägt der Krieger am linken Arm, da ist er also gedeckt; rechts führt er die Waffe, und da droht ihm die Verwundung. Ja der Psalm redet von einer Gefahr, die so groß ist, daß auf dieser ungeschützten rechten Seite Tausende und Zehntausende fallen, unzählig viele also; ihm aber, dem Einen, »naht das Unheil nicht«, denn da steht Gott.
»Doch schauen sollst du mit eigenen Augen und sehn, wie den Frevlern vergolten wird«: denen, die sich auf ihre eigene Kraft verlassen; die sich wider Gott empören, die Ihn gar leugnen. An ihrem Schicksal wird um so deutlicher werden, wie ganz anders das des Menschen ist, der mit Gott im Bündnis des vollkommenen Vertrauens steht.
Von der schwersten Erprobung, in die das Vertrauen gestellt werden kann, redet dieser Psalm freilich nicht: daß nämlich die Gottlosen und Gottleugnenden gedeihen; daß sie in Einklang mit den Mächten des Daseins zu stehen scheinen, so daß ihnen alles gelingt. Darüber sprechen andere Psalmen, zum Beispiel der zweiundsiebzigste. Sie machen deutlich, wie schwer die Erprobung ist, und man kann nicht sagen, daß sie wirklich von höherer Erkenntnis her überwunden werde. Ihr stellt sich nur eine um so entschiedenere Betonung des Vertrauens entgegen, das sich schon, wenn auch erst später, bewähren werde. Die eigentliche Antwort hätte von der Einsicht in die reifende und umwandelnde Kraft des Leidens auszugehen. Diese wird aber erst in der Schule des Gekreu-

zigten gewonnen. Das Alte Testament ist mit dem Problem des Leidens – und des Übels überhaupt – noch nicht fertig geworden.

»Denn deine Zuflucht ist der Herr, den Höchsten hast du zur Burg erwählt.« Wieder das Bild der befestigten Stadt auf der Höhe, in welche die Landbewohner ringsum sich zurückziehen, wenn der Feind naht; wo auch der Wanderer, der fern von seiner Heimat ist, um Aufnahme bitten kann.

»Kein Unheil fällt dich an, und keine Plage naht sich deinem Zelt«, wenn du auf der Wanderung nachts im Zelt schläfst, dessen schwache Wände keinen Schutz geben.

Und nun das schöne Bild, so ganz in unseren Sprach- und Denkgebrauch übergegangen, daß uns gar nicht mehr bewußt wird, woher es kommt: »Er entbietet für dich Seine Engel, daß sie dich schützen auf all deinen Wegen« – die heiligen Boten und Kämpfer, die freudig und genau Gottes Willen erfüllen, schützen den Menschen, der auf ihren Herrn vertraut.

Ja sie tun mehr, Überschwengliches: »Sie tragen dich auf ihren Händen, daß sich dein Fuß an keinem Steine stoße.« Auf den schlecht gebahnten Wegen sind scharfe Kanten; so kann es sein, daß sich der Mensch, der barfuß oder in Sandalen geht, daran verletzt. Das darf nicht sein; so legen die Engel die Hände unter die Füße des Gehenden.

Auch über Gefährliches geht er hinweg, Schlangen und Nattern, Löwen und Drachen, ohne nur zu wissen, wie tödlich das war, was ihm gedroht hat, denn er ist behütet.

Nun spricht Gott: »Er war Mir treu, so mach Ich ihn frei.« Treue gegen Gott ist Treue gegen Den, der selbst die Treue ist. So ist sie Wahrheit; Wahrheit aber knechtet nicht, sondern befreit.

»Ich schütze ihn, denn er kennt Meinen Namen«: das Wort führt in immer tiefere Tiefen, wenn man ihm folgt. Wir wollen am Schluß dieser Betrachtung noch einmal darauf zurückkommen.

»Wenn er Mich ruft, so hör Ich ihn.« Der Ruf zu Gott geht nicht ins Leere. Der All-Gewaltige; der Anfang, vor dem nichts ist; der Herr, wie niemand Herr sein kann – Er ist dem gläubig Rufenden freundlich gesinnt und »hört« ihn; »neigt Sein Ohr und vernimmt ihn«, wie es bei dem Propheten heißt. Wir fühlen das Geheimnis von Gottes Herwendung. Er, der alles weiß, weiß in vielfacher Art: als Schöpfer vom Ursprung des Seins her; als Richter in der Unbestechlichkeit seines Urteils. Er weiß auch als der Vorsehende, liebend und gnädig. Seine Herwendung ist selbst schon Hilfe. Sie setzt sich fort in der Nähe, worin Gott »bei« dem Rufenden ist. Wieder das Geheimnis, daß der Allgegenwärtige nicht nur mit seiner All-Wirklichkeit anwesend ist; nicht nur das Seiende im Sein hält und durchwaltet; sondern auch als Person dort ist, wo sein Geschöpf lebt; richtiger gesagt, diesem seinen Ort anweist, daß es mit seinem endlichen Dasein »vor« und »bei« Dem sei, der einfachhin und in sich selbst ist.

Gott »rettet und ehrt ihn« ... Welch ein Gedanke! Wie groß, aber auch wie notwendig, daß der Herr den Menschen in Ehren hält! Was geschähe mit uns, wenn Er uns nur in seiner Macht gegenüberstünde? Aber Er ist vornehm; so vornehm in seinem Sinn, wie groß in seiner Macht. Er will es nicht mit Sklaven zu tun haben. Er hat die Dinge in ihren Sinn gestellt, und freut sich dessen, daß sie sind. Er hat den Tieren ihr Leben gegeben, und jede ihrer Regungen ist sein Geschenk. Er hat den Menschen ins Sein – nicht gestellt, sondern gerufen, und hält Ihn in beständigem Anruf. So liegt die Haltung des Ehrens schon im Grund seines Schaffens und tritt dann in der Vorsehung überall hervor, um sich endlich in dem Geheimnis zu vollenden, das im Neuen Testament die Gotteskindschaft heißt.

»Mit langem Leben mach Ich ihn satt!« Im Alten Testament spielt der Gedanke des ewigen Lebens keine besondere Rolle.

Lange Zeit tritt er überhaupt nicht hervor; aber auch nachher tut er keine entscheidende Wirkung. Worum es geht, ist das Leben hier auf der Erde, mit Gott und für seine Sache. So lautet die Verheißung: Langes Leben wird er haben; satt an Leben erst wird er sterben.
Und: »Ich laß ihn schauen mein Heil!« Das Heil ist Gottes Nähe selbst; die Tatsache, daß Gott ist, und seinem Geschöpf in Gnaden zugewendet. Das schauen die Augen, die Ihm im Ernst eines solchen Glaubens ergeben sind.

Tief und schön ist der Psalm. Vielleicht haben wir schon einmal den Wunsch empfunden, in unserem persönlichen Gebrauch einige gute Gebetstexte zu haben. Man will ja doch wohl manchmal beten, und weiß nicht wie. Und immer nur »ein Vaterunser« zu beten, hat ja auch nicht viel Sinn; im Gegenteil, es gefährdet das heilige Gebet des Herrn, stumpft das Gefühl für sein Geheimnis ab. Da wäre es gut, wenn wir uns einige Psalmen auswählten, sie ganz zu eigen gewännen und so für unser Gebet zur Verfügung hätten. Der neunzigste, den wir hier betrachten, könnte einer davon sein.

Wir wollen noch einmal auf ein Wort zurückkommen, das im drittletzten Vers steht und lautet: »Ich schütze ihn, denn er kennt Meinen Namen.«
Das heißt zunächst einmal, daß der, von dem da die Rede ist, den Lebendigen Gott und seinen Dienst von den Göttern der heidnischen Mythen und Kulte zu unterscheiden weiß. Palästina war ja von riesigen heidnischen Kulturen umgeben: Ägypten, Babylon, Persien, Syrien – Götter über Götter; manche von ihnen mächtige Gestalten, manche herrlich, manche furchtbar oder auch widerlich. Sie umgaben den Menschen, der da spricht. Von ihm sagt Gott: Unter all den Scheingestalten, die aber so mächtig auf das Menschenherz eindringen, weiß nur dieser vom wirklichen, vom lebendigen Gott.
Der Satz kann noch eine zweite Bedeutung haben. Der Name

Gottes ist Gott selbst; so sagt Gott vom Heiligtum in Silo, daß »Er dort zuerst seinen Namen habe wohnen lassen« (Jer 7,12). Und zu David sagt Er: Dein Sohn ... »soll meinem Namen das Haus [d. h. den Tempel] bauen.« (2 Sam 7,13) Wer also den heiligen Namen kennt, der kennt Gott; ist mit Ihm vertraut.

Endlich ist da aber noch ein Letztes. Haben wir uns einmal zu Bewußtsein gebracht, wie Gott heißt? Wem man diese Frage stellt, der ist meistens überrascht. Hat denn Gott einen Namen? Er hat ihn; ja Er hat ihn selbst genannt, – wir sprachen davon – in jener Stunde, da die Geschichte des Alten Testaments recht eigentlich beginnt, auf dem Horeb. Da sendet Er den Mann Moses, er solle nach Ägypten gehen und das Volk befreien. Moses entgegnet: »Wenn ich nun aber zu den Israeliten komme und zu ihnen sage: Der Gott eurer Väter hat mich zu euch gesandt; und sie fragen mich: Wie heißt Er denn?, was soll ich ihnen da antworten? Da sagte Gott zu Moses: Ich bin der Ich-bin. Dann fuhr Er fort: So sollst du zu den Israeliten sagen: Der ›Ich-bin‹ hat mich zu euch gesandt.« (Ex 3,13-14) So heißt also Gott! »Ich bin Der Ich-bin« – das ist sein Name.

Darin redet einmal die Majestät, die keinen Namen annimmt, der von außen kommt ... Dann aber ist damit gesagt: Gott ist Der, der allein aus sich selbst wirklich und aller Macht mächtig ist. Wir Menschen »sind« nicht eigentlich. Gewiß, wir sind wohl; aber nur »vor« Ihm und »auf Ihn hin«. Gott aber ist Der, dessen Wesen bedeutet, daß Er sei. Ein Abgrund von Name. Abgrund für den Geist, der das denkt. Tieferer Abgrund für das Herz, welches das erfährt. Geschieht das, dann öffnet sich im Menschen selbst, dem Endlichen, eine antwortende Unergründlichkeit, von der er sonst nicht weiß.

Wenn wir niederknien und unser Gebet verrichten; es so verrichten, wie es geschehen soll, nachdem wir uns nämlich gesammelt haben und innerlich still geworden sind – denn sonst gibt es kein Gebet, sondern nur einen Ablauf von Wörtern – wenn wir so in wacher Stille sind und zu uns selbst sagen: »Hier ist Gott«, dann könnten wir uns versucht fühlen, fortzufahren: »und auch ich bin hier«. Tun wir aber so, dann erhebt unser Herz Einspruch: Das geht nicht! Du kannst nicht sagen: Gott ist hier – und ich auch. Sondern wenn er »hier ist«, dann bist du es nicht »auch«; sondern du bist nur »vor Ihm«. Dazwischen steht die Unnahbarkeit seiner Majestät. Da kann die Gnade gewährt werden, daß man den Namen Gottes erfährt.

Dieser Gott aber, der lautere Wirklichkeit ist aus sich selbst und in sich selbst – Der ist es, zu dem der Psalm uns ins Einvernehmen führt. Daraus kommt dann das große Vertrauen.

Romano Guardini autobiografisch

Romano Guardini
**Stationen und Rückblicke /
Berichte über mein Leben**
Romano Guardini Werke

368 Seiten, 13 x 21,5 cm
Hardcover
€ 38,– [D] / € 39,10 [A]
ISBN 978-3-7867-3333-1

Grünewald
BRILL | Ferdinand Schöningh

Aus drei Quellen schöpft der vorliegende Band: Als Guardini in den letzten beiden Kriegsjahren nicht mehr öffentlich wirken konnte, nahm er das zum Anlass, rückblickend über seine bisherige Tätigkeit als Lehrer und Seelsorger Rechenschaft zu geben. Diese Aufzeichnungen wurden später unter dem Titel »Berichte über mein Leben« veröffentlicht. Dazu kommen die Tagebuchaufzeichnungen von 1945–1964, unter dem Titel »Wahrheit des Denkens und Wahrheit des Tuns« veröffentlicht, und schließlich das kleine Bändchen »Stationen und Rückblicke«, gegen Ende seines Lebens geschrieben. Ein ausführliches Orts- und Namensverzeichnis bietet eine wertvolle zusätzliche Orientierung.
Die in diesem Band vereinigten autobiographischen Aufzeichnungen Guardinis sind ein hervorragender Zugang zu Mensch und Werk.

www.gruenewaldverlag.de

Theologie und Spiritualität

Romano Guardini
Theologische Gebete

Mit einem Nachwort von Peter Reifenberg

Reihe: Romano Guardini Werke

80 Seiten, 13 x 21,5 cm
Hardcover
ISBN 978-3-7867-3169-6

Grünewald / Schöningh

Die in diesem Band versammelten »Theologischen Gebete« Romano Guardinis verdichten auf eine faszinierende Weise die Theologie existenziell. Guardini meditiert die Themen des christlichen Glaubens, Gott und Schöpfung, Jesus Christus und die Erlösung, Gnade und Freiheit, bis hin zur Erfüllung des Lebens in Gottes Ewigkeit. Entstanden sind die Gebete als Abschluss von religiösen Abendvorträgen. »Vortragender und Zuhörer sollten sich mit ihnen aus den Einsichten der Stunde heraus betend an Gott wenden«, wie es Guardini in seiner Vorbemerkung zu den Gebeten formuliert.
Peter Reifenberg und Florian Schuller stellen die »Theologischen Gebete« in den Horizont der Zeit, in der sie entstanden sind, und ordnen sie ein in das philosophische und theologische Denken Romano Guardinis. So entsteht ein geistliches Kompendium, das auch heutige Leserinnen und Leser anzuregen vermag, sich meditierend den großen Fragen des Lebens zu nähern.

www.gruenewaldverlag.de

Grunddimensionen menschlicher Existenz

Romano Guardini
Freiheit – Gnade – Schicksal
Drei Kapitel zur Deutung des Daseins

Reihe: Romano Guardini Werke
Kooperation mit Verlag
Ferdinand Schöningh

13 x 21,5 cm, 256 Seiten
Hardcover
ISBN 978-3-7867-3163-4

Romano Guardini konstatiert eine geistige Zerrissenheit des neuzeitlichen Menschen – nicht zuletzt durch die in der Neuzeit ansetzende und sich in der Moderne immer deutlicher zeigende Ausdifferenzierung der Wissenschaften. Wie lässt sich jenseits der Einzelerkenntnisse eine Gesamtsicht menschlicher Existenz wagen, ohne der Gefahr zu erliegen, ideologisch oder gar totalitär zu werden? In diesem Buch wagt Guardini genau dies: Er nimmt den Menschen als Ganzen in den Blick, indem er ihn in der Perspektive der christlichen Offenbarung unter den Grunddimensionen von Freiheit, Gnade und Schicksal neu zu verstehen versucht und so den Blick weitet über das rein empirisch Feststellbare hinaus.

www.gruenewaldverlag.de